SENTIMENT
26

Gemma Malley

SENTIMENT 26

Traduit de l'anglais
par Marianne Roumy

Titre original : *The Killables*

Première publication par Hodder & Stoughton

© Gemma Malley.
Tous droits réservés.
© Éditions Michel Lafon, 2012, pour la traduction française,
7-13, bd Paul-Émile-Victor – Île de la Jatte
92521 Neuilly-sur-Seine Cedex

www.lire-en-serie.com

Les progrès réalisés dans le domaine de l'imagerie médicale, telle l'IRM, ont permis aux spécialistes en neurosciences de faire des découvertes capitales sur l'amygdale cérébrale chez l'humain. Un consensus de données démontre que cette amygdale joue un rôle essentiel dans les états mentaux, et tout particulièrement dans de nombreux troubles psychologiques.

Dans une étude de 2003, des patients souffrant de l'état-limite – ou trouble de la personnalité borderline – manifestaient une activité de l'amygdale gauche beaucoup plus importante que celle des groupes-témoins. Certains de ces patients avaient du mal à classifier des visages « neutres » ou les trouvaient même menaçants. Face à des incitations à la peur, des individus souffrant de psychopathie présentent des réactions d'autonomie réduite par rapport à la norme.

En 2006, des chercheurs détectèrent une hyperactivité de l'amygdale chez des patients auxquels on montrait des visages menaçants, ou lorsque ces malades étaient confrontés à des situations effrayantes. Chez certains, on a pu établir une corrélation entre phobie sociale aggravée et réaction accrue de l'amygdale.

Des patients déprimés témoignaient eux aussi d'une activité exagérée de l'amygdale gauche, au moment d'interpréter leurs émotions face à des photos de divers visages qu'on leur soumettait, en particulier des visages repoussants. Chose intéressante, cette hyperactivité se normalisait chez les patients sous antidépresseurs.

Par contraste, on remarqua que l'amygdale réagissait différemment chez des personnes bipolaires. Une étude, dès 2003, démontra que les adultes et adolescents bipolaires avaient tendance à avoir l'hippocampe et l'amygdale beaucoup plus petits. De nombreuses études se concentrent sur les rapports entre l'amygdale et l'autisme. D'autres montrent un lien entre l'amygdale et la schizophrénie, constatant que l'amygdale droite est beaucoup plus grosse que la gauche chez le patient schizophrène.

D'après Wikipédia
Janvier 2011

1

La poussière, la crasse et la saleté dans ses yeux, dans son nez, qui l'étouffent. Une main dans la sienne qui la tire, qui la rassure. Une grosse pierre qui la surprend et elle tombe, la tête la première. Elle se redresse et s'essuie le front – il y a du sang sur le dos de sa main. Sa lèvre se met à trembler ; mais avant que les larmes n'aient le temps de venir, on la soulève. Ses bras s'accrochent autour d'un cou familier et le voyage continue.

Le rythme des pas la calme. Elle se sent en sécurité. Le corps de l'homme est chaud ; elle se blottit contre lui. Elle le sent : transpiration, faim, détermination, amour.

– Nous y sommes presque, murmure-t-il à son oreille. Nous y sommes presque, ma chérie.

Elle ferme les yeux, et quand elle les rouvre, la voilà ailleurs, au soleil, entourée d'herbe. La lumière vive lui fait plisser les paupières. Un visage se penche sur elle et elle sourit, tend la main.

– Nous y sommes. Nous y sommes, ma chérie…

Evie ouvrit les yeux et se redressa dans son lit. Elle avait fait un autre rêve. Si intense qu'elle s'empressa de balayer la pièce du regard pour s'assurer qu'elle était bien seule, qu'elle se trouvait dans son lit. Évidemment. Elle s'agenouilla rapidement et se mit à chuchoter :

– Je purifie mon esprit des mauvaises pensées. Je purifie mon esprit du mal. Je me tourne vers le bien, je fortifie mon âme, je combats les démons qui m'encerclent jour et nuit, je suis forte, je suis bonne, je suis saine et sauve. Je suis protégée, je suis la protectrice.

Elle répéta le mantra cinq fois et, tâchant de ne pas remarquer ses draps trempés de sueur, se dirigea vers la petite salle de bains attenante à sa chambre, la seule de la maison – qui pourrait donc avoir besoin d'une salle de bains supplémentaire ? Puis, sous la douche froide, elle se lava, se débarrassa de l'odeur de la main qui la tenait. L'homme dont elle n'avait jamais vu le visage mais qu'elle connaissait bien. Chaque soir, elle allait se coucher en se disant qu'elle ne le reverrait plus, chaque soir elle oubliait sa résolution. Et chaque matin, elle se réveillait, angoissée, espérant pouvoir se purifier, espérant être comme tout le monde, quelqu'un de bien, libérée des cauchemars qui la tourmentaient et faisaient d'elle quelqu'un d'étrange, de dangereux.

Ces rêves n'étaient jamais des cauchemars pour elle. Ils n'étaient jamais obscurs ni effrayants ; ils étaient joyeux, chaleureux.

Mais cela ne faisait qu'empirer les choses.

Elle était dépravée, voilà la vérité. L'homme représentait le mal en elle, qui essayait de la tenter, qui lui faisait rejeter le bien. Elle le savait, car sa mère le lui avait affirmé. Il incarnait le mal, et le bien-être qu'elle ressentait avec lui prouvait qu'elle était faible, mauvaise, corrompue et dangereuse. Mais elle pourrait le combattre, si elle s'en donnait vraiment la peine. C'était ce que prétendait sa mère. Et, à sa façon de le lui dire, elle insinuait toujours que ses rêves étaient sa faute, qu'elle choisissait délibérément de les faire.

C'est pourquoi Evie fut soulagée de la trouver occupée dans la cuisine, où elle préparait un porridge sur le poêle et récurait les surfaces de travail. Dur labeur, purification de la pensée et des actes, chasteté, charité et ordre : tels étaient les chemins de la vertu, ainsi la vie devait-elle être vécue. Sa mère était un modèle dont le Frère aimait à chanter les louanges. Une femme bonne, dirait-il en posant les yeux sur Evie et en secouant légèrement la tête.

Sa mère lui désigna sa place d'un signe de tête avant de déposer un bol bouillant devant elle, puis elle se remit à travailler.

— Il est presque 7 heures, déclara-t-elle d'un ton brusque. Tu dois te dépêcher. (Elle repartit devant le poêle, puis se retourna.) Tu… as encore hurlé dans ton sommeil la nuit dernière, ajouta-t-elle, subitement froide.

Le cœur d'Evie martela sa poitrine. Sa mère l'avait entendue. Elle savait.

Leurs regards se croisèrent, et Evie ressentit brusquement un désir étrange mais intense, celui de partager ses peurs, de tout dire à sa mère, que celle-ci la réconforte, la rassure, qu'elle la serre dans ses bras, qu'elle recrée le cocon si enivrant de son rêve, si absolu. Mais elle savait que c'était impossible, qu'elle ne la comprendrait jamais, ne la rassurerait jamais. Elle la jugerait, elle la critiquerait. Et à juste titre. Les cocons enivrants étaient le mal, eux aussi.

— Je… commença-t-elle. Je…

— Tu dois arrêter, Evie, répondit sa mère sans ambages. Tu dois réprimer tes mauvaises pulsions. Tu as un bon poste, un beau mariage à l'horizon. Crois-tu que tu puisses te marier si tu cries dans ton sommeil ? Crois-tu que l'on te considérerait de la même façon si l'on

11

apprenait la vérité ? Comment nous regarderait-on ? Que diraient les gens ?

Evie, gênée, hocha la tête.

– Je continue à lire *Les Sentiments*, expliqua-t-elle, en se mordant la lèvre.

Par inadvertance, elle toucha la petite cicatrice à droite de son front, et ses doigts en firent le tour à toute allure, comme pour se rassurer. Sa mère opina et ses traits se tordirent légèrement, puis elle laissa échapper un long soupir.

– Lire *Les Sentiments* ne suffit pas. Tu rêves parce que tu te l'autorises, ajouta-t-elle en plissant les yeux. Parce que tu invites ton rêve à entrer. Cela prouve que tu es faible, Evie. L'imagination montre une aptitude à mentir, à feindre que le monde est différent. Tu ferais donc mieux de faire attention. Maintenant, avale ton porridge. Ne gâche pas de la bonne nourriture.

Evie se mit à manger, mais les aliments étaient secs dans sa bouche, comme étrangers. Sa mère avait raison, bien qu'elle fût loin de connaître la vérité. Elle était faible, elle était une Déviante. Elle tâcha de mâcher, d'absorber les flocons d'avoine, mais c'était impossible, comme si son estomac les rejetait, comme s'il savait qu'elle ne les méritait pas. Même son ventre n'était pas capable de se conformer aux règles de la Cité, songea-t-elle, piteuse. Des règles qui menaient à une belle vie. Des règles que tout le monde appliquait sans hésiter. « Ne gâche pas la nourriture. Ne laisse pas entrer les sentiments dans ton cœur, parce que l'émotion, c'est la porte ouverte au mal. Travaille dur, suis les règles, obéis à tes parents, ne pose pas de questions, écoute le Frère et tiens bien compte de ses enseignements, accepte ton étiquette mais efforce-toi de l'améliorer, crains le mal parce qu'il est pernicieux, opportuniste, parce qu'il ne dort jamais, parce qu'une

fois qu'il t'aura prise, tu ne seras plus jamais libre…»
Pour tous les autres, cela semblait si facile… Pour Evie,
les règles étaient une sorte de camisole de force qui
façonnait son corps et son esprit en une forme qui ne lui
ressemblait pas. Et la seule explication qu'elle parvenait
à trouver, c'était que le mal l'avait déjà prise, que le mal
en elle rejetait les règles mises en place pour la protéger,
pour préserver tout le monde.

Elle finit par abandonner, reposa sa cuillère, repoussa
son bol. Sa mère la regarda longuement, puis haussa les
épaules.

– Tu devrais aller travailler. Il vaut mieux ne pas arriver
en retard.

Evie sortit de la cuisine, se brossa les dents, enfila un
manteau léger, puis partit. Elle travaillerait plus dur, se
dit-elle en avançant d'un bon pas. Elle ne laisserait plus
de pensées destructrices pénétrer dans sa tête. Elle serait
quelqu'un de meilleur. Elle suivrait les règles de la Cité,
même si elle les trouvait restrictives. Elle les suivrait
parce qu'elle les trouvait restrictives, parce qu'elle devait
combattre le mal en elle, s'en débarrasser une bonne fois
pour toutes. Parce que la Cité était la seule chose qui se
tenait entre elle et l'autodestruction, entre leur société
fragile et le mal qui brûlait d'envie de la détruire. De
détruire tous ceux qui l'habitaient…

La Cité était l'endroit où Evie vivait, où tout le monde
vivait, tous ceux qui étaient bons, en tout cas. Ses murs
élevés les protégeaient des Maudits qui rôdaient à
l'extérieur, qui voulaient tous les tuer, emplir le monde
de terreur comme ils l'avaient déjà fait.

C'étaient les Maudits, ou leurs ancêtres, qui avaient
failli détruire le monde voilà quelques années. Ils avaient

13

provoqué les Horreurs. Avant la Cité, le monde était rempli de Maudits, des êtres humains qui ne savaient ni aimer ni faire le bien. Des humains qui n'étaient pourtant pas destinés à être mauvais ; seuls quelques-uns avaient des cerveaux malformés qui les rendaient insensibles, égoïstes, portés à la destruction. Mais les autres étaient facilement influençables, et les psychopathes savaient convaincre et altérer les esprits pour forcer les gens bien à commettre des choses horribles.

À l'extérieur de la Cité, le mal régnait encore. À l'extérieur de la Cité, les hommes continuaient à se battre pour tout – pour manger, pour s'abriter. Il n'y avait ni ordre ni civilisation. Il n'y avait pas de paix.

Mais Evie n'avait pas à se soucier du monde extérieur. Parce qu'elle faisait partie des chanceux, de ceux qui vivaient entre les murs de la Cité.

C'était le seul endroit tranquille et sûr au monde, et c'était pour cela qu'il était toujours assiégé. Les citoyens devaient comprendre la chance qu'ils avaient d'y vivre, travailler dur afin que la Cité reste protégée, et ils devaient faire tout leur possible pour demeurer vertueux, dignes de sa protection.

Parce qu'il suffisait d'une brebis galeuse pour contaminer tout le troupeau…

Son lieu de travail se trouvait à une vingtaine de minutes de marche de chez elle, au sein de l'Unité 3, la pièce sans air du Quartier gouvernemental numéro 3. C'était un bâtiment tout neuf et gris, construit au centre de la Cité, à quelques minutes à peine de la place principale, où une statue du Guide suprême trônait fièrement. La plupart des immeubles du gouvernement étaient récents ; le sol sur lequel on les avait bâtis avait été déblayé des décombres des anciens bâtiments qui dataient des Horreurs. Pour le Guide suprême, ils représentaient un nouveau départ, le symbole que cette ville se distinguait des précédentes, avec leur corruption et leur lot de Déviants. Tout n'était pas neuf : les ressources étaient limitées et si des édifices sécurisés et sans danger tenaient encore debout, ils avaient été incorporés au style de la Cité, exorcisés de leurs anciens habitants, autorisés à pouvoir faire partie de ce nouvel et bon endroit, au même titre que ses citoyens s'étaient vu octroyer une seconde chance, un avenir neuf et meilleur. À mesure qu'Evie approchait du bâtiment, elle ôtait déjà son manteau, prête à le déposer rapidement dans son casier, avant de se rendre dans son unité. La Cité ne pardonnait pas qu'on traîne ; des esprits concentrés qui savaient où ils allaient étaient de bons esprits, disaient *Les Sentiments*. Traîner constituait un terrain propice au mal, à la tentation.

Mais en approchant des marches qui menaient à la porte de l'immeuble, elle hésita ; ses joues rougirent légèrement. C'était Lucas.

– Evie.

Lucas lui sourit solennellement. Le soleil de début de matinée rendait ses cheveux blonds presque blancs ; ses yeux bleu clair étaient tellement impassibles que, parfois, Evie avait envie de lui faire mal rien que pour vérifier s'ils pouvaient pleurer. Mais c'était parce qu'elle était une personne horrible. Seule une personne horrible pouvait nourrir ce genre de pensées pour l'homme qu'elle allait épouser.

– Bonjour, comment vas-tu aujourd'hui ?

Il se dirigea vers elle, la main tendue pour un salut formel, sa montre en or étincelant à son poignet. Elle la serra, se força à sourire en se rappelant la chance qu'elle avait que Lucas l'ait choisie. Les futurs mariés se choisissaient généralement, ou c'étaient leurs familles respectives. Mais tout le monde savait que quelqu'un comme Lucas aurait pu avoir n'importe quelle femme. Evie ignorait encore pourquoi il avait jeté son dévolu sur elle.

– Je vais bien, dit-elle, et toi ?

– Très bien. (Un sourire, puis il leva les sourcils, embarrassé.) Enfin, mieux vaut se mettre au travail.

– Absolument.

Evie opina, tâcha de se projeter dans un avenir où ils seraient mariés, où ils dormiraient dans le même lit, où ils se parleraient familièrement plutôt qu'avec ces phrases gênées et empruntées, ponctuées de silences encore plus gênés et empruntés. Mais elle ne parvenait ni à voir ni à imaginer ce que ce serait.

Il tourna les talons et elle le suivit des yeux quand il alla rejoindre son frère qui l'attendait plus haut sur les marches. Son frère Raffy, dont il était si proche ; si différent physiquement qu'on le considérait souvent comme son négatif, comme son ombre : cheveux bruns ébouriffés, yeux noirs exaltés.

On racontait que Lucas ressemblait à leur mère, et Raffy à leur père. On racontait que ça ne concernait pas que leur physique. Que c'était pour cela que Lucas était toujours avec lui, parce qu'il voulait le surveiller, se tenir informé sur lui, parce qu'il ne lui faisait pas confiance.

Et manifestement personne ne faisait vraiment confiance à Raffy.

Le souffle coupé, Evie regarda Lucas et Raffy se diriger vers le bâtiment. Puis, juste avant qu'ils ne disparaissent, Raffy se retourna et leurs regards se croisèrent, moins d'une seconde. Lucas lui jeta alors un coup d'œil perplexe, puis ils se volatilisèrent. Lucas se rendrait au premier étage, où travaillaient les directeurs. Raffy, à l'étage 3, où les unités masculines étaient rassemblées. Quant à Evie, elle œuvrait au quatrième, dans l'une des unités de femmes.

Les hommes et les femmes étaient séparés dès l'âge de huit ans. Afin d'éviter les pensées impures. Ils étaient scolarisés séparément, puis travaillaient distinctement quand ils quittaient l'école à quatorze ans. Les parents organisaient des rendez-vous afin que leurs enfants trouvent leurs futurs conjoints. En se dirigeant vers l'escalier, Evie se surprit à se demander, pour la énième fois, pourquoi cette stratégie n'avait pas fonctionné pour elle. Une fois que Lucas avait commencé à lui rendre visite, Evie se doutait bien que son père avait tiré quelques ficelles, sûrement poussé par son épouse. Après tout, un mariage avec Lucas était mieux que ce qu'ils auraient pu espérer. Elle ne savait pas trop qui avait été le plus surpris – son père, sa mère ou elle – quand Lucas officialisa leur couple en demandant sa main à ses parents. Et même à l'époque, il lui adressait à peine la parole. Et même à l'époque, elle avait l'impression que cela arrivait à quelqu'un d'autre.

Parfois, Evie l'espérait.

Mais uniquement lorsqu'elle laissait entrer de mauvaises pensées dans sa tête. Après tout, c'était impardonnable.

Quand Evie se dirigea vers l'escalier, elle se surprit à se demander, encore une fois, pourquoi elle ne pouvait pas être comme tout le monde et s'estimer heureuse de ce qu'elle avait. Mais elle connaissait la réponse. Parce que sa mère avait raison à son sujet. Parce qu'elle était la brebis galeuse du troupeau.

– Salut ! (Christine, qui était assise à côté d'Evie, lui sourit lorsqu'elles entrèrent.) Comment ça va ?

– Très bien. Et toi ?

– Super !

Christine sourit, puis se rendit à son ordinateur. Elle était ce que l'on pouvait qualifier de « plus proche amie d'Evie », mais elles ne discutaient pas tant que cela – quelques mots après le week-end, un sourire le matin. Non pas qu'Evie ne veuille pas lier d'amitiés. Simplement, elle ne pouvait révéler à personne les envies et les secrets qui emplissaient sa tête. Et de toute façon, maintenant qu'elles étaient au travail, les occasions se faisaient rares. Parler en travaillant était mal vu, et après, toutes deux étaient censées rentrer chez elles aider leurs mères et retrouver leurs fiancés ou, dans le cas de Christine, d'éventuels promis que leurs parents avaient trouvés convenables. Evie estimait donc qu'il était plus simple de ne rien partager du tout, de faire profil bas, de tout garder pour elle. Ce n'était pas difficile, la Cité n'encourageait pas du tout les amitiés. Celles-ci risquaient d'entrer en conflit avec ses besoins. Elles pourraient devenir gênantes si jamais des choses changeaient un jour. Comme les étiquettes.

Evie se rendit à son bureau, s'arrêtant d'abord pour ramasser une dizaine de dossiers sur la table à l'entrée, celle du superviseur. Une fois que les dix dossiers seraient terminés, on en prendrait dix autres, et ainsi de suite jusqu'à ce que la journée soit finie. Du moins, c'était ce que les directeurs racontaient, mais la réalité était tout autre : en général, la journée s'achevait longtemps avant le traitement des dossiers et, en général, tout le monde travaillait jusque tard le soir, afin de les terminer.

Le bâtiment gouvernemental où Evie œuvrait était connu sous le nom de bâtiment Système. Il soutenait et activait le Système qui réglementait tout au sein de la Cité, qui maintenait l'ordre.

Evie était étiqueteuse. C'était son premier poste, et elle l'exerçait depuis trois ans, depuis qu'elle avait quitté l'école à quatorze ans. Leur professeur leur avait présenté les différents métiers qui leur étaient proposés. Couturier, menuisier, cultivateur, agriculteur, constructeur, technicien, électricien… la liste lui avait paru interminable, certains, tellement tentants. Cultivateur : mettre les mains dans la terre tous les jours, créer de la nourriture à partir de petites graines, s'occuper des récoltes jusqu'à ce qu'elles soient prêtes à être cueillies.

À l'école, ils semblaient avoir l'embarras du choix, mais la fille suivait toujours sa mère, et le fils, son père, c'était comme ça depuis toujours. À moins qu'ils ne s'en sortent très bien en classe. À moins qu'ils ne soient suffisamment doués pour travailler pour la Cité même. La mère d'Evie était couturière ; si la jeune fille avait dû suivre un apprentissage, ç'aurait été à ses côtés, à se piquer avec les aiguilles, ses doigts maladroits ne réussissant pas à copier les petits motifs délicats que sa mère produisait si habilement.

Evie avait donc choisi le gouvernement, un travail de bureau, hautement considéré car il fallait passer des examens et des entretiens. Mais surtout cela avait persuadé sa mère d'abandonner l'idée que sa fille devienne couturière et l'avait convaincue qu'elle ne laissait pas tomber sa famille. Une fois qu'elle serait mariée, la tâche de ses parents serait accomplie.

Ils auraient fait leur devoir. Evie était une citoyenne modèle. Ses notes étaient correctes, elle pouvait réciter *Les Sentiments* par cœur. C'était une B, une Bienfaisante – une bonne étiquette. Elle n'avait jamais eu aucun problème. Elle était censée épouser Lucas, un directeur, un citoyen respecté. Elle s'en était bien sortie. Ses parents s'en étaient bien sortis.

Elle regarda ses dossiers. Le premier, un changement d'étiquette, un passage de B à C. Rien de très grave, mais un message pas très agréable à recevoir. Evie imaginait la lettre arriver, ornée de son tampon officiel, le ruban jaune qui l'accompagnait remplaçant le bleu des B et qu'il faudrait porter tout le temps à son revers. Elle entendait d'ici les voisins qui chuchotaient, elle pouvait sentir l'humiliation de l'homme en question – M. Alan Height –, les excuses bafouillées à sa famille, la tête rentrée dans les épaules quand il sortirait de chez lui le lendemain matin.

Les étiquettes, voilà comment le Système s'occupait de chacun et de la Cité. On attribuait des étiquettes aux gens : A, B, C ou D. Les A, les Admirables, étaient les meilleurs ; il s'agissait de personnes véritablement bonnes, aux pensées pures, qui aidaient toujours leurs concitoyens, qui ne pensaient jamais à elles-mêmes, qui étaient courageuses, honorables et justes. Ensuite, il y avait les B, les Bienfaisants. Eux aussi étaient bons, mais pas autant que les A. C'étaient des membres de confiance de la société, ils occupaient des postes importants, des fonctions communautaires. Les C, les Convenables, passaient encore. Ils étaient bons dans l'ensemble mais ouverts à la tentation, avaient parfois de mauvais instincts, se laissaient facilement influencer. Les C devaient être vigilants : pendant les Horreurs, ils avaient été à l'origine du plus gros du carnage, avaient lâché la plupart des bombes, coordonné la majorité des atrocités. Pas parce qu'ils étaient mauvais, mais parce qu'ils s'étaient laissé berner par les arguments des malfaisants. Naturellement, personne ne portait d'étiquette à l'époque. On estimait que tout le monde était pareil. Et si ce n'était pas le cas, on ne disait rien, afin de ne blesser personne. Mais il n'y avait rien de mal à prévenir quelqu'un de sa vulnérabilité. Ni à veiller sur lui, à éveiller sa conscience, le surveiller et s'assurer qu'il était en sécurité. Voilà précisément ce que faisaient les étiquettes. C'était facile de distinguer les différences physiques entre les individus : qui était fort, qui était faible, qui avait besoin de se protéger du soleil, de manger moins et de faire plus d'exercice. Tout le monde acceptait que les gens fussent physiquement différents. Mais intérieurement ? Intérieurement, ils l'étaient aussi. Il fallait juste savoir que chercher, comment le voir.

Evie se mit à traiter le changement d'étiquette, entra les codes adéquats, vérifia et contre-vérifia que tout était comme il fallait. Il était hors de propos et absurde de plaindre celui dont on avait changé l'étiquette, elle le savait. Comme l'expliquait le Sentiment 26 : « Un changement d'étiquette n'est ni triste ni gai, c'est juste un fait, un fait que l'on provoque soi-même. » Mais c'était plus fort qu'elle, elle ne parvenait pas à oublier l'expression sur le visage de sa voisine, Mme Chiltern, quand elle était passée de C à D. Elle avait porté la honte longtemps après que son étiquette fut repassée à C ; ne lui avait plus jamais adressé la parole depuis la clôture du jardin et n'était plus passée prendre le thé chez eux. Elle n'était pas la bienvenue ; les parents d'Evie s'étaient montrés très clairs, mais quand bien même, Evie savait qu'elle ne serait pas venue. D signifiait Déviant. D signifiait dangereux. Evie n'avait jamais su ce que Mme Chiltern avait fait pour mériter une telle étiquette, mais peu importait. Le Système savait, et cela suffisait.

Le Système savait tout.

Evie avait presque terminé le changement d'étiquette de M. Height. Les modifications vers le bas étaient plus faciles que celles vers le haut – moins de vérifications et de contre-vérifications, moins de codes à entrer encore et encore, pour s'assurer que les ajustements étaient corrects.

Chaque jour, le Système évaluait tous les citoyens de la Cité ; chaque semaine des centaines de changements se produisaient pour garantir l'équilibre, pour s'assurer que la société était réglementée, l'excellence valorisée et l'ordre maintenu.

Parce que l'ordre amenait la paix, parce que l'excellence protégeait du mal, parce que la Cité reposait sur la communauté, sur la société, sur le groupe, pas sur l'individu. Même si ce n'étaient pas les milliers de communautés puissantes de la Cité qui portaient les étiquettes, mais ses individus, songea Evie. Même si c'étaient ses individus qui devaient annoncer la mauvaise nouvelle à leurs maris et femmes, les individus que l'on fuyait dans la rue si leurs étiquettes avaient été dévaluées.

Mais de telles pensées étaient interdites. Remettre en question quoi que ce soit à propos de la Cité revenait à insinuer que l'on était plus sage que le Guide suprême. Et quel meilleur signe d'égoïsme individuel ?

Méthodiquement, Evie entra les codes et procéda aux modifications, nota le code du Système sur le dossier papier quand elle eut terminé. Son problème ? Elle cogitait trop, se dit-elle. Même lorsqu'elle dormait, son cerveau continuait à travailler au lieu de se reposer, faire confiance, accepter. En réfléchissant trop, elle était aussi mauvaise que ceux qui avaient douté du Guide suprême. Ceux qui avaient provoqué les Horreurs. Ceux qui vivaient en dehors des murs de la Cité et qui attendaient de détruire tous ceux qui se trouvaient à l'intérieur.

– Evangeline, serais-tu encore dans la lune ?

Evie leva les yeux en sursautant ; elle vit Mme Johnson, son superviseur, qui l'observait et elle rougit.

– Non, dit-elle rapidement. Je suis désolée.

Mme Johnson arqua un sourcil et Evie sortit son deuxième dossier. C à D, une fois de plus. En se forçant à regarder l'écran devant elle et non l'avenir immédiat de celui qui faisait l'objet du rapport, elle se mit à taper sur le clavier.

2

Comme d'habitude, Evie arriva en retard chez elle. D'une heure, cette fois. Parfois, c'était plus. Peu importait. Ses parents l'attendraient. Tout le monde travaillait dur dans la Cité, tout le monde était productif. Les esprits occupés étaient des esprits heureux, disait le Guide suprême. Des individus productifs engendraient une société heureuse. Et travailler dur signifiait moins de temps pour réfléchir, moins d'occasions de laisser le mal s'épanouir.

Mais lorsque Evie ouvrit la porte et entra directement dans la cuisine, comme elle le faisait toujours, elle constata qu'ils n'étaient pas seuls ce soir : le Frère, nommé par le Guide suprême, leur mentor, leur guide, était assis à côté de son père, un grand verre de vin à la main. Le Guide suprême, quant à lui, était âgé à présent, on le voyait rarement ; il avait lui-même choisi le Frère pour diriger son peuple, pour veiller à ce que personne ne laisse jamais entrer le mal au sein de la Cité.

— Evie ! Comment allons-nous aujourd'hui ?

Il lui sourit, ses yeux délavés ne croisèrent pas vraiment les siens. Ses joues flasques étaient rosées à cause de la chaleur de la cuisine et de l'alcool dans son sang.

Evie lui rendit son sourire, mais ses yeux restèrent de marbre. Ils n'étaient pas censés recevoir de visite du Frère.

Il était venu pour une raison précise : il savait quelque chose. Un sentiment familier de terreur l'envahit.

– Je vais bien, Frère, répondit-elle, nerveuse.

– Alors assieds-toi. Mange. Ta mère a préparé une tourte. Une merveilleuse cuisinière, ta mère. Tu devrais être très fière.

– Je le suis, répondit-elle rapidement. Et je lui suis reconnaissante.

– Bien sûr, bien sûr, répondit le Frère en hochant la tête.

Puis il la regarda sans détour, comme quand elle était petite, quand il lui racontait les Horreurs qui avaient déchiré le monde, quand il lui parlait d'un passé peuplé d'individus qui ne pensaient qu'à eux, qui créaient des religions dans le seul but de s'en servir pour en combattre d'autres, qui laissaient le mal vagabonder parce qu'ils n'écoutaient pas le Guide suprême, parce que, à l'époque, ce dernier n'était pas le Guide suprême, juste un médecin avec une idée.

– Il paraît que tu as refait un mauvais rêve.

Les yeux d'Evie s'écarquillèrent.

– J'ai refait ce rêve, oui, dit-elle craintivement en laissant aller son regard du Frère à sa mère, puis à son père, la voix tremblante. Mais je n'en avais pas l'intention. J'ai essayé de ne pas le faire. J'ai lu *Les Sentiments* du Guide suprême. Je…

– Tu as rêvé d'un homme qui, d'après toi, s'occupe de toi ? Un homme qui, d'après toi, te protège ? l'interrompit le Frère.

Elle hocha la tête, inquiète.

– Mais je sais qu'il représente le mal. Je me battrai contre lui, Frère. Je me battrai…

Celui-ci, sourcils froncés, se rassit sur sa chaise. Ses joues roses luisaient à présent d'une fine couche de transpiration. Des perles de sueur s'étaient même formées sur son nez.

– Oui, c'est intéressant, déclara-t-il d'un ton songeur, sans quitter Evie des yeux. Tu sais que le cerveau est une chose dangereuse ? Qu'il t'entraînera dans l'obscurité, si tu le laisses faire ? C'est comme le cheval, il faut tenir les rênes et rester pleinement concentré si l'on veut parvenir à la destination de son choix.

Evie hocha la tête. Elle savait tout cela. Elle le savait. La dernière fois qu'elle avait vu le Frère, il lui avait crié dessus ; lui avait dit que c'était le mal en elle qui lui apportait ses rêves, que si elle ne se débarrassait pas de tels mensonges dans sa tête, le Système la punirait. Elle avait pleuré désespérément, l'avait imploré, lui avait promis qu'elle ne rêverait plus, qu'elle serait forte. Elle joignit ses mains moites. S'agissait-il du jour du Jugement dernier, celui qu'elle redoutait depuis si longtemps ? Tout était-il terminé ?

– Le subconscient est le plus dangereux, poursuivit le Frère. C'est là que réside l'obscurité, que désir, avidité et envie errent librement, désentravés par notre esprit conscient. Nous sommes purs d'esprit, mais le Nouveau Baptême ne peut pas nous protéger éternellement. Notre cerveau est prédisposé à avoir un faible pour le mal ; après le Nouveau Baptême, il ne tient qu'à nous de rester bons.

– Oui, Frère, je le sais, répondit Evie, honteuse.

Elle aurait voulu être quelqu'un d'autre, quelqu'un de bon, qui n'était pas tourmenté par d'horribles pensées et rêves.

– Oui, dit alors le Frère. Bien sûr que tu le sais. Mais j'ai consulté mes conseillers. J'ai beaucoup pensé à toi, Evie. Et je suis arrivé à une conclusion.

Evie ferma les yeux. Une conclusion. Un dénouement. Il allait l'emmener.

Elle respira profondément. Elle était prête. Toute sa vie, elle l'avait été. C'était mieux ainsi, que la vérité éclate enfin, que tout le monde puisse la détester autant qu'elle se détestait. Le mal s'était frayé un chemin dans son cerveau. Voilà pourquoi elle n'agissait pas bien. Voilà pourquoi elle avait de mauvaises pensées. Elle rouvrit les yeux.

– Oui, Frère ?

– Oui, répéta le Frère. (Le sourire réapparut sur son visage.) Enfin, je pense que je comprends. Et s'affoler ne sert à rien. L'homme dans tes rêves, c'est la Cité.

Evie le fixa d'un air hésitant. Elle ne voyait pas où il voulait en venir.

– La Cité. (Sa mère hocha fermement la tête.) Tu vois, Evie ? Il n'y a aucune raison de s'inquiéter, après tout. N'est-ce pas, Frère ?

Celui-ci la gratifia d'un petit sourire.

– Non, Delphine. Vous pouvez cesser de vous faire du souci. (Il se retourna vers Evie et son sourire s'élargit.) L'homme dans ton rêve n'est pas le diable. Voilà pourquoi tu n'as pas réussi à le repousser. Parce qu'il symbolise la Cité, il t'emporte vers l'excellence, il te préserve du mal. Cette grande Cité qui nous protège, qui veille sur nous, qui a nos meilleurs intérêts à cœur, voilà ce que l'homme représente. C'est le bien-être que tu ressens. Voilà pourquoi tu refais ce rêve en permanence. Tu n'es pas quelqu'un de mauvais, Evie.

– Mais…

Des tas d'idées passèrent dans la tête d'Evie. Cela ne voulait rien dire. Elle regarda fixement son père, qui lui sourit.

– La Cité, dit-il, en jetant un coup d'œil entendu au Frère avant de lui sourire de nouveau. Cela ne te rassure-t-il pas ? Tu n'as aucun souci à te faire, Evie. Plus maintenant.

Evie parvint à hocher la tête. Quelque chose n'allait pas, pas du tout. Mais elle reconnaissait que c'était une échappatoire, une porte qui s'ouvrait, une occasion de mettre un terme aux questions, aux regards suspicieux de ses parents.

– Merci, Frère, dit-elle, en tâchant d'avoir l'air reconnaissante et bonne.

– Avec plaisir, lui répondit-il, arquant un sourcil. Je me réjouis de ne pas avoir d'autre candidate pour un deuxième Nouveau Baptême. N'est-ce pas, Evie ?

Celle-ci secoua la tête. Un deuxième Nouveau Baptême ? L'ultime recours pour une âme perdue.

– Oui, dit-elle calmement. Oui, Frère, merci. Que la Cité veille sur moi et que le Système me récompense et me blâme.

– Certes, dit le Frère d'un ton grave. (Puis il quitta Evie des yeux, et son expression changea quand il se retourna vers sa mère et son père, sourcils arqués, yeux légèrement plissés.) Bien que je pense que le Système préfère réprimander M. Bridges, de la Route 14. Vous connaissez la nouvelle, n'est-ce pas ?

Le père d'Evie fronça les sourcils.

– Laquelle ? M. Bridges a des problèmes ? J'ai toujours pensé que c'était quelqu'un de bien. Un érudit.

– Érudit, en effet. Un chercheur, répondit le Frère, les sourcils toujours levés. Des travaux de recherche dont il se servait pour dissimuler son véritable programme de déviances, j'en ai peur. Le Système l'a étiqueté D. Je vous conseillerais vivement de rester loin de lui, de crainte que ses pensées dangereuses n'infestent cette communauté.

La mère d'Evie souffla. Pourtant, la jeune fille devina à l'expression dans ses yeux qu'elle était déjà au courant. Le courrier n'allait arriver qu'aujourd'hui chez M. Bridges ; la nouvelle sortirait de chez lui demain. Mais on annonçait les changements d'étiquette bien avant que les rubans de couleur ne les affichent. Et si le père d'Evie évitait les commérages, sa mère estimait qu'ils faisaient partie de ses responsabilités en tant que citoyenne de la Cité.

– Quel type méprisable ! observa-t-elle en frissonnant. Pas plus tard que l'autre jour, il achetait des vêtements dans le quartier de l'Habillement. Nous refuserons de vendre quoi que ce soit à ce genre d'homme, Frère, vous pouvez en être sûr.

Le Frère opina avec gravité.

– Je pense que c'est une bonne idée, Delphine. Si *Les Sentiments* nous disent de laisser la punition et le châtiment au Système, quand il devient clair que le mal est parmi nous, notre devoir est de le chasser, de montrer à ceux qui seraient tentés par le mal que nous ne le tolérons pas entre ces murs, n'êtes-vous pas d'accord ?

– Totalement, acquiesça le père d'Evie d'un ton ferme en tapant du poing sur la table. Nous devons rester sur nos gardes. Tout le temps. Chaque minute, chaque jour.

– Comme vous avez raison ! répondit le Frère en secouant tristement la tête. (Puis il repoussa la chaise et se caressa le ventre.) Alors, Delphine, et cette tourte ? Je crois que nous sommes tous prêts, désormais. Je pense qu'il est l'heure de manger. Contente, maintenant, Evie ?

– Très, mentit-elle, et ils attaquèrent le dîner.

Le Frère s'en alla à 22 heures après s'être tapoté l'estomac et avoir refusé une troisième part de dessert. Les parents d'Evie le raccompagnèrent à la porte, il les étreignit et leur sourit. Puis le père se retira dans son bureau. Sa mère regagna la cuisine. Son sourire disparut, remplacé par une mine renfrognée.

– C'est la dernière fois, la dernière fois, dit-elle, que le Frère passe dans cette maison à cause de toi ! Comprends-tu, jeune fille ? Tu n'es plus une enfant. Tu vas bientôt te marier. Et en attendant, tant que tu n'auras pas quitté cette maison, ne fais plus rien pour importuner le Frère. Il a d'autres chats à fouetter. C'est un homme très important, Evie. Comprends-tu ?

Elle la regardait fixement. Evie rougit et hocha la tête. Elle aurait voulu souligner qu'elle ne lui avait pas demandé de venir, que c'était sa mère qui l'avait sollicité – ou du moins c'était ce qu'elle pensait, mais elle garda le silence. Elle avait appris depuis longtemps à ne pas se disputer avec sa mère.

Celle-ci s'assit à la table et soupira.

– Alors, tu vas débarrasser la table ? Tu trouves que ça ne suffit pas que j'aie fait la cuisine ?

Evie se leva d'un bond et s'exécuta.

– Bien sûr que si, répondit-elle rapidement. Simplement, je sais que tu n'aimes pas que l'on débarrasse tant que...

– ... le repas n'est pas terminé. Que les invités ne sont pas partis. Oui, aboya sa mère. Mais apparemment, la soirée est finie, non ?

Evie empila les assiettes, fit couler l'eau, sortit la brosse à récurer et se mit au travail. Elle se demandait quand, au juste, elle avait commencé à décevoir sa mère à ce point. Et ce qu'elle avait fait pour s'attirer ses foudres. Tout ce qu'elle savait, c'était qu'elle était une charge que celle-ci devait supporter, qu'elle ne la rendait pas heureuse.

– As-tu vu Lucas aujourd'hui ?

Evie se retourna, opina.

– Oui, mère.

Cette dernière hocha la tête.

– Lorsque tu l'épouseras, tu passeras sous sa responsabilité. Veille à ne rien faire qui puisse le contrarier, Evie.

– Non, répondit-elle vivement. Enfin, oui.

– Et pourtant, tu n'hésites pas à m'empoisonner, moi !

Evie reposa la brosse à récurer.

– Ce n'est pas intentionnel, avança-t-elle prudemment.

Sa mère rit à moitié.

– Ce n'est pas intentionnel ? Ne raconte pas de mensonges, Evie ! Tu es bel et bien résolue à m'irriter. Sinon, pourquoi te comporterais-tu ainsi ? Pourquoi hurlerais-tu dans ton sommeil ? Pourquoi insisterais-tu pour travailler pour le gouvernement au lieu de me suivre dans le quartier des couturières, où je pourrais garder un œil sur toi ? Pourquoi aurais-tu cette expression dans les yeux, si sournoise, si secrète, comme si tu invitais le mal à entrer dans ta vie, au lieu de le chasser ?

Evie la fixa d'un air hésitant et respira à fond. Elle devait rester calme. Résister à cette forte envie de se mettre en colère, de se quereller, de lui donner raison, de lui avouer que oui, elle invitait bien le mal à entrer. On ne se disputait pas dans la Cité. En tout cas, pas avec ses parents. Mais parfois, Evie se demandait si ce n'était pas parce que personne n'avait une mère comme Delphine.

– Le Frère a donné une explication au sujet de mes rêves, dit-elle, une fois sûre de pouvoir maîtriser sa voix. Et je croyais que tu étais heureuse que je travaille pour le gouvernement. Je croyais…

– Tu croyais ? Non, Evie. Tu as juste fait ce que tu voulais, sans réfléchir. Selon toi, comment les autres couturières me voient-elles ? Alors que ma fille unique refuse de travailler à mes côtés ? De quoi ai-je l'air, d'après toi ?

Evie la regarda avec prudence.

– Tu ne me l'avais jamais dit. Tu prétendais être heureuse que j'aie eu ce travail. Un poste respecté et…

– J'ai raconté que j'étais contente parce que ton père l'était, l'interrompit sa mère. Parce qu'il aime voir le meilleur en toi, Evie. Parce que je ne veux pas qu'il soit déçu. Mais je connais la vérité. Je sais que tu caches quelque chose. Je l'ai toujours su. Ne va pas t'imaginer que tu peux prendre ta mère pour une idiote. Ni que je ne te surveille pas. (Elle foudroya sa fille du regard, puis repoussa sa chaise et se leva.) Plus tôt tu épouseras Lucas, mieux ce sera, ajouta-t-elle en se dirigeant vers la porte. Plus tôt tu te marieras, plus tôt je pourrai cesser de craindre que tu nous fasses honte, Evie. Espérons qu'il se laissera berner aussi facilement que ton père, n'est-ce pas ? Espérons qu'il ne te percera pas à jour avant qu'il ne soit trop tard. Evie la regarda sortir de la pièce, puis retourna lentement à sa vaisselle. La colère monta en elle comme un raz-de-marée. La colère, la tristesse, la frustration et toutes ces émotions qu'elle n'était pas censée éprouver, parce que dans la Cité, tout le monde était bon et raisonnable, et que de tels sentiments n'avaient pas lieu d'être. Parce que la colère, la tristesse et la frustration conduisaient les gens à mal se comporter, les menaient aux Horreurs. Parce qu'il fallait à tout prix les chasser de tous les cœurs.

Mais Evie ne parvenait pas à les empêcher d'entrer dans son cœur. Elle ne le voulait pas. Elle était furieuse contre sa mère, contre elle-même, contre tous et contre tout ce qui avait concouru à la rendre si désarmée, si désespérée. Elle laissa donc la colère, la tristesse et la frustration couver tout au fond d'elle, là où personne ne pouvait les voir, puis elle finit la vaisselle et alla se coucher.

Elle consulta sa montre. Minuit. Ses parents dormaient maintenant depuis près d'une heure. Prudemment, silencieusement, elle se glissa hors de sa chambre, prit le couloir et la porte de derrière. Son cœur martelait sa poitrine ; si on la voyait, sa vie telle qu'elle la connaissait serait terminée. Mais son désir était trop fort. Son envie, trop irrésistible. Précautionneusement, elle ouvrit le portail du fond, puis descendit la ruelle en courant jusqu'à une petite clairière. Puis prudemment, fébrilement, elle alla rejoindre l'arbre qui trônait en son milieu. L'immense arbre creux qu'elle connaissait depuis qu'elle était enfant. Elle se glissa à l'intérieur, ce qui était moins facile maintenant qu'elle mesurait presque un mètre soixante-dix, et ses yeux s'illuminèrent quand elle vit une petite bougie trembloter devant une grande silhouette accroupie.

– Je pensais que tu n'allais jamais venir, chuchota Raffy, les yeux emplis de désir.

Il se releva et la serra dans ses bras.

– Je suis là, murmura Evie lorsque leurs lèvres se touchèrent, qu'elle le prit par le cou et qu'elle songea, comme chaque fois, qu'elle était enfin à sa place.

Une brise légère souffla sur son front quand elle embrassa Raffy, plaquant ses cheveux en arrière et lui donnant l'air un peu farouche, comme les gitans. Rien de bon ne sortirait de tout cela, elle le savait. Le Système apprendrait ce qu'ils faisaient. Elle ignorait comment, mais elle en était sûre, parce qu'il découvrait tout en fin de compte. Et lorsqu'il connaîtrait la vérité, il la punirait pour ses actes, les châtierait tous les deux, déshonorerait leur famille et la Cité même. Ils deviendraient des D ou, pire même, leurs parents aussi, pour avoir échoué dans leur devoir. Son mariage avec Lucas serait annulé. Son poste au gouvernement lui serait retiré. Elle deviendrait une paria, on lui confierait un travail manuel, elle récurerait les toilettes, les autres la montreraient du doigt, lui cracheraient dessus dans la rue. Elle savait tout cela ; c'était le supplice qui l'empêchait de dormir la nuit, qui la faisait se détester, qui la terrifiait et l'empêchait de lier des amitiés ou d'accorder sa confiance à quiconque. Parce qu'elle savait que son cœur n'était pas comme le leur, qu'elle n'était pas bonne. Mais pour l'heure, Evie était prête à accepter ce destin. Le Système découvrirait tout, et même un D serait trop bien pour elle. Elle serait candidate pour un deuxième Nouveau Baptême ; elle vivrait avec cette honte le restant de sa vie.

Mais pour l'instant, cachée dans l'obscurité, alors que tous les autres dormaient, Evie chassa ses peurs. Le Système ne savait pas. Pas encore. Peut-être ne pouvait-il pas non plus voir dans le noir. Et même, à cet instant précis, elle s'en moquait. À cet instant précis, elle se sentait libre, heureuse, avec le sentiment que la vie valait la peine d'être vécue. Et de toute façon, avant qu'ils ne soient dévorés par les loups, Evie avait toujours trouvé que les gitans, dans les histoires de sa mère, s'amusaient comme des fous.

3

Le Nouveau Baptême n'avait rien de redoutable. Il rendait la Cité différente de toutes les autres civilisations, en faisait un lieu agréable et paisible. Le Nouveau Baptême avait été la grande idée du Guide suprême, bien avant les Horreurs, avant la Cité, lorsque le monde était différent, que le Guide suprême était un spécialiste du cerveau, un médecin, un guérisseur.

Seulement, il n'avait pas pu soigner comme il l'aurait voulu. Il avait identifié une partie du cerveau, l'amygdale, plus importante chez les psychopathes, les criminels. Et il s'aperçut que c'était la racine de tous les maux, la plus grosse faiblesse de tous les êtres humains. Elle n'était pas dangereuse chez tout le monde, mais il fallait la surveiller de très près parce qu'elle pouvait grossir, prendre le pouvoir et rendre mauvais. Une amygdale hypertrophiée empêchait les individus de se soucier les uns des autres, les forçait à tuer et faire du mal, à voler et se taper dessus. Ceux qui étaient dotés d'une grosse amygdale instauraient toutes les guerres, poussaient les gens à se détester, les faisaient souffrir. C'étaient eux aussi qui avaient insufflé les Horreurs, qui provoquaient tous les autres pour leur donner l'envie de se battre, de lâcher des bombes, de tout détruire. Parce que même les gens bien pouvaient être faibles. Tout le monde le pouvait, si les circonstances étaient réunies.

Evie avait toujours trouvé étrange que l'on puisse refuser quelque chose qui rendrait tout meilleur. Mais voilà le problème du mal : il rendait tous les gens méfiants, les faisait résister à tout ce qui pouvait en débarrasser le monde, parce qu'il s'était déjà répandu et ne voulait plus s'en aller.

Et tout cela à cause de l'amygdale, une partie du cerveau humain que le mal avait monopolisée et où il s'était installé. Cela signifiait que les gens étaient naturellement égoïstes, agressifs, fiers, difficiles. Qu'ils avaient l'esprit de compétition et que cela attirait sans cesse des ennuis. Conflits, agressions, cambriolages, viols et meurtres. Des choses horribles. Inimaginables. Et les plus abominables, c'étaient les Horreurs. Evie avait eu des cours à ce sujet à l'école – comme tout le monde. C'était la raison de leur présence ici. De l'existence même de la Cité.

Au début, les Horreurs étaient une petite guerre, avant de prendre de l'ampleur et de se poursuivre durant des années. Des millions de personnes moururent dans des circonstances atroces, tout cela parce que nul n'arrivait à s'entendre. Mais l'unique point positif, ce fut ce qu'il en découla : la Cité. Tel un phénix, déclara le Guide suprême dans ses *Sentiments*. Les Horreurs permirent aux gens de réaliser combien ils étaient faibles et dangereux. Et que le Guide suprême avait eu raison tout du long.

Cela semblait tellement évident, vu de l'intérieur de la Cité ; vraiment bizarre et étrange que, avant qu'elle n'existe, seul le Guide suprême ait compris comment guérir tous les maux du monde ; et ce d'autant que dès qu'il l'annonça à tout le monde, personne ne fit des bonds de joie en le sommant de s'y mettre au plus vite. Mais c'était bien le problème des humains, disait toujours le Frère. Ils avaient des défauts. Ils ne voyaient pas la vérité ; ils fuyaient tout ce qui était trop neuf et révolutionnaire, jusqu'à ce qu'ils se rendent compte qu'il n'y avait pas d'alternative. Tout comme ils fuyaient le Guide suprême, tout comme ils refusaient de l'écouter, de le laisser expérimenter sa théorie, de montrer quelle différence cela ferait.

Mais c'était avant les Horreurs. Avant que l'humanité regarde le mal absolu en face et en subisse les conséquences. Avant que les alternatives ne se tarissent. Avant que l'on se rende compte que, parfois, une révolution était nécessaire. Alors, quelques âmes éclairées s'aperçurent qu'il avait raison et se mirent à suivre le Guide suprême. C'est ainsi qu'il construisit la Cité pour les protéger, et plus personne ne fut plus jamais triste, ni mauvais, ni dangereux, ni cruel. Il la bâtit afin que le mal n'existe plus jamais. Pas au sein de la Cité, en tout cas.

Avant les Horreurs, le Guide suprême était un universitaire. Il enseignait et faisait des recherches.

Lorsqu'il était neurochirurgien et effectuait ses opérations, il avait eu une idée. Une idée, qui, comme toutes les bonnes idées, fut entièrement rejetée par tous. Ils prétendaient qu'elle ne fonctionnerait pas, que ce n'était pas possible, qu'il était fou. Il cessa donc son activité de chirurgien pour se consacrer à la recherche dans le but de prouver la pertinence de son idée. Il enseigna également, afin que ses étudiants puissent l'aider à peaufiner sa trouvaille et la répandre.

Mais on ne le prenait toujours pas au sérieux. Chaque fois qu'il essayait de publier un article, tout le monde affirmait qu'il délirait, qu'il était dangereux. On le raya de l'ordre des médecins. Ce qui ne fit que démontrer combien les gens étaient alors malavisés, comme le Frère aimait à le dire en secouant la tête, incrédule. Car c'étaient eux qui étaient dangereux. C'étaient eux qui faillirent entraîner la ruine du pays tout entier.

Dans la Cité, en revanche, il parvint enfin à prouver qu'il avait raison. À l'époque, alors que celle-ci venait d'être mise sur pied, quiconque voulait la rejoindre était le bienvenu. Quiconque souhaitait fuir le désert aride que les Horreurs avaient laissé. Quiconque désirait nourriture, eau, abri et survie. Ils n'avaient qu'à passer par le Nouveau Baptême ; ils n'avaient qu'à se faire ôter leur amygdale. Quiconque vivait dans la Cité subissait le Nouveau Baptême. Les bébés à la naissance ; les nouveaux venus, à leur arrivée. Cela faisait partie du marché, on ne pouvait pas habiter la Cité si l'on ne se faisait pas baptiser. Tout le monde arborait la même petite cicatrice rassurante à droite de son front, qui indiquait à tous qu'ils étaient libérés du mal, qu'ils étaient sauvés.

Parce qu'une fois que l'amygdale avait disparu, on devenait pur, libéré du mal. Et tant que l'on serait déterminé à ne jamais laisser le mal entrer dans sa tête, on resterait bon.

À présent, les murs de la Cité tenaient le mal à distance et laissaient la bonté entrer. Mais il fallait la nourrir. Voilà pourquoi tous les habitants de la Cité étaient surveillés de près, contrôlés par le Système. Pourquoi les D étaient surveillés d'encore plus près. Parce que, parfois, même le Nouveau Baptême ne suffisait pas. Parfois, l'amygdale repoussait. Et dans ce cas, il fallait subir un deuxième Nouveau Baptême. Mais cette fois, on vous éloignait de vos amis et de votre famille, car on ne pouvait pas vous faire confiance : vous représentiez un danger potentiel envers eux, envers vous-même.

L'étiquette que l'on vous collait si votre amygdale repoussait était différente des autres. C'était un E, une étiquette rouge sang qui indiquait le danger. Sauf que l'on n'en avait jamais entendu parler, on n'avait jamais vu de E sur personne, parce que dès qu'ils étaient étiquetés, on emmenait les E à l'hôpital pour une remise en état. Et ils n'en revenaient pas. Ils étaient trop dangereux pour vivre dans une société normale. Il fallait donc les surveiller d'encore plus près, les protéger d'eux-mêmes, les tenir à l'écart des gens bien de la Cité. Nul ne savait où allaient les E ; nul n'avait le droit de savoir. Les E étaient dangereux et leur entourage éveillait les soupçons, car le mal s'était peut-être propagé.

Voilà pourquoi personne n'aimait Raffy.

Le père de Raffy était un E. On l'avait arrêté quand Evie avait quatre ans. Elle s'en souvenait encore. Elle le revoyait, enlevé devant chez lui quand elle rentrait de l'école. Elle se trouvait alors avec Raffy. Elle avait le droit de fréquenter son ami à l'époque, quand ils étaient petits et allaient encore en classe ensemble, rentraient de l'école avec son grand frère et récitaient les leçons apprises dans la journée. Lucas avait été le premier à voir le policier arriver à la porte, son père essayer de s'enfuir, puis se faire arrêter, les mains ligotées dans le dos. Raffy avait voulu lui courir après, mais Lucas l'avait retenu, les avait tous les deux retenus. Alors Evie s'était contentée de regarder leur père se faire embarquer, leur mère sortir de la maison en courant, entasser des livres, des vêtements, des objets dans le jardin et y mettre le feu. « Une purification, lui avait expliqué sa mère plus tard en secouant la tête avec lassitude. Pauvre femme. Cela prouve que l'on ne peut jamais être sûr de rien. »

Lucas avait accepté que l'on emmène son père pour le remettre en état et cet épisode avait été un catalyseur pour son propre perfectionnement personnel. Depuis ce jour-là, Lucas, qui avait toujours été plutôt raisonnable et discret, était devenu un citoyen modèle. Il avait travaillé dur, s'était attiré les bonnes grâces des professeurs en désignant les élèves les plus faibles de la classe et s'était révélé d'une tout autre envergure que son père. « Le fils à sa maman, disait-on. Quel dommage pour son frère ! »

Parce que Raffy n'avait pas accepté la disparition de son père. Pas bien, en tout cas. Il était devenu désobéissant et se faisait punir encore et encore. Il se murait dans le silence, fusillait du regard ses professeurs et même le Frère, quand ils essayaient de lui parler. Evie avait tâché de l'aider, de rester son amie, mais ses parents avaient fait en sorte qu'elle soit assise à l'autre bout de la classe, lui avaient bien fait comprendre qu'elle devait se faire d'autres amis. Des amis convenables. Des amis meilleurs. Des amis comme Lucas.

De toute façon, elle ne tarda pas à se retrouver séparée des garçons, et il n'y eut plus aucun risque qu'ils se lient de nouveau d'amitié.

Le soleil filtra par la fenêtre d'Evie : il était l'heure de se lever, de se préparer pour aller au travail. Péniblement, elle ôta ses couvertures et balança ses pieds par terre, comme elle le faisait toujours. Mais aujourd'hui elle était encore plus fatiguée que d'habitude. Et elle craignait que ce ne soit pas uniquement à cause de son excursion de minuit. C'était la culpabilité. La culpabilité et la peur.

Sa liaison avec Raffy… au début, ça n'était pas si terrible que ça. Mais c'était tout le vice du mal. Le Frère leur répétait sans cesse que le mal se déguisait en quelque chose d'innocent, d'irréprochable. Voilà comment il vous aspirait ; voilà comment il vous asservissait. Et Evie avait écouté solennellement, sachant qu'elle s'était déjà fait aspirer, qu'elle était déjà l'esclave du mal.

Mais à l'époque, quand ils étaient encore jeunes, ça avait été quelque chose de purement innocent. Écoliers, Raffy et elle allaient jouer chaque après-midi dans la clairière, courir et dépenser leur énergie. Puis ils découvrirent l'arbre, s'y glissèrent discrètement et se racontèrent des histoires sur le passé que leurs parents et leurs enseignants leur avaient apprises, des histoires sur les Horreurs, des histoires de machines volantes, d'un monde immense et surpeuplé. Ils se racontaient des choses qu'ils ne pouvaient dire à personne d'autre, et ils s'écoutaient, se comprenaient. Puis, quand ils eurent huit ans et changèrent d'école, quand ils n'eurent plus le droit de se voir, ils se firent la promesse qu'ils retourneraient dans l'arbre et que ce serait leur cachette secrète. Cinq ans passèrent avant qu'ils ne se retrouvent. Cinq ans avant qu'ils n'acquièrent l'indépendance soigneusement contrôlée qui leur permettait de se rendre à la clairière sous prétexte d'aller courir, de retrouver des amis autorisés. Raffy arriva le premier à l'arbre ; il confia à Evie, quand elle le rejoignit enfin, qu'il l'avait attendue ici chaque jour pendant un an, qu'il s'était mis à craindre qu'elle eût oublié, à penser qu'elle s'en moquait, qu'il avait été idiot de penser à elle tout ce temps. Mais Evie n'avait jamais oublié. Elle savait, en revanche, que ce qu'ils faisaient était dangereux, très dangereux, et ils durent donc se retrouver la nuit en cachette, furtivement, conscients de ce qu'il se passerait si jamais ils se faisaient attraper, mais bravant le danger, car quelque chose de plus puissant que la peur les attirait là-bas l'un vers l'autre.

Chaque semaine, Evie répétait à Raffy qu'ils devaient arrêter. Chaque semaine, elle l'implorait de l'oublier. Et chaque semaine, il la prenait dans ses bras et lui disait qu'il ne l'oublierait jamais. Qu'elle était son unique amie, qu'elle seule comprenait, que si ce n'était pas bien, alors cela signifiait que la Cité non plus n'était pas bien. Evie savait que c'était de la déviance, que ce qu'ils faisaient les conduirait à quelque chose d'horrible. Mais elle savait aussi que Raffy avait raison. Parce que lorsqu'elle était loin de lui, elle se sentait vide ; quand elle était avec lui, elle avait l'impression d'être enfin chez elle, même si cela ne se tenait pas. Ne se tenait pas du tout.

Voilà pourquoi elle savait que le Frère se trompait au sujet de son rêve. Et qu'il finirait par découvrir la vérité. Nul ne savait comment le Système surveillait ses citoyens, comment il les contrôlait, les jaugeait. Tout ce qu'ils savaient, c'était qu'il le faisait, qu'il était au courant de tout. S'il n'était pas encore au courant pour Evie, pour le mal en elle, alors il ne tarderait pas à l'apprendre. Elle avait déjà échoué, s'était déjà montrée indigne de la Cité. Le mal l'avait déjà sollicitée, lui avait dicté ses volontés, et elle avait été incapable de résister.

Rapidement, Evie s'habilla, enfila le pantalon et le chemisier que toutes les filles portaient dans la Cité. Tous les vêtements étaient confectionnés dans le quartier de l'Habillement, où sa mère travaillait ; trois ou quatre modèles seulement afin de garantir un maximum de productivité et d'utilité, et un minimum de vanité et de rivalité.

Mais cela ne signifiait pas pour autant que les habitants étaient tous pareils. Ils avaient beau porter les mêmes tenues, l'étiquette cousue sur leur revers les différenciait plus que n'importe quel habit. Jaune pour les A, bleu pour les B, rose pour les C, violet pour les D et… l'autre étiquette. Celle que l'on n'apercevait que très brièvement. Celle couleur sang, qui inspirait la peur chez tous ceux qui la voyaient. Le Bureau des étiquettes était situé au fond du quartier de l'Habillement ; dès l'aube, deux files d'attente s'étiraient devant, ainsi que le soir après le travail. Une queue pour les modifications vers le haut, une autre pour celles vers le bas. On arrachait les étiquettes, on cousait la nouvelle avec la broderie unique que seules les changeuses d'étiquettes avaient apprise.

Evie se rendait rarement au Bureau des étiquettes. Elle détestait voir les dos voûtés, la peur dans les yeux de ceux dont l'étiquette avait été rétrogradée. Même si c'était elle qui l'avait changée dans le Système. Peut-être à cause de cela…

Elle baissa les yeux sur sa propre étiquette bleue et s'arma de courage. Elle était une B. Pour l'instant.

Rapidement, elle se prépara, dévala l'escalier, avala son petit déjeuner et débarrassa la table. Puis elle dit au revoir à ses parents et s'en alla.

La route pour se rendre au travail était longue et large ; avant les Horreurs, c'était le quartier financier de Londres, la City, où le mal s'était propagé, où tout ce qui comptait, c'était accumuler l'argent et le multiplier. La Cité n'avait pas d'argent ; les employés recevaient en échange de marchandises des jetons qui constituaient tout ce dont ils avaient besoin.

Mais contrairement à l'argent et ses serviteurs, la route avait survécu, ainsi que certains immeubles. Y compris l'hôpital, bien qu'il soit devenu le quartier général du Guide suprême. C'est là qu'il s'était enfui, lors des ultimes heures des Horreurs, qu'il avait convaincu les autres de le suivre, de croire en lui, de chercher un autre mode de vie. Un mode agréable. Un mode paisible.

Evie travaillait à deux routes de l'hôpital. Un bâtiment gouvernemental qui avait fait autrefois office de compagnie d'assurance. L'assurance requise pour protéger les gens des problèmes qu'ils s'attiraient en prenant d'énormes risques destructeurs. L'assurance qui faisait croire aux gens qu'ils étaient indestructibles, qui les rendait imprudents, qui les poussait à continuer, dans l'ignorance la plus totale des dangers qui les attendaient.

Le bâtiment abritait désormais diverses unités gouvernementales qui tournaient autour du Système. Unité 1 : technologie. Unité 2 : données. Unité 3 : changement d'étiquette. Unité 4 : intelligence. Unité 5 : recherche.

Evie jeta un œil autour d'elle en se dirigeant vers le bâtiment, pour vérifier si Raffy était arrivé, mais non. Et à bien des égards, elle était soulagée. Bien sûr, elle éprouvait une légère déception, mais elle se dit que c'était tant mieux, tout bien considéré. Aujourd'hui, elle empêcherait son esprit de vagabonder là où il n'avait pas le droit d'errer. Aujourd'hui, elle cesserait de rêver, de se poser des questions.

D'un pas résolu, elle gravit les marches jusqu'à son bâtiment, rangea ses affaires dans son casier, monta dans son unité, gratifia le superviseur d'un sourire étincelant, prit une dizaine de dossiers et s'assit à son bureau.

— Salut, dit-elle à Christine, déjà à son poste.

Sa collègue arqua un sourcil.

— Tu es de très bonne humeur, lança-t-elle dans sa barbe. Que s'est-il passé ?

— Rien, répondit rapidement Evie. Rien du tout.

Christine digéra l'information, puis se pencha un peu plus vers elle.

— J'ai eu une visite hier soir. D'Alfie Cooper.

Evie s'empressa de se retourner. Elle avait quelques vagues souvenirs d'Alfie à l'école. Il avait quelques années de plus qu'elles. C'était un garçon plutôt rond, qui pleurait pour un rien, pour ce dont elle se souvenait.

— Une visite ? S'est-elle bien passée ?

Christine fit une légère grimace.

— Oui, fit-elle d'un ton hésitant. Enfin, je pense. Il a plus parlé à mes parents qu'à moi. Je ne savais pas quoi dire.

— Tu crois que tu vas te marier avec lui ?

Christine haussa légèrement les épaules.

– Je ne sais pas, répondit-elle, puis elle s'autorisa un petit sourire. Tu sais que c'est un A ? Comme Lucas ?

– Un A ? répéta Evie, tâchant d'avoir l'air enthousiaste. (Christine était une B, comme elle. Comme la plupart des filles dans la pièce.) C'est super.

– Oui, n'est-ce pas ? fit-elle, toute excitée. Si c'est un A, cela signifie que c'est vraiment quelqu'un de très bien. Comme Lucas. Gentil et prévenant. Plein de bonté. Donc il me rendra heureuse. C'est ce que ma mère prétend. Et elle a raison, n'est-ce pas ?

Elle paraissait si convaincue, si radieuse ! Evie approuva. Elle avait raison. Les A étaient bons. Lucas était bon. C'était uniquement parce que Evie n'en était pas une qu'elle ne les appréciait pas à leur juste valeur.

– Bien sûr qu'elle a raison. J'espère que ça se passera bien.

– Moi aussi, chuchota Christine, puis elle se remit au travail, comme Evie, comme toutes les opératrices, dont les doigts cliquetaient sur le clavier à mesure qu'elles modifiaient les étiquettes et suivaient les protocoles.

Une heure passa, puis une autre. Puis tout s'arrêta. D'un seul coup, tous les ordinateurs s'éteignirent. Au début, Evie pensa qu'elle avait fait une mauvaise manipulation, continua à appuyer sur des touches pour ramener sa machine à la vie, mais elle vit Christine faire la même chose, et bien vite tout le monde s'échangeait des regards – de peur, d'incertitude, d'excitation, d'appréhension. Christine leva la main et l'annonça au superviseur, qui s'approcha, méfiante, puis fixa, incrédule, les écrans et demanda à toutes de rallumer leurs machines, comme si elles l'avaient fait exprès, comme si c'était une blague.

Puis un directeur apparut à la porte et le superviseur alla le rejoindre. Elle l'écouta quelques secondes, puis revint, l'air grave.

– Bien, tout le monde, c'est un exercice, déclara-t-elle. De sécurité. Veuillez quitter le bâtiment en silence et dans le calme, et vous rendre dans la cour du fond. Restez groupées et attendez les instructions.

Toutes sortirent en silence ; personne ne désobéissait dans la Cité. Mais une fois qu'Evie fut dans la cour, la rumeur resta omniprésente dans les murmures, les regards échangés. Le Système débloquait. Il y avait une faille. Le Système avait une faille. Et apparemment, Raffy l'avait découverte.

Bien que personne ne l'appelât Raffy. Pour tous les autres, il était Raphaël, en insistant bien sur le « Ra », avec des regards entendus et en marquant une courte pause avant et après. « Raphaël », comme si cela expliquait tout.

Lucas était la seule autre personne qu'Evie avait entendue transformer « Raphaël » en « Raffy ». Pour elle, c'était son seul nom, le seul par lequel elle l'avait jamais appelé. Il lui avait toujours fait penser aux gitans des histoires que sa mère lui racontait avant de s'endormir, des filles et des garçons qui vivaient librement et intensément, qui voyageaient à travers le pays dans des maisons sur roues, qui ne restaient jamais nulle part très longtemps. Ou peut-être n'était-ce pas son nom mais lui, simplement. Raffy, les cheveux longs, aussi longs que le règlement l'autorisait ; ses yeux étaient emplis d'interrogations, comme ceux d'Evie le seraient si jamais elle les laissait entrer. Sa mère avait raison, il n'avait jamais eu d'amis, manifestement ; à part son frère, Evie ne le voyait jamais avec personne. Il semblait seul en permanence, à observer, à ruminer. Mais elle savait qu'il était capable de distancer n'importe quelle bête de somme ; ses muscles étaient maigres et tendus, il était constamment sur le qui-vive. Elle se demandait parfois ce qu'il attendait et ce que ce serait de courir avec lui comme ça au grand air, de sentir le vent dans ses cheveux.

Mais elle savait que cela n'arriverait jamais. Et de toute façon, la vérité était que les filles et les garçons des histoires de sa mère ne finissaient jamais heureux. La plupart du temps, ils étaient dévorés par les loups, ou se retrouvaient seuls et dans la misère.

Tandis qu'Evie et son unité se rassemblaient dans la cour en file bien nette, qui rejoignait plusieurs autres queues, elle regarda nerveusement autour d'elle. Elle sentait de l'énergie dans l'air, une attente, une excitation. Ou était-ce de la peur ? Jamais auparavant les immeubles gouvernementaux n'avaient été évacués, hormis pour les exercices d'incendie soigneusement orchestrés une fois par an. Tout le monde feignait d'être silencieux et songeur, mais on se lançait des regards furtifs et curieux, on arquait les sourcils, et des murmures si discrets qu'ils en étaient presque silencieux parvenaient cependant à passer entre les rangs. Une faille. Une faille dans le Système. Était-ce une anomalie ? Qu'est-ce que cela signifiait ? Que se passerait-il ?

Evie rendit les regards, sentit la tension dans l'air comme tout le monde. Mais elle-même exprimait plus de tension, plus d'attente, plus d'excitation. Chaque fois qu'elle entendait des pas derrière elle, elle sentait ses poils se hérisser dans sa nuque. Et dès lors que les pas continuaient, ou s'arrêtaient, et qu'elle savait que ce n'était pas Raffy, elle ressentait une pointe de déception et se punissait intérieurement. Avait-il vraiment découvert la faille ? Cela faisait-il de lui un héros ? Ou l'accuserait-on de nouveau de quelque chose qu'il n'avait pas fait ? Supposait-on simplement que c'était lui parce que… eh bien, parce que c'était Raffy ? La même raison pour laquelle ses parents refusaient qu'elle ait un quelconque lien avec lui, qu'elle lui dise seulement bonjour au rassemblement hebdomadaire. La même raison pour laquelle il n'avait visiblement aucun ami, la même raison pour laquelle leur maîtresse à l'école maternelle s'était toujours montrée particulièrement sévère quand elle le punissait.

Parce qu'il était « comme son père ».

Son superviseur apparut et les murmures se turent immédiatement.

– Tout va bien. Pas de soucis. Ne croyez pas ce que l'on raconte, déclara-t-elle d'une voix basse, les fixant tour à tour. C'est juste un redémarrage de routine du Système. Attendez dehors jusqu'à ce que l'on vous dise d'entrer. Tout est normal. Tout va bien.

Evie hocha la tête, comme Christine et comme les autres, mais elle se doutait bien qu'ils pensaient tous la même chose : ce n'était pas la routine. Sinon, cela se serait produit plus tôt dans la journée.

Puis quelqu'un sortit dans la cour avec le directeur et tout le monde regarda. Le superviseur respira bruyamment, ce qui confirma leurs soupçons. Parce que celui qui accompagnait le directeur était Raffy.

En silence, des centaines d'yeux suivirent le garçon lorsqu'il traversa la cour pour rejoindre son unité, le directeur derrière lui. Evie sentit son estomac se serrer quand il avança, que ses yeux passèrent la cour en revue à toute allure et qu'elle eut envie de crier : « Par ici ! Je suis là ! » Mais elle ne le pouvait pas, et de toute façon elle savait que ce serait dangereux s'il regardait dans sa direction, si quelqu'un d'autre le voyait.

Christine dévisagea Evie en arquant un sourcil, autorisa sa tête à faire un signe infime.

« Raffy, dirent ses yeux. Je te l'avais dit. »

Le directeur appela les superviseurs, qui se réunirent tous dans un coin, chuchotèrent et donnèrent ainsi à tous les employés l'occasion de bavarder à voix basse.

– Monstre ! dit immédiatement Christine. Je parie qu'il a créé la faille. Il ne devrait pas être autorisé à travailler ici. Je n'arrive même pas à croire qu'il soit un B, pour être honnête. Mais il ne le restera pas longtemps. Une faille dans le Système ? Il manigance quelque chose, oui !

– Ce n'est pas un monstre, répliqua Evie. Tu ne sais rien du tout.

Christine eut l'air déconcerté. Elle n'était pas habituée à ce qu'on la contredise. Pas sur ce genre de sujet, sur lequel tout le monde s'entendait.

– Evie, murmura-t-elle, ne le défends pas simplement parce que tu vas épouser son frère. Rien ne t'y oblige, de toute façon. Lucas sait que c'est un monstre, lui aussi. C'est pour cela qu'il joue tout le temps les baby-sitters. Mon frère était en classe avec Raffy. Et il prétend qu'il est bizarre. Il pose des questions curieuses. Il a des yeux étranges. Si tu veux mon avis, il finira comme son père. Et ce ne serait pas étonnant. On peut voir le mal en lui. C'est un E, Evie. Un E qui attend simplement son heure.

Elle secoua tristement la tête et laissa échapper un long soupir.

Evie sentit son ventre se serrer de peur et de colère. Personne ne parlait jamais de l'étiquette E. Jamais. Et Christine avait tort. Raffy n'avait pas des yeux bizarres, mais fascinants, intenses, inquiétants. Emplis de passion, de questions, de désir.

– OK, on a redémarré le Système ! cria brusquement la voix d'un directeur depuis la porte de l'immeuble. Veuillez retourner dans votre unité quand celle-ci sera appelée. D'abord l'Unité 1, s'il vous plaît. Comme nous venons de le dire, ce n'était qu'une opération de routine.

Mais rien de cela ne sortira de ces murs. Le Système vous surveillera. Merci.

Tout le monde rentra dans le bâtiment. Evie jeta un dernier coup d'œil à Raffy, espérant contre toute attente qu'il lève peut-être les yeux, qu'il...

– Evie, désolé pour cette perturbation.

Elle leva les yeux, surprise, et vit Lucas à côté d'elle. Il sourit à son superviseur. Lucas était charmant, en plus de toutes ses autres qualités.

– Nous vous retrouverons à l'intérieur, dit-elle à Evie, en poussant les autres filles dans le bâtiment.

Evie tâcha d'ignorer leurs cous qui se tendaient pour la dévisager, pour dévisager Lucas. Il était beau : grand, blond, yeux bleu clair, mâchoire puissante. Directeur, il était extrêmement respecté. Il lui sourit et elle regarda ses yeux, y chercha quelque chose, une étincelle qui puisse lui donner de l'espoir, la soigner, la sauver. Mais tout ce qu'elle y vit, c'était du bleu, un océan bleu et vide qui ne lui disait rien. Pas de désir, pas de passion.

– Juste un redémarrage, répéta Lucas en haussant légèrement les épaules. Inopportun, mais c'est comme ça. Est-ce que tu vas bien ?

– Très bien, répondit Evie en forçant ses yeux à rester sur lui, et non à vagabonder vers Raffy, qui la fixait, qui l'implorait de le regarder.

– Et toi ? Tu vas bien ? Ta famille ?

– Très bien.

Lucas sourit. Son visage symétrique se ridait à peine, constata Evie. Il était parfait, comme tout le monde le prétendait. Il n'y aurait pas d'étincelle dans ses yeux parce que les A n'en avaient pas. Les étincelles étaient des signes de faiblesse. Lucas n'avait pas connaissance des émotions, des peurs, des rêves qui consumaient et effrayaient. Ses cheveux étaient courts comme il fallait, ses vêtements n'étaient jamais froissés. Elle ne l'avait jamais vu s'impatienter ni perdre le contrôle. C'était cela, être bon. Cela la frappa alors, d'un seul coup.

– Et ton frère ? (Les mots sortirent, avant qu'elle ne puisse les arrêter. Il n'y aurait pas de salut pour elle. Il n'y aurait aucun espoir.) J'ai vu que…

– Raphaël va bien. (Lucas l'interrompit rapidement, son sourire se figeant sur ses lèvres.) Il ira bien, de toute façon. Le Système le placera sous haute surveillance.

Il remonta sa manche, consulta sa montre, celle en or que Raffy méprisait. Celle qui était apparue sur son poignet le lendemain de la disparition de leur père.

Raffy avait confié à Evie que c'était la récompense de Lucas pour l'avoir trahi. À présent, en la regardant, Evie se surprit à avoir un mouvement de recul. Le Système surveillerait-il Raffy de plus près ? Qu'est-ce que cela voulait donc dire ? Comment Lucas savait-il ?

– Maintenant, plus important, poursuivit-il. Je dois passer chez toi un de ces soirs. Je devrais m'assurer une invitation de la part de ton père demain. À condition que cela te fasse plaisir ?

– Bien sûr, répondit Evie, qui aurait bien aimé que cela lui fasse plaisir, qui aurait bien aimé ne pas être emplie de désespoir.

– Merveilleux. Bon, prends soin de toi. À plus tard, Evie !

Il se pencha pour l'embrasser. Evie, qui ne l'avait encore jamais étreint, se figea sur place, sans trop savoir comment réagir et en se demandant si ce genre de chose était admise au travail. Elle se souvint juste à temps que Lucas était un directeur et son fiancé, et qu'à ce titre cela était autorisé s'il en était à l'origine. Mais quand elle s'approcha de lui, elle tourna le visage très légèrement, suffisamment pour s'assurer que les lèvres de Lucas ne touchent pas les siennes, que le baiser atterrisse juste à côté. Un baiser froid. Tellement différent de ceux de Raffy. Puis, aussi vite que sa tête s'était rapprochée de la sienne, elle se retira ; un autre sourire et il était parti, rejoignait son supérieur à grandes enjambées.

Evie l'observa une seconde, en se demandant ce qu'il pensait, puis elle se rappela qu'il ne penserait rien du tout. Il serait concentré sur son travail, sur sa productivité, sur le fait d'être un bon citoyen. Comme le Frère disait toujours, être un excellent citoyen signifiait réfléchir très peu. Le Système et le Guide suprême pensaient à leur place. Ils n'avaient qu'à faire ce qu'on leur demandait, de bonne grâce, bien décidés à être bons, honorables et vrais. Lentement, Evie tourna les talons et rentra dans l'immeuble. Mais en approchant de la porte, elle entendit des pas, rapides, pressés. Elle s'arrêta, fit un pas de côté et resta figée sur place. C'était Raffy. Son superviseur lui courait après.

– Raphaël, ne cours pas ! Reviens ici, reviens !

Quand il passa devant elle, Raffy tituba et lui tomba dessus. Evie haleta, surtout parce qu'elle était choquée de le toucher. Et de surprise et d'exaltation de sentir son corps sur elle.

– Ne l'embrasse plus jamais, murmura-t-il lorsqu'il colla la main sur le mur à côté d'elle pour se relever, histoire de faire croire que son faux pas avait été un accident. Ne l'embrasse plus jamais.

– Viens, dit son superviseur, impatient. Désolé, lança-t-il à Evie.

– Non… ce n'est rien… répondit-elle.

– Désolé, lui lança Raffy à voix haute. J'ai perdu l'équilibre. Je suis vraiment désolé.

Le superviseur soupira d'un air las et raccompagna Raffy à l'intérieur. En se retournant, ce dernier articula silencieusement « À ce soir » avant de disparaître. Evie les regarda s'en aller, puis s'empressa de regagner sa propre unité.

– Ça doit être l'amour, tu verrais ta tête ! murmura Christine d'un ton sarcastique quand Evie s'assit à son bureau quelques minutes plus tard. Tu ne peux vraiment pas supporter d'être loin de lui, même une minute ?

Evie rougit vivement en se tournant vers son ordinateur. Elle ne connaissait pas la réponse à sa question. Elle savait que Christine parlait de Lucas, mais tout ce qu'elle voyait, c'étaient les lèvres de Raffy, la colère dans ses yeux, la douleur. Tout ce qu'elle entendait, c'était la voix de Lucas qui lui annonçait que Raffy serait sous surveillance rapprochée. Et elle comprit soudain qu'il était temps d'arrêter, qu'entre Raffy et elle, c'était terminé. Parce qu'il n'entrerait jamais au galop dans son unité pour l'emmener sur son cheval blanc dans un endroit qui n'existait pas. Parce qu'elle allait épouser Lucas et que tout espoir que cela ne se produise pas ne ferait qu'aggraver les choses pour tout le monde.

4

Le Frère repoussa sa chaise et se leva. Son gros ventre débordait quand il contourna son bureau, passa devant le canapé somptueux sur lequel il aimait faire la sieste chaque après-midi « afin de réfléchir sérieusement aux affaires spirituelles », et se tourna vers la fenêtre, une grande baie qui offrait la plus belle vue sur l'est de la Cité. Sa Cité. Il avait l'impression qu'elle lui appartenait, au même titre que sa maison ou ses vêtements, sa vaste demeure avec piscine qu'un mur élevé cachait de tous. Il avait été dès le début l'un des premiers à comprendre que le Guide suprême avait raison, que le Nouveau Baptême était le seule solution entre le terrible passé et le merveilleux avenir de l'humanité. Le salut. L'espoir.

C'est ce qu'il avait offert à ses ouailles. Elles étaient en sécurité, elles étaient heureuses. Elles avaient beaucoup de travail pour les occuper.

Et s'il s'entourait du meilleur que la Cité avait à offrir, s'il s'autorisait un luxe de temps en temps, quelques petites gâteries, ce n'était que légitime. Parfaitement compréhensible. Il portait un gros poids sur ses épaules, il avait besoin de réconfort pour lui donner la force de diriger.

Il avait été religieux, à l'époque ; il avait cru que sa foi le protégerait, que Dieu avait un plan, qu'Il n'abandonnerait pas ses fidèles mais se contenterait de les tester afin de leur montrer le véritable chemin.

Puis les Horreurs avaient commencé, provoqué la dévastation et le chaos, ôté des vies humaines par milliers, par millions, affreusement, sans faire de distinction. Et le Frère avait compris, dans un moment de véritable clarté, à l'instant même où l'Église qu'il vénérait explosait autour de lui, qu'il n'y avait pas de Dieu, qu'il n'y avait ni enfer ni paradis, ni plus grand plan, ni rime ni raison. Il n'y avait que des gens. Des gens bons. Mauvais. Gentils. Égoïstes. Modestes. Fiers, violents, destructeurs, infects, des salauds qui voulaient tous les détruire, qui se moquaient bien de la douleur et des enfants qui pleuraient leurs parents disparus. Et le choléra qui se répandait parmi ceux qui avaient survécu aux bombes. Et de bonnes et honnêtes gens qui perdaient tout.

Il avait fallu un an avant que les Horreurs ne se terminent à un rythme trépidant, avant que l'anéantissement ne connaisse une fin naturelle. Une période pendant laquelle le nouveau monde du désert, de la maladie et du désespoir coexistait avec l'ancien monde de Google, des voitures et des machines à café. Alors le Frère, qui avait déjà entendu parler du Guide suprême – bien que ce ne fût pas alors son surnom – et qui avait levé les yeux au ciel en lisant les articles que celui-ci avait publiés dans des revues médicales indépendantes, car les revues réputées ne le prenaient pas au sérieux, comprit soudain que cet homme, contrairement à tout autre, disait la vérité. Il se tourna donc vers les rares inventions modernes qui restaient opérationnelles pour le retrouver, lui envoya des e-mails, se rendit à Manchester, le rencontra dans un bar qui tenait à peine debout et qui, miraculeusement, servait encore du café.

Au début, Fisher avait hésité, l'avait éconduit, prétexté qu'il était trop tard, que le monde tel qu'ils le connaissaient était fini, qu'ils avaient manqué leur chance. Mais le Frère n'était pas du genre à croire en la défaite. Il savait qu'il n'était pas trop tard, que c'était à lui de jouer maintenant. Ainsi, à l'aide des talents oratoires qu'il avait aiguisés à la chaire, il décrivit un nouveau monde au Guide suprême. Celui-ci était alors connu sous le nom de M. Fisher, anciennement le Dr Fisher, avant d'être radié de l'ordre des médecins. Un nouveau monde, un nouveau départ, où tout le monde était bon, en sécurité, où l'ordre régnait, où les humains pouvaient vivre comme dans le paradis qu'ils avaient imaginé depuis si longtemps. Un monde qui non seulement ne tolérerait aucune forme de violence, mais où celle-ci n'existerait pas. Un monde qui était à leur portée s'ils collaboraient, s'ils s'organisaient dès à présent, s'ils y croyaient. Un monde que le Guide suprême décrivit plus tard en utilisant exactement les mêmes mots dans ses *Sentiments*, bien que le Frère se gardât bien de le lui rappeler. Cela signifierait, avait-il alors confié à Fisher, que le mal dans le monde avait du sens. Il expliquerait toute cette dévastation, qu'elle menait quelque part, parce que du feu jaillirait un phénix, un nouvel avenir, un véritable jardin d'Éden.

Et voilà qu'il rêvassait en observant ses citoyens peiner à la tâche, produire, travailler de bon cœur, coexister sans dispute, sans rivalité, sans haine ni peur.

On frappa à la porte. Il alla ouvrir à Lucas. Exactement comme il s'y attendait.

— Lucas ! (Il le gratifia d'un sourire chaleureux.) Vous allez bien, j'espère ?

— Très bien, Frère.

— Parfait. Et Raphaël ?

Lucas se fendit d'un sourire crispé, comme chaque fois que l'on mentionnait ce nom. Le Frère lui toucha l'épaule pour le rassurer.

— Souhaiteriez-vous que je lui dise un mot ?

Lucas secoua fermement la tête.

– Vous êtes aimable, Frère, mais Raffy est sous ma responsabilité.

– Il raconte toujours la même histoire ? Que la faille était un lien vers un autre Système ?

– C'est un fantaisiste, répondit Lucas d'un ton égal. Il l'a toujours été. Je crains que ce ne soit pour attirer l'attention, c'est tout. Je m'en veux – j'aurais dû être davantage une figure paternelle pour lui au lieu de me consacrer à la Cité.

– Non, non, ce n'est pas votre faute, dit rapidement le Frère. C'est grâce à vous qu'il travaille pour le gouvernement, après tout.

– Oui, Frère, répondit Lucas.

Son visage se crispa légèrement quand il lui rappela délibérément que sans lui, Raphaël occuperait un poste bien moins important ailleurs. C'était dur pour Lucas, se dit le Frère. Un E en guise de père. Difficile pour quelqu'un de vivre avec une telle honte.

– Prenez une semaine, Lucas, proposa le Frère. Après tout, s'il continue d'affirmer que quelqu'un d'autre est à l'origine de la faille, s'il refuse encore d'en assumer la responsabilité, alors nous laisserons le Système décider. Êtes-vous prêt à cela, Lucas ? C'est votre frère, après tout.

– Mon père était mon père, répondit Lucas. Et pourtant, je vous ai fourni des informations sur lui. Une semaine, Frère. Laissez-moi m'en occuper.

Il sortit de la pièce. Le Frère attendit que la porte se referme avant de se diriger tranquillement vers son canapé. Il y avait toujours des problèmes à régler. Des désagréments qui surgissaient de temps en temps. Mais la Cité était l'endroit dont il avait toujours rêvé toutes ces années. Et des hommes comme Lucas l'aidaient dans ce sens.

Il appela son secrétaire via son Interphone.

– Sam, je vais réfléchir un peu. Veillez à ce que personne ne me dérange, annonça-t-il avant de s'allonger sur le canapé et de fermer les yeux.

5

Il existait différentes sortes de mal. Il y avait celui que les Déviants transportaient dans leur cœur, qu'ils cachaient aux autres tout en le nourrissant et en l'encourageant à prospérer, car ils étaient trop faibles pour le combattre, parce qu'ils ne se souciaient pas assez de la Cité. Le Système protégeait la Cité de certains individus, identifiait où résidait le mal, même si la personne qui l'abritait ne s'en doutait pas encore, même si elle n'était pas consciente des pensées ou sentiments dangereux tout au fond de sa tête. Le Système savait qui étaient ces gens, leur collait l'étiquette D, afin de minimiser l'influence du mal, qu'ils sachent qu'ils devaient se battre, faire tout leur possible pour se débarrasser de leurs pensées corrompues, sinon on les fuirait, au mieux, et au pire...

Evie n'aimait pas penser « au pire ». « Au pire », c'était quand le D n'était pas suffisant. Quand on collait l'étiquette E. E signifiait au-delà de la rédemption. E signifiait que le mal avait prospéré une fois de plus.

Parfois, elle se demandait quelle serait son étiquette. Au final. Lorsque le Système finirait par la rattraper. Elle craignait qu'il ne l'ait déjà fait. Se surprit à penser qu'il l'observait, attendait pour voir à quel point elle était corrompue, avant de prendre sa décision. D ? Ou E ? Elle frissonna rien que d'y penser, sa gorge se serra. *Pas E. Non, s'il vous plaît, pas E.*

Les E étaient habités par le mal. Ils étaient le mal incarné. Les E étaient arrêtés et on ne les voyait plus jamais. Les E étaient comme les Maudits qui vivaient à l'extérieur des murs de la Cité. Des individus que les Horreurs avaient abîmés, que le mal avait consumés. Ils venaient constamment rappeler aux habitants de la Cité de quoi celle-ci les protégeait, ce qui se trouvait derrière ses murs. Evie n'avait jamais vu un Maudit, mais elle savait qu'ils existaient car, comme tout autre habitant de la Cité, elle les avait entendus ; leurs hurlements terrifiants transportés par le vent la nuit la faisaient frissonner sous ses draps, et elle se promettait de ne jamais transgresser de nouveau les lois de la Cité, de se débarrasser du mal une bonne fois pour toutes, d'être bonne, pure et tout ce qu'elle devrait être.

Les Maudits voulaient détruire la Cité, ils redoutaient un endroit où le mal n'avait pas sa place. Il ne restait plus aucune bonté chez eux, aucune trace des valeurs que les habitants au sein de la Cité estimaient humaines. Car, comme le Frère le leur rappelait, ces valeurs n'étaient pas intrinsèquement des valeurs humaines, mais des valeurs de bonté. Et les humains, d'autres humains, étaient plus disposés à adopter celles du mal et de la terreur. Sans les murs de la Cité, sans le Nouveau Baptême, sans une vigilance constante, ils pouvaient eux aussi devenir comme les Maudits, pleins de colère, de haine et de violence, enclins à la destruction, à la dévastation. Comme les humains qui avaient instigué les Horreurs. Comme la plupart des humains.

Les Maudits ne venaient pas très souvent à la Cité. Ils savaient que cela ne servait à rien, qu'ils n'y entreraient jamais. Elle était trop bien gardée par ses quatre portes extrêmement blindées. Mais contrairement aux hommes qui y avaient déjà vécu, la Cité n'était pas protégée par des armes comme des pistolets, des revolvers et d'autres outils de violence qu'on leur avait montrés à l'école. Elle était défendue par la force de ses murs construits par ses citoyens et renforcés en permanence. Par un gardien bénévole qui patrouillait la nuit quand les intrus tentaient leur chance. Et par quatre détenteurs de clés – des hommes dont le courage n'était plus à démontrer, vaillants et bons –, qui les gardaient bien cachées, en sécurité, afin que personne n'entre ou ne sorte sans y avoir été autorisé par le Frère lui-même. Parce que des individus venant de loin continuaient à affluer dans la Cité, à la recherche d'une destinée toute neuve. Une fois par semaine, la porte sud s'ouvrait. Mais très peu de nouveaux citoyens avaient la chance d'entrer, d'embrasser le Nouveau Baptême et l'opportunité d'un avenir flambant neuf. Evie ne rencontrait jamais les nouveaux venus, mais elle les voyait de temps en temps arriver en file indienne le mardi, traverser les rues jusqu'à l'hôpital. Ils allaient travailler à la périphérie de la Cité, lui avait expliqué son père. Ils devaient faire leurs preuves pour gagner le droit de s'intégrer.

Mais les Maudits ne passaient jamais la porte. Les Maudits restaient systématiquement dehors, à gémir, à pleurer, à menacer les citoyens à l'intérieur.

Ils venaient car ils haïssaient la bonté, rêvaient de détruire la Cité et tous ceux qui y vivaient. Et ils déchargeaient leur fureur lorsque les E se faisaient arrêter pour une remise en état. Le père d'Evie lui apprit que le mal tâchait de se protéger lui-même, voilà pourquoi ils venaient dès que quelqu'un passait en E. Parce qu'ils étaient furieux que les E soient remis en état, que le mal ne réussisse jamais à franchir les murs de la Cité.

Les Maudits savaient toujours à quel moment débarquer. Ils pouvaient sentir le mal, disait son père. Chaque fois que l'on se faisait étiqueter E, tout le monde était au courant et s'enfermait à double tour en se bouchant les oreilles, pour ne pas entendre leurs hurlements et gémissements, quand ils arrivaient en grand nombre pour décharger leur colère. Et le lendemain, il y avait toujours un rassemblement pour purifier la Cité une fois de plus, pour les aider tous à se faire à la terrible nouvelle que l'un d'eux était déchu, pour leur donner la force de renoncer de mieux en mieux au mal.

Evie était toujours la première au courant pour les E, parce que son père était un des quatre détenteurs de clés. Il veillait toute la nuit lorsque les Maudits venaient. Au cas où les E s'échapperaient avant de pouvoir être remis en état. Au cas où ils viendraient chercher la clé pour laisser entrer les Maudits.

Evie savait que ce qui se trouvait à l'extérieur des murs de la Cité était pire même que tout ce qu'elle pouvait imaginer dans son sommeil quand elle était torturée par d'horribles images. Et elle était consciente que si elle ne renonçait pas au mal une bonne fois pour toutes, ce destin-là l'attendait.

Elle se doutait également que si le Système n'avait pas surveillé Raffy auparavant, il l'aurait à l'œil à présent. Il avait trouvé une faille dans le Système. Serait-il en colère ? Reconnaissant ? Éprouvait-il même des émotions ou ressemblait-il davantage à Lucas ? Evie l'ignorait, mais peu importait. Ce qui comptait, c'était qu'elle ne voulait pas être une E. Elle s'était dit tout ce temps qu'elle se moquait éperdument de ce qui lui arriverait. Que ses sentiments envers Raffy étaient plus importants que tout le reste. Que la joie qu'elle ressentait lors de leurs précieux moments en tête à tête valait bien la punition à venir. Mais à présent, elle avait peur. Ce soir, sachant que le Système surveillerait Raffy, elle comprit qu'elle n'était pas aussi forte qu'elle ne l'avait cru.

Voilà pourquoi, cette nuit-là, elle s'allongea sur son lit et s'endormit, ignorant la certitude qui la tenaillait que Raffy l'attendrait, ainsi que sa promesse de le retrouver dans l'arbre. Elle ne pouvait plus le faire. Elle ne le referait plus.

Il était temps d'arrêter. De devenir comme Lucas. De ne plus se soucier des autres. D'arrêter d'aimer. De commencer à être bonne.

Le lendemain était le jour du rassemblement hebdomadaire. Evie se réveilla et alla directement se laver et se regarder dans le miroir de la salle de bains. Ses vêtements étaient déjà prêts ; c'était samedi, elle devait enfiler une robe en velours épais violet et des bottes lacées. Les filles arboraient toutes la même tenue pour le rassemblement – de couleur et de style légèrement différents. Elle aurait pu porter un tailleur comme sa mère parce qu'elle avait seize ans et qu'elle était presque une femme, mais ils étaient chers et comme sa robe lui allait encore, on avait décidé de retarder cet achat jusqu'à ce qu'il devienne indispensable.

Elle s'habilla vite, se brossa les cheveux et se lava la figure, puis dévala l'escalier pour manger le morceau de pain et la pomme qui l'attendaient.

– Tu es belle, lança-t-elle à sa mère quand celle-ci entra dans la cuisine pour chercher quelque chose.

Elle se retourna vers sa fille et fronça les sourcils, hésitante. Les compliments sur l'apparence étaient rares dans la Cité. Ils montraient que l'on accordait trop d'attention à l'aspect des choses et des gens, et non à ce qui se cachait derrière.

– Pourquoi dis-tu cela ? demanda-t-elle. Tu as fait quelque chose ?

Evie secoua la tête.

– Rien.

Elle ne parvenait pas à expliquer pourquoi, aujourd'hui, elle avait envie de parler de tout et de rien, pour ne pas réfléchir à ce qu'elle allait faire, à ce qu'elle devait faire pour éviter les rêves, empêcher le mal de la prendre, les Maudits de venir la chercher… un jour…

– Alors mange ! Nous allons bientôt partir, dit sa mère en haussant légèrement les épaules et en sortant de la cuisine.

Evie passa en revue les aliments devant elle, puis se leva, les mit dans un récipient pour plus tard et monta se brosser les dents.

À 8 h 45 précises, ses parents et elle sortirent de chez eux. Tous trois avancèrent en file indienne en direction de la salle de Rassemblement, comme les autres familles sur la route. Elles sourirent lorsqu'elles se croisèrent, accélérèrent le pas en se rapprochant. Evie s'efforça de laisser l'enthousiasme l'envahir, tâcha de penser à des situations heureuses, positives.

Les rassemblements marquaient le point culminant de la semaine des habitants de la Cité et permettaient à tous de se retrouver. Quand Evie était plus jeune, elle n'arrivait pas à dormir le vendredi soir, tellement elle était excitée par le rassemblement du lendemain. Tout le monde était si merveilleux, et l'événement si gai ! Il donnait du sens à tout, lui donnait l'impression que tout en valait la peine, d'être la plus chanceuse du monde entier.

Aujourd'hui, comprit-elle en pénétrant dans la salle, elle en avait plus que jamais besoin.

Comme d'habitude, la salle de Rassemblement – le plus gros bâtiment de toute la Cité, suffisamment vaste pour accueillir ses cinq mille habitants – était déjà à moitié remplie quand ils arrivèrent. Elle prit volontiers le verre que l'on offrait toujours à la porte, le but, puis trouva une place tout au bout d'un banc, vers le devant, à côté de ses parents, et regarda les autres entrer, famille après famille, couple après couple, parfois seuls ; puis les plus âgés de la communauté, aidés par un proche. Les A s'installaient au premier rang, puis les B, et enfin les C, au fond, en compagnie de groupes mélangés et de familles aux étiquettes différentes. C'était peu habituel, mais cela arrivait de temps en temps, en général quand l'étiquette d'un jeune était supérieure à celle de ses parents. Des femmes et des maris voyaient leurs étiquettes changer en même temps que celle de leurs partenaires. Ils étaient responsables les uns des autres, s'influençaient mutuellement. Mais parfois, les enfants devançaient leurs parents, comme Lucas qui était A. Evie le regarda prudemment entrer, suivi de Raffy, C et de sa mère, une B. Les familles mélangées devaient s'installer au fond avec les C ; nul ne savait au juste comment les traiter et on les tenait donc à l'écart. Une zone sur le côté, en attendant, était réservée aux D qui entraient tête baissée, et gigotaient, mal à l'aise, jusqu'à ce que le rassemblement commence.

Il y avait de la musique qui réchauffait le cœur, faisait fredonner et sourire Evie. Elle se sentait protégée, persuadée que tout irait bien. Entourée de ses concitoyens, elle n'avait aucun souci à se faire. Elle était en sécurité ici. Ils l'étaient tous.

Puis le Frère arriva, vêtu de sa longue veste en velours rouge. Le Guide suprême était trop âgé pour organiser les rassemblements, trop fragile pour sortir de chez lui ; on ne le voyait plus. Mais le Frère répandait sa parole à sa place.

Il se rendit au-devant, et tous ceux qui n'étaient pas encore assis trouvèrent une place. Quelques secondes plus tard, le silence régnait.

— Mes amis, mes frères et sœurs, commença-t-il. Quel plaisir de vous voir tous ici, comme d'habitude. Remercions le Guide suprême.

— Remercions-le, répéta Evie à voix haute, comme tout le monde.

— Remercions cette grande Cité.

— Remercions-la.

Leurs voix étaient plus fortes, plus empathiques.

— Et enfin, remercions le Système, remercions-nous, notre productivité, notre amour, notre aptitude à nous protéger les uns les autres et nous-mêmes.

— Remercions-nous.

Déjà, Evie sentait les poils dans sa nuque se hérisser d'impatience.

— Et maintenant que nous avons procédé aux remerciements, fermons les yeux et réfléchissons quelques minutes dans le silence. Quelques minutes pour songer à notre fortune, à notre communauté et à notre place en son sein.

Le silence se fit quand ils s'isolèrent tous mentalement pour songer à leur vie. Evie tâcha de se concentrer sur cette sensation chaude et grisante qu'un rassemblement lui procurait toujours, et de penser que l'on pourrait encore la sauver, qu'elle n'était pas quelqu'un de mauvais, que ses rêves ne voulaient rien dire. Les yeux fermés, elle réfléchit le plus possible à ses parents, à son travail, à la nourriture sur leur table, au toit au-dessus de leur tête, à la paix entre les murs de leur Cité. *J'ai de la chance*, articula-t-elle en silence. *J'ai tellement de chance.*

— Evie.

Les yeux de l'adolescente s'ouvrirent d'un coup et elle se tourna vers la droite ; le sang se vida de son visage.

– Tu n'es pas venue hier soir.

Sa voix n'était qu'un murmure, mais cela suffit à emplir la jeune fille de terreur. Si quelqu'un entendait… si quelqu'un voyait…

Elle regarda autour d'elle. Ses yeux passèrent en revue la salle de Rassemblement à toute vitesse, et quand elle tomba sur un océan de paupières bien fermées, le sang regagna ses joues, mais cela ne la rassura pas pour autant. Elle secoua violemment la tête et fit signe à Raffy de retourner s'asseoir.

– Où étais-tu ? Tout va bien ?

– Oui, articula-t-elle le plus silencieusement possible. Enfin, non, Raffy. Je ne peux pas venir. Je ne reviendrai plus. Je vais épouser Lucas. Je ne peux plus te voir.

Elle se tourna d'un coup, ferma les paupières très fort. Elle savait que Raffy devait s'en aller, que dans quelques secondes tout le monde rouvrirait les yeux.

Autour d'elle, tous étaient encore plongés avec ferveur dans leurs prières. Timidement, Evie jeta un coup d'œil par-dessus son épaule. Bien sûr, Raffy était assis quelques rangées derrière elle. Il la fixait. Quand il croisa son regard, il secoua la tête et fit « non » silencieusement. Lucas était installé à côté de lui, les yeux fermés, le visage calme. Evie se retourna rapidement, son cœur faisant un bruit sourd. Raffy était fou. S'il se faisait prendre… Elle préférait ne pas y penser. Ses joues étaient brûlantes, ses paumes, couvertes de sueur.

– Maintenant, toujours les yeux fermés, inspirez et expirez doucement. Sentez l'énergie quand le souffle entre dans votre corps et sentez la purification par le souffle qui emporte tous vos maux, vos douleurs, toute pensée inutile qui assombrit votre jugement.

Evie inspira et expira, comme le Frère le leur avait demandé, comme elle le faisait toujours. Mais cela ne calma pas son esprit. Cela la rendit malade, lui donna l'impression que l'on faisait tanguer son corps. Elle sentait les yeux de Raffy transpercer les siens, ressentait la trahison qu'il éprouvait, ainsi que son propre sentiment de perte, immense, et celui de partir à la dérive. Et pourtant, elle savait qu'elle faisait ce qu'il fallait. Qu'elle devait rester forte. Pour eux deux.

– Maintenant, sans ouvrir les yeux, attrapez la main de la personne assise à côté de vous. Serrez-la, frères et sœurs, et pensez aux liens qui nous unissent. Qui nous rendent forts. Qui nous rendent bons et purs.

Evie était assise en bout de rangée. Il n'y avait personne à sa droite, elle tendit donc la main gauche, qui trouva celle de son père, et la serra bien fort, sentit sa force et sa détermination, se rappela toutes les fois où cette main avait infligé des punitions quand elle était petite. Cette main qui lui avait appris à respecter le règlement. À présent, elle était enfin prête à faire ce qu'on lui demandait. Elle n'avait pas le choix.

– Maintenant, serrez vos propres mains, frères et sœurs. Tenez vos mains et sentez la chaleur de votre sang couler dans vos veines, maintenir votre corps en vie. Comme les croyances qui circulent en vous maintiennent cette Cité en vie. Comme le Système, notre merveilleux Système qui nous connaît tous, nous permet d'être productifs, en paix, à notre place.

Son père relâcha sa main ; elle serra les siennes et fit de son mieux pour sentir le sang et la croyance, comme elle l'avait fait chaque semaine, aussi loin qu'elle s'en souvenait. Mais tout ce qu'elle voyait, c'était le visage de Raffy, provocant, désespéré. Tout ce qu'elle ressentait, c'était le trou qui grandissait en elle.

Un trou plein de mal, se dit-elle d'un ton ferme, qu'elle allait remplir de bonté, de dur labeur, de dévouement déterminé envers la Cité.

— Et maintenant, frères et sœurs, ouvrez les yeux et regardez-vous les uns les autres. Regardez vos concitoyens. Vos amis, connaissances, ceux que vous ne connaissez pas du tout. Et sachez que nous sommes tous unis. Que les actes personnels nous touchent collectivement. Que notre labeur individuel enrichit la vie de chacun. Que notre croyance ne nourrit pas que nous, mais notre communauté tout entière.

Tous les yeux s'ouvrirent. Ceux d'Evie bougèrent trop vite pour se connecter avec quiconque. Elle ne pouvait pas regarder derrière elle, nulle part où se trouvait Raffy, bien qu'elle se doutât que Lucas la guetterait. Elle était à bout de souffle, avait l'impression de tomber, même si elle savait que ce n'était pas le cas.

— Et nous avons besoin de cette croyance, poursuivit le Frère. Croyance en notre grande Cité. Croyance au Système. Croyance au Nouveau Baptême. Croyance des uns aux autres. Chacun de nous a besoin de votre croyance, de votre travail et de votre engagement. Parce que sans votre croyance, autant laisser les murs de cette Cité s'écrouler. Ils peuvent nous protéger de ce qui se trouve au-dehors, mais pas de nous-mêmes. N'est-ce pas ?

Evie se retourna, le cœur battant la chamade, le corps recouvert d'une légère couche de sueur.

— Non ! Ils ne peuvent pas nous protéger de nous-mêmes, dit-elle haut et fort, avec tout le monde, la voix tremblante.

— Mais notre Guide suprême nous a protégés, disait le Frère. Il a vu, il y a longtemps, que l'on bloquait l'humanité. Il a vu que nous étions les esclaves d'une

73

partie du cerveau dont nous n'avions pas besoin, une partie qui était une aberration, qui poussait les gens à commettre des choses terribles. Avant les Horreurs, les humains pensaient qu'ils étaient civilisés. Qu'ils étaient intelligents et sophistiqués, et que notre Guide suprême avait tort parce qu'ils avaient tout ce dont ils avaient besoin. Mais qu'avaient-ils ?

— Rien ! entonnèrent-ils tous.

— Rien ! Exactement. Ils avaient des meurtres. Ils avaient des gangs qui erraient dans les rues, qui attaquaient les autres et les dévalisaient de leurs biens. Les femmes se faisaient violer. Les prisonniers étaient enfermés. Les adultes étaient drogués à mort. Mais cela ne suffisait pas pour satisfaire ces individus. Ils lisaient des livres sur les meurtres et le viol rien que pour se divertir, ils en écrivaient sur les mêmes sujets.

Le Frère balaya la salle du regard et lorsqu'il regarda dans la direction d'Evie elle sentit son ventre se retourner, sûre et certaine que, quelque part, il savait qu'elle aussi avait fait des choses affreuses. Mais ses yeux continuèrent à passer les bancs en revue, et quand elle agrippa celui devant elle pour ne pas perdre l'équilibre, elle se dit que c'était sa seconde chance. Comme le Guide suprême en avait donné une à l'humanité.

Elle finirait par oublier Raffy, et lui aussi finirait par l'oublier. Tous les deux seraient sauvés.

— Ils ont créé des religions pour se protéger, pour prodiguer des conseils, poursuivit le Frère (et le père d'Evie opina vigoureusement, inconscient du tourment intérieur de sa fille), parce qu'ils étaient incapables de se guider tout seuls. Mais qu'ont-ils fait de ces religions ? Ils s'en sont servis pour se battre, ils ont transformé leur moralité en guerre violente. Et pourquoi ont-ils fait cela, frères et sœurs ?

– Parce qu'ils étaient les esclaves de leurs cerveaux corrompus ! crièrent-ils tous, Evie plus fort qu'avant. Parce qu'ils ne se rendaient pas compte !

Evie songea à son propre cerveau corrompu. En ce moment même, il se battait avec elle, essayait de lui dire qu'elle se trompait.

– Parce qu'ils étaient asservis. Parce qu'ils ne savaient pas ce qu'était la véritable bonté, seraient incapables de la reconnaître s'ils la voyaient. Parce qu'ils ne se rendaient pas compte, pas du tout. Mais nous, si, frères et sœurs. Nous repensons à eux avec pitié, avec crainte. Parce que, à l'extérieur des murs de la Cité, ces humains qui ont survécu aux Horreurs, ces humains qui ont rejeté le Nouveau Baptême, qui ont choisi de rester en dehors de notre communauté, ce sont les mêmes que ceux qui vivaient avant. Asservis par leurs désirs, leur orgueil, leur colère, leur haine. Ils n'aspirent pas à la paix, ni au bonheur ni à la bonté. Ils ont soif de violence, de vengeance, de destruction.

Un frisson collectif parcourut la pièce. Le Frère leva les mains et tout le monde se mit debout.

– Mais nous avons été sauvés de ces instincts bestiaux, reprit-il (et quelqu'un poussa un cri de joie). Le Nouveau Baptême a purifié nos cerveaux, a supprimé notre attirance envers le mal. Nous ne représentons plus de danger envers nous-mêmes.

– Plus de danger envers nous-mêmes ! entonna l'assemblée.

Il y eut un regain d'énergie dans la salle. Evie sentit la fièvre monter peu à peu.

– Nous n'avons plus envie de tuer, de détruire. Nous avons envie de travailler ensemble. De construire un bel avenir. D'être purs d'esprit et d'action.

– Purs d'esprit et d'action ! répéta l'assemblée.

– Nous avons un système qui connaît chacun de nous, qui nous surveille. Nous pouvons vivre nos vies sans inquiétude, sans soupçon, sans épreuve, parce que le Système nous garantit que nous menons nos vies comme il faut. Mais nous ne pouvons pas nous reposer sur nos lauriers. Nous sommes libérés du mal, mais pas de toute cette volonté qui nous tente. Un esprit conscient est un esprit qui peut faire des choix, un esprit qui peut prendre des décisions. Frères et sœurs, vous êtes des gens bien. Je sais que vous ne voulez prendre que de bonnes décisions, faire des choix avisés. Je me trompe ?

– Vous avez raison ! Oui, Frère, vous avez raison !

– Vous avez raison ! répéta Evie avec ferveur.

À partir de maintenant, elle ne ferait que des choix avisés. Les Maudits ne viendraient pas la chercher. Elle ne se retrouverait pas dehors, derrière les murs de la Cité, à la merci des monstres.

– Et pour prendre ces bonnes décisions, faire ces choix avisés, que nous faut-il réprimer ?

– Le désir ! hurla quelqu'un.

– L'avidité ! hurla un autre.

– Le désir et l'avidité, oh oui, répondit le Frère. Quoi d'autre ?

– L'orgueil ! hurla son père.

Et il se leva, les mains en l'air.

– L'orgueil ! hurla le Frère. L'orgueil, le désir et l'avidité !

D'autres se mirent debout, les paumes brandies vers le ciel.

– Nous devons nous détourner de toutes ces choses. Parce que le désir nous tente, le désir nous met à l'épreuve, mais nous devons nous détourner de ces instincts primaires, car avec le désir et la luxure viennent l'agressivité et la violence. Le désir est dangereux, frères et sœurs. Ne le laissez pas corrompre vos esprits magnifiques. Ne le laissez pas trouver des disciples au sein de cette Cité.

— Non ! hurlaient les gens. Nous ne le laisserons pas entrer ! Pas dans cette Cité !

— Mais comment le savons-nous ? Comment savons-nous que le désir, l'orgueil et l'avidité ne servent à rien ? Laissez-moi vous expliquer.

— Expliquez-nous ! Expliquez-nous !

Ils étaient presque tous debout, yeux écarquillés, en extase. Evie se leva à son tour. Elle voulait ressentir ce qu'ils ressentaient, désirait être emplie de joie, de soulagement, de détermination, que seul l'amour pour la Cité envahisse son esprit.

— Je vais vous expliquer, dit le Frère, d'une voix brusquement calme. Je vais vous dire comment. Asseyez-vous, frères et sœurs. Asseyez-vous, s'il vous plaît, et écoutez.

Tout le monde s'exécuta. La salle devint immédiatement silencieuse, les visages penchés en avant, comme pour ne pas rater un seul mot.

— Une société bonne et paisible est une société fondée sur la justice, sur des règles claires que nous respectons tous de bon cœur, déclara le Frère, en balayant la salle du regard. (Evie écouta avec attention comme si ses paroles pouvaient la soigner.) Nous sommes les rescapés. Nous sommes les élus. Et avec nos esprits purs, nous continuerons à être forts. Nous ne laisserons pas le mal pénétrer dans nos cœurs, pénétrer dans nos cerveaux. Le mal essayera d'entrer, mais nous ne lui donnerons pas d'air pour respirer. Nous laisserons le Système nous montrer quand nous serons faibles et nous ferons preuve de détermination pour redevenir forts.

Le sermon du Frère touchait à sa fin, tout le monde se remit debout, la musique reprit et les mains se levèrent d'un coup.

– Faites la fête, frères et sœurs ! Fêtez la Cité. Fêtez notre communion. Fêtez cette journée de repos, et demain, repartez au travail le cœur puissant et avec le désir de commencer immédiatement cet avenir merveilleux.

– Oui, oui ! crièrent les gens. Je te salue, Guide suprême !

Le père d'Evie se tourna vers elle, les yeux brillants, et il passa son bras autour d'elle, puis l'autre autour de sa mère, qui toucha le dos de son mari et serra affectueusement l'épaule de sa fille, une démonstration d'affection si rare qu'elle prit Evie au dépourvu. Elle sentit des larmes lui picoter les yeux quand elle serra leurs mains à son tour, pour montrer à ses parents combien elle appréciait leurs conseils, combien elle souhaitait qu'ils soient fiers d'elle.

À l'issue du rassemblement, Evie suivit ses parents quand ils sortirent de la salle en traînant les pieds. Il y avait du monde partout. Les joues roses, ils échangeaient des sourires quand ils croisaient des gens qu'ils connaissaient.

Evie resta près de son père et de sa mère, regarda droit devant elle pour être sûre de ne pas voir Raffy, de ne pas croiser son regard. Mais à la sortie, ses parents rencontrèrent des amis, un homme avec lequel son père travaillait et son épouse, et ils s'écartèrent pour discuter. Evie tâcha de les suivre, mais elle fut emportée par la foule et se retrouva toute seule à quelques mètres de la porte. Elle s'efforça de les rejoindre, mais trop de monde allait dans la direction opposée et elle fut prise au piège. Alors elle leur fit un signe de la main, mais ils ne la virent pas. Ils bavardaient en riant.

Puis Evie sentit quelqu'un derrière elle, qui ne bougeait pas comme les autres, et elle comprit qu'il s'agissait de Raffy. Chacun de ses instincts lui disait de tendre la main, de le toucher, d'oublier toutes ses bonnes résolutions.

Mais elle savait qu'elle devait les combattre. Que c'était son seul espoir.

— Tu dois venir. Je ne peux pas vivre sans toi.

Sa voix était basse, dénotait l'urgence. Elle la ressentait au creux de son ventre.

Elle secoua la tête, chercha ses parents désespérément. Elle avait besoin de leur force avant qu'il ne soit trop tard. Le corps de Raffy se collait contre le sien ; elle crut qu'elle tombait.

— Je dois y aller, parvint-elle à dire. (Elle avait du mal à respirer, à penser.) Ne recommence pas. Ne me cherche plus. C'est terminé, Raffy. Il le faut.

— Non, dit-il.

Le désespoir dans sa voix lui donna envie de se retourner, de le serrer dans ses bras, de poser ses lèvres sur les siennes comme elle l'avait fait si souvent. Mais elle se contenta d'enfoncer ses ongles dans ses paumes.

— Raffy ? Viens donc t'occuper de Mère. Evie, que fais-tu ici toute seule ?

Evie leva les yeux et vit Lucas s'approcher, le visage toujours aussi impénétrable. Avait-il vu quelque chose ? Était-il au courant ?

— Je... j'ai été séparée de mes parents, réussit-elle à dire. Je les cherchais, justement.

— Et les voilà, répondit Lucas avec un petit sourire crispé. Ta mère, en tout cas.

Il se retourna vers Raffy. Son sourire disparut.

— Vas-y, tout de suite, ordonna-t-il.

Et Raffy s'esquiva.

— Evie, te voilà, dit sa mère qui surgit dans la foule. Nous étions avec Philip et Margorie. Je leur racontais comme tu te débrouillais bien au travail. Viens donc.

— Oui, bien sûr, répondit Evie en laissant sa mère lui prendre la main et l'entraîner dans la foule.

Et en rejoignant Philip et Margorie, elle se retourna, désespérée, pour jeter un dernier coup d'œil à Raffy, pour tâcher de lui faire comprendre qu'elle faisait cela pour eux, qu'elle avait pas le choix, mais le seul regard qu'elle croisa fut celui de Lucas, perplexe, qui se retourna avant de partir dans la direction opposée.

6

Evie ne dormit pas cette nuit-là ; elle se tourna dans son lit alors que le mal en elle luttait contre le besoin désespéré d'être bonne, pure et forte comme le Frère le lui avait demandé au rassemblement. Elle voulait renoncer au mal, n'avoir que de bonnes pensées dans sa tête, et pourtant elle ne songeait qu'à Raffy, à la dévastation dans ses yeux, à son refus d'accepter ce qu'elle lui avait dit. Elle ne ressentait tout au fond d'elle-même qu'un désir de le revoir juste une dernière fois, de trouver une nouvelle façon d'être amis, même si elle savait que c'était impossible.

Ses pensées étaient si effrénées, son esprit tellement saturé qu'elle n'entendit pas frapper à sa fenêtre. Puis, le deuxième coup, elle fut tellement choquée qu'elle s'assit toute raide sur son lit, tira les draps sur elle, regarda fixement la fenêtre comme si elle craignait que les Maudits ne viennent la chercher, qu'ils puissent lire dans ses pensées, qu'ils aient fini par s'apercevoir qu'elle était comme eux, en fin de compte.

— Evie, Evie.

Puis son cœur s'arrêta : ce n'étaient pas les Maudits, c'était Raffy. Il était là. Il était venu chez elle ; et la crainte des conséquences si jamais on le découvrait se mélangea à un besoin désespéré de le revoir, de le rassurer, de lui expliquer, de lui faire comprendre et qu'il l'absolve, qu'il soit fort avec elle, qu'il l'aide.

Tremblante, Evie s'approcha de la fenêtre, tira le rideau en hésitant, et même si elle savait que c'était Raffy, elle sursauta quand elle le vit la regarder, en équilibre précaire sur le rebord, le visage tellement triste qu'elle eut presque envie de pleurer.

Immédiatement, elle ouvrit, l'entraîna à l'intérieur, porta un doigt sur ses lèvres pour lui intimer de ne pas faire de bruit parce que si on les attrapait maintenant, il n'y aurait pas de retour possible. Ni de pardon.

Il s'assit sur son lit. Elle le dévisagea, incapable de parler, de trouver les bons mots. Raffy prit donc la parole le premier, la voix basse, tendue, fatiguée.

— Tu commets une erreur, déclara-t-il. Tu ne peux pas faire ça.

— Si, répondit Evie en baissant les yeux. Et tu dois faire de même. Le Système te surveillera. Il sait déjà probablement tout. Je ne comprends pas pourquoi il ne nous a pas encore punis, mais il s'y résoudra si nous continuons. Je vais épouser Lucas et nous ne pourrons plus nous voir.

— Parce que le Système nous punira ? Je m'en moque. Je serai un D, et alors ? Tout le monde me traite déjà comme tel.

— Et si nous devenions des E ? murmura Evie d'un ton féroce. Nous nous ferions jeter hors de la Cité. Et les Maudits n'auront plus qu'à venir nous chercher. (Les larmes emplirent ses yeux. Des larmes de peur, de tristesse.) Raffy, il n'y a pas d'alternative. Nous ne devons plus nous voir. Il faut que tu le comprennes.

— Non. Ce que je sais, en revanche, c'est que tu ne peux pas épouser Lucas, rétorqua-t-il, la mâchoire serrée. Tu ne peux pas, c'est tout. Ce n'est pas un être humain, c'est une machine. Il ne prendra pas soin de toi. Il ne t'écoutera pas, il ne t'aimera pas. Pas comme moi. Il ne te mérite pas. Il...

Il tendit les mains pour la toucher, mais elle recula.

– Ce n'est pas une machine, rétorqua-t-elle en hésitant.

– Si, répondit Raffy en cherchant son regard, inflexible.

– Alors, il faut sans doute que nous devenions des machines, nous aussi, rétorqua Evie en séchant ses larmes. Peut-être est-ce la clé pour être bons. Peut-être que le mal vit dans nos sentiments, dans nos pensées cachées.

– Si c'est cela, être bon, alors pas question, répliqua Raffy en la fixant d'un air de défi, furieux, mais elle refusa de mordre à l'hameçon.

– Tu ne le penses pas, chuchota-t-elle.

– Non ? (Il croisa les bras.) Quand on a arrêté notre père, Lucas n'a pas dit un mot. Il s'est contenté de jeter toutes ses affaires, a déclaré que nous ne devrions plus jamais prononcer son nom, qu'il avait déshonoré notre famille. Son propre père. C'est ça, être bien ?

Evie s'efforça de déglutir, mais une boule énorme avait surgi dans sa gorge. Elle se souvenait que la tristesse de Raffy d'avoir perdu son père avait été aggravée par la réaction de Lucas, elle revoyait l'éclair glacial dans le regard de ce dernier chaque fois que Raffy essayait de parler de celui qui les avait élevés tous les deux.

– Ton père était passé E, répondit Evie, hésitant.

Raffy plissa les yeux.

– Tu es bien en train de devenir une machine, observat-il d'un ton amer. Mon père était un homme bon. Pas mauvais. Pas mauvais.

Il se détourna et enfouit la tête dans ses genoux. Evie tendit timidement la main.

– Il ne le voulait pas, murmura-t-elle. Je suis sûre que non. Mais le Système...

– Le Système a toujours raison. Bien sûr.

Il y avait quelque chose de dangereux dans la voix de Raffy. Les yeux d'Evie s'écarquillèrent quand elle le regarda. Le Système pouvait-il l'entendre ?

– Le Système *a* raison, déclara-t-elle en jetant un coup d'œil craintif autour d'elle. Il nous connaît tous, il peut voir tout au fond de nos cœurs et…

– Et mon père est passé directement de A à E ? (Raffy se leva.) Tu ne comprends pas, Evie ? Je pensais que tu comprendrais. Ce ne sont que des foutaises. Forcément. Je ne suis pas mauvais. Tu ne l'es pas non plus. Les sentiments que j'éprouve pour toi ne sont pas mauvais. Ni ceux que tu ressens pour moi. Ou plutôt, devrais-je dire, ressentais.

Il la fixa de nouveau. Elle se sentit se réchauffer.

– Ressens, murmura-t-elle. Ressens.

Un sourire traversa le visage de Raffy, il se rassit sur son lit, lui prit les mains et l'attira vers lui.

– L'autre jour, reprit-il, d'une voix si basse qu'elle l'entendait à peine, quand j'ai trouvé la faille, ce n'en était pas une, mais un dispositif de communication. Il y avait des messages destinés aux gens qui vivent à l'extérieur de la Cité. Qui doivent aussi avoir un Système. Le Frère prétend qu'il n'y a personne à l'extérieur, hormis le mal et des sauvages. Mais j'ai vu les messages. Et le dispositif. Tu ne comprends pas ? Ils nous mentent à ce propos, mais aussi sur d'autres choses.

Les yeux d'Evie étaient comme des soucoupes et son cœur se mit à marteler anxieusement sa poitrine. Elle secoua la tête.

– Non, murmura-t-elle. Non, Raffy, c'est impossible.

Il roula des yeux.

– Ouais, c'est ce qu'a dit Lucas. Que je l'ai imaginé, que j'ai eu des hallucinations. Mais je sais ce que j'ai vu.

– Mais… mais… bafouilla Evie.

Des milliers de pensées traversaient son esprit, accentuant sa confusion, lui donnant l'impression d'avoir perdu l'équilibre, de tomber.

— Mais rien, ajouta Raffy, les yeux étincelant brusquement, s'illuminant quand il lui serra affectueusement les mains. Si une autre ville existe, alors allons-y. Ensemble.

— Y aller ? Tu veux dire, quitter la Cité ?

Evie recula.

— Trouver un endroit meilleur. Sans règles. Où nous pourrons simplement vivre.

— Comme les Maudits ? fit Evie en secouant violemment la tête. Non, Raffy. Non. Nous n'irons nulle part. Tu vas rentrer chez toi et ne plus jamais revenir ici, et moi, je vais épouser Lucas.

Elle baissa les yeux, les larmes tombant désormais en chute libre.

— Non ! cria Raffy, fou de rage. Evie, écoute-moi. Nous avons toujours parlé de cela, de ces contrées lointaines où nous pourrions vivre heureux. Nous avons toujours parlé de nous enfuir. À présent, nous pouvons le faire. À présent, nous devons le faire.

Evie retira ses mains.

— On jouait à faire semblant, répondit-elle, furieuse. Raffy, c'étaient des enfantillages ! Nous sommes des adultes, maintenant. Il faut que tu cesses de vivre dans un monde de chimères. Tu habites ici, dans la Cité. Tu as de la chance, nous en avons tous les deux. Tu dois arrêter, Raffy, tu dois… (Elle s'essuya les yeux. Se leva sur son lit et rouvrit la fenêtre.) Tu dois y aller, Raffy, dit-elle. Tout de suite. S'il te plaît.

— Tu veux vraiment que je parte ?

Evie opina. Elle ne pouvait se résoudre à le regarder, à voir la confusion et la douleur dans ses yeux, qui, elle le savait, ne feraient qu'affaiblir sa détermination.

– Très bien, j'y vais, déclara Raffy, furieux. Mais crois-moi, cet endroit existe, ce n'est pas un délire. Il est réel. Aussi réel que cela.

Il l'attira contre lui et l'embrassa. Evie essaya de se détacher, mais en vain. Au contraire, elle s'agrippa à lui, à ses épaules, à ses cheveux, se colla contre lui, respira l'odeur de sa peau, qu'elle ne pourrait jamais oublier.

– Au revoir, Evie, dit alors Raffy d'une voix rauque, calme. Prends soin de toi.

Et quand il l'eut relâchée, Evie ne s'était jamais sentie aussi seule, froide, à la dérive. Mais elle se ressaisit, respira un bon coup. Elle faisait ce qu'il fallait. Pour une fois. Raffy se dirigea vers la fenêtre. Evie tira le rideau pour qu'il puisse l'ouvrir entièrement. Puis ils entendirent quelque chose, un bruissement dans le jardin en dessous. Ils se paralysèrent sur place, se regardèrent, sourcils froncés.

– Qu'est-ce que c'était ? murmura Raffy.

– Agenouille-toi derrière le rideau, articula Evie le plus bas possible.

Puis, timidement, elle s'approcha peu à peu pour regarder en bas. Pour identifier l'origine du bruit. Un renard, se dit-elle. Un animal. Un…

Mais ce n'était pas un animal. Elle le constata aussi-tôt. Il la fixait droit dans les yeux, et elle sombra pour de bon dans un abîme. Parce que Lucas était planté au milieu du jardin, ses cheveux blonds brillant au clair de lune. Et elle comprit immédiatement qu'il avait tout vu : ils s'étaient étreints devant la fenêtre, rideau ouvert. Il avait dû suivre Raffy. Et maintenant il savait. Et maintenant… Elle devait mettre Raffy en garde, mais si elle se tournait vers lui, si elle lui faisait signe, Lucas n'aurait plus l'ombre d'un doute. Elle devait au moins faire semblant. Au cas où il n'aurait pas vu. Au cas où…

La fenêtre était toujours ouverte. Evie se pencha au-dehors.

– Lucas, chuchota-t-elle. Que fais-tu…

– Envoie-moi Raffy, murmura-t-il en retour, imperturbable.

– Raffy ?

– Evie, n'aggrave pas les choses. Fais-le descendre immédiatement. Je dois le raccompagner à la maison. Ne me force pas à réveiller tes parents.

Raffy entendit la voix. Il blêmit. Evie se retourna et le regarda, désespérée. Il n'y avait aucun mot, il n'y avait rien à dire.

Il se rendit devant la fenêtre.

– Écoute, je vais tout faire pour qu'il croie que c'est ma faute, déclara-t-il. Je lui raconterai que je suis entré de force. Que tu as essayé de me faire partir…

Evie secoua la tête.

– Il sait, répéta-t-elle. Il nous a vus.

Raffy prit sa main dans la sienne, la serra affectueusement, si fort qu'elle laissa échapper un petit cri de douleur.

– Je suis désolé, Evie, dit-il, bouleversé. Je t'aime. Je suis vraiment désolé.

– Ne le sois pas. Moi aussi, je t'aime, répondit Evie malgré la boule dans sa gorge, alors que Raffy sortait par la fenêtre, descendait le flanc de la maison et retournait dans le jardin où Lucas l'attendait.

Ils n'échangèrent pas un mot. Lucas posa une main impérieuse sur son épaule et le conduisit vers le portail de derrière.

Il ne regarda pas Evie qui, allongée sur son lit, remontait les draps sur elle et attendait le lendemain matin, que tout change. Et en dépit de sa peur, elle sentit quelque chose de proche du soulagement. Que la vérité éclate enfin au grand jour, que l'on sache qui elle était vraiment, que la comédie soit terminée. Et sur cette pensée, elle s'endormit.

Le lendemain matin, Evie ressentit une sensation de calme étrange lorsqu'elle descendit. Lucas avait dû le dire à quelqu'un. Ses parents seraient au courant.

Mais sa mère, occupée à se préparer pour aller travailler, sembla à peine la remarquer quand elle s'efforça d'avaler quelque chose.

Avec appréhension, elle se prépara, puis sortit, s'attendant qu'on la montre du doigt, lui crie dessus, l'arrête. Et pourtant, rien. C'était presque comme si ce qui s'était produit la nuit dernière n'était qu'un autre rêve. Comme s'il ne s'était rien passé du tout. Et lorsqu'elle arriva au travail, que son superviseur leva à peine les yeux et que Christine la gratifia de son petit sourire de bienvenue habituel, Evie commença à se dire que ça avait peut-être été un rêve, que si ça se trouvait, rien de tout cela n'était vraiment arrivé.

Elle ne vit Raffy nulle part, mais ce n'était pas inhabituel. Il devait être déjà au boulot, dans l'équipe du matin. Et quand elle ne le croisa pas non plus au déjeuner, à la cantine gouvernementale où ils échangeaient tous des jetons contre des assiettes de légumes, de fromage et de pain, elle se dit que ça n'avait été qu'un rêve, rien d'autre. Raffy n'était pas venu chez elle, il avait respecté sa demande. Il restait en dehors de son chemin pour lui faciliter les choses. Tout irait bien.

Mais elle savait que c'était faux. Raffy était passé dans sa chambre et Lucas l'avait vu. S'il n'en avait encore parlé à personne, c'est qu'il y avait une raison. Elle avait décelé de la colère dans ses yeux. Elle l'avait trahi, elle avait violé les lois de la Cité et elle avait fraternisé avec son frère. Quoi qu'il se passe, ce ne serait pas bon, et attendre ne faisait qu'empirer les choses.

– Déviant ! On rentre chez soi pour comploter, pas vrai ? Pour se complaire dans des pensées dangereuses ?

Evie sursauta. Il y avait des hommes derrière elle, qui cavalaient dans sa direction, de la violence plein les yeux. Immédiatement, elle se paralysa sur place, consciente qu'ils venaient la chercher, qu'à un moment donné, entre l'instant où elle avait quitté son travail et celui-ci, la vérité avait éclaté et que tout le monde savait qui elle était vraiment.

Mais comme elle ne bougeait pas, sous le choc, les individus la dépassèrent en courant. Éberluée, elle les vit se diriger vers leur véritable cible, l'entourer, crier vengeance, hurler haut et fort. Et avant qu'ils ne se soient rapprochés de lui, elle vit son visage, la terreur dans ses yeux. C'était M. Bridges, l'homme passé D la semaine dernière, celui contre lequel le Frère les avait mis en garde.

Elle voulait courir, mais n'y parvint pas. Quelque chose en elle lui disait qu'il fallait qu'elle assiste à l'agression, qu'elle sache ce qui l'attendait.

– Non ! criait M. Bridges. Je suis désolé. Je…

– Vous quoi ? l'interrompit brusquement l'un des types. Vous n'êtes pas désolé. Vous êtes un D. Vous êtes un Déviant.

– Vous avez apporté le mal dans la Cité ! beugla un autre, tandis que M. Bridges était jeté à terre.

– Vous corrompez nos familles ! hurla quelqu'un.

L'un des individus qui lui criaient après croisa le regard d'Evie. C'était M. Adams, qui habitait à quelques portes de chez elle. Il était passé D pas plus tard que l'an dernier. Il savait ce que c'était. Il savait…

Evie traversa. Elle ne pouvait pas regarder, finalement. Elle avait mal au cœur. Elle devait s'en aller, loin.

M. Adams continuait à la dévisager.

– Voyez ? fanfaronna-t-il. La petite Evie traverse pour vous éviter. Personne n'a envie de vous regarder !

Evie hésita. Si elle avait du courage, si elle était aussi intrépide que Raffy, elle dirait à M. Bridges que c'étaient ses agresseurs qui lui donnaient envie de changer de trottoir, pas lui. Mais elle ne l'était pas. Elle avait peur. Ce genre d'agression était accepté dans la Cité, pour ne pas dire encouragé. Pas sanctionné, mais les policiers et le Frère avaient tendance à regarder ailleurs quand un D se faisait attaquer.

« La violence, c'est mal, disait le Frère en secouant tristement la tête quand on le mettait au courant de ce genre d'agression. Mais parfois nous devons affronter le mal sans concessions afin de le détruire. »

Evie se contenta donc de courir jusqu'à la boulangerie du coin de la rue et feignit de choisir du pain pour ne pas les voir, ne pas assister à ce qui se passait, ne pas y participer.

– Désirez-vous quelque chose ? demanda la vendeuse. Nous avons de délicieux pains plats aujourd'hui. Juste trois coupons chacun. Ou du pain complet, si vous aimez. Quatre coupons. Mais il est gros, regardez !

Elle brandit une grosse miche qu'Evie contempla d'un air vide. Elle ne pouvait pas penser au pain, à la nourriture. Elle ne pouvait simplement penser à rien, hormis à ce qui arrivait à M. Bridges, à ce qui finirait inévitablement par lui arriver à elle.

– Je… je ne sais pas, dit-elle à la femme. Il faut que je demande à ma mère.

– Vous avez raison, répondit la boulangère en haussant les épaules, l'air un peu déçu. (Elle suivit avec attention l'agression de M. Bridges par la fenêtre.) C'est terrible, marmonna-t-elle. Ça prouve qu'on ne peut pas savoir, pas vrai ? On croit connaître quelqu'un alors que c'est un Déviant qui n'attend qu'une chose, vous corrompre. Ce M. Bridges venait acheter du pain tous les jours. Jamais je n'aurais cru qu'il était... enfin, vous voyez. L'un d'eux.

Evie opina, mal à l'aise. Puis se retourna pour regarder la route où les hommes continuaient à persifler M. Bridges. L'un avait sorti un bâton et commençait à le rouer de coups. Un autre suivit son exemple. Pendant combien de temps resterait-elle coincée ici pour assister à cette torture ?

Subitement elle entendit une voix interrompre les insultes et forcer les agresseurs à cesser leur passage à tabac.

— C'est le Guide suprême en personne qui vous a autorisés à infliger cette punition, je suppose ?

C'était une voix dure, tellement reconnaissable que l'on ne pouvait pas se tromper. Evie passa la tête par la porte pour voir Lucas, les yeux emplis de colère, rejoindre les hommes.

Ceux-ci le fixèrent, furieux, puis, quand ils avisèrent son étiquette jaune, ils parurent plus hésitants.

— Quel est votre problème ? grogna l'un d'eux en s'approchant de lui avec méfiance. C'est un D. Il est dangereux. Il habite sur notre route. Et nous ne voulons pas de lui ici.

— Quel est mon problème ? Je suis un citoyen de cette Cité, et j'avais compris que le Système était là pour assurer notre sécurité et l'ordre, répondit Lucas d'un ton glacial. Ce genre de comportement est, selon moi, dicté par la colère et par un besoin de vous affirmer. Des valeurs corrompues qui n'ont rien à faire au sein de la Cité.

Il souriait, mais même de l'autre côté de la route, Evie put distinguer l'acier dans ses yeux. Elle sentit une vague de peur la submerger : c'étaient les mêmes yeux que ceux qu'elle lui avait vus la nuit dernière au clair de lune.

— Comment osez-vous ? cria le chef de bande. Comment osez-vous insinuer que nous sommes dans notre tort ? C'est lui, le malhonnête, le sans-scrupules ! C'est lui qui allait attaquer nos familles !

Il se dirigea vers Lucas et fit mine de lui sauter dessus, mais celui-ci, plus rapide, lui attrapa les poignets, le fit tourner sur lui-même et immobilisa ses bras dans son dos. Evie le regarda, souffle coupé. Cela n'avait aucun sens. Pourquoi Lucas protégerait-il un D ? Pourquoi ?

— Et vous pensez que l'attaquer en retour, c'est ce que préconise le Guide suprême quand il nous dit dans le Sentiment 78 « d'accepter notre étiquette et celle des autres, car le Système sait ce qu'il fait, que nous aussi, nous devons le savoir et faire tout notre possible pour nous améliorer, et de ce fait améliorer notre communauté, notre Cité, notre civilisation » ? Vraiment ? demanda-t-il entre ses dents. (Il balança l'homme au sol.) Déguerpissez ! Rentrez chez vous ! leur ordonna-t-il en les fixant tour à tour, comme s'il les défiait de lui désobéir.

Nul ne le fit. Les yeux baissés, l'un ou l'autre se retourna de temps à autre pour jeter un regard plein de remords à Lucas. Puis celui-ci tendit la main à M. Bridges, recroquevillé à terre. Evie, yeux écarquillés, observa la scène, tâcha de comprendre pourquoi Lucas ferait une chose pareille.

— Pouvez-vous marcher ? demanda-t-il.

M. Bridges opina.

— Je ne sais pas comment vous remercier, dit-il d'une voix rauque. Je ne sais pas comment…

– Ne me remerciez pas, aboya Lucas. Je ne veux aucun remerciement d'un D. Je protégeais simplement ces hommes d'eux-mêmes, afin que vous ne les corrompiez pas.

Il jeta un coup d'œil autour de lui et Evie recula, se fit toute petite derrière la porte. Quand elle regarda de nouveau, Lucas donnait quelque chose à M. Bridges – sa carte – puis il s'en alla. En direction de la boulangerie. Tout droit sur Evie.

Elle regarda frénétiquement autour d'elle, mais elle n'avait pas le temps de s'échapper, nulle part où se cacher dans la petite boutique.

Il ouvrit lourdement la porte et elle se ressaisit. Peut-être serait-il aussi gentil avec elle qu'avec M. Bridges, se surprit-elle à penser. Peut-être Lucas n'était-il pas du tout une machine, après tout. Peut-être…

Lucas entra et la vit immédiatement.

– Evie, dit-il en plissant les yeux, mais l'émotion disparut aussitôt de son visage. Que fais-tu ici ?

– Elle ne sait pas si elle en veut, riposta la boulangère dans un soupir.

– Si, répondit rapidement Evie en tâchant de lire quelque chose sur la figure de Lucas, une indication de ce qu'il comptait faire, de ce que son avenir lui réservait. Je… il faut juste que j'en parle à ma mère, c'est trois coupons la miche.

– Alors, tu ne devrais pas faire perdre son temps à Mme Arnold, rétorqua Lucas, impassible.

– Non… bien sûr que non, répondit Evie, en rougissant de culpabilité.

Elle croisa le regard de Lucas qui la fixa pendant quelques secondes jusqu'à ce que cela lui devienne insupportable et qu'elle dût de nouveau détourner les yeux.

– J'ai parlé à ton père cet après-midi, ajouta-t-il, et Evie sentit son visage blêmir.

– Mon… père ?

Lucas opina.

– Je lui ai annoncé que je te rendrais visite ce soir. Si cela te convient.

Evie le fixa avec hésitation.

– Me rendre visite ? fit-elle.

– Cela fait trop longtemps, déclara-t-il calmement.

Son expression ne trahit aucune émotion.

– Bon, à plus tard, réussit à lancer Evie en sortant.

Elle hésita une minute avant de laisser la porte se refermer, ouvrit la bouche pour dire quelque chose à Lucas. Mais elle comprit qu'il n'y avait rien à dire. Il avait décidé de l'annoncer à ses parents ce soir et elle ne pouvait rien y faire. Alors elle s'en alla, rentra chez elle et attendit.

7

– Lucas, quel plaisir de vous voir !

Evie et ses parents avaient fini de dîner et attendaient autour de la table depuis vingt minutes. Ils ne comptaient pas bouger, parce qu'ils avaient invité Lucas pour le café postdînatoire, une tradition dans la Cité réservée aux convives du soir : l'on servait toujours le café dans la cuisine. Se rendre dans une autre pièce n'aurait fait que montrer au jeune homme qu'il était en retard.

Evie leva les yeux quand son père le fit entrer. Elle n'avait réussi à avaler que quelques bouchées, avait espéré contre toute attente qu'il annulerait, qu'il aurait un empêchement de dernière minute, qu'il trouverait une bonne raison de ne pas venir. Mais il était là. Elle se força à sourire, traîna, la mort dans l'âme, sa chaise sur le côté lorsque sa mère le lui ordonna, afin que Lucas puisse s'asseoir à côté d'elle.

– Alors, comment allez-vous ? s'enquit-il en passant la table en revue.

– Très bien, merci, répondit rapidement la mère d'Evie. Désirez-vous du café ? Je viens de le préparer.

Sans attendre de réponse, elle se leva d'un bond pour s'occuper du café de Lucas, lui trouva un biscuit pour l'accompagner, lui demanda s'il voulait du gâteau à la pomme qu'ils avaient mangé en dessert. Evie n'avait pas oublié l'expression dans les yeux de sa mère lorsque le Frère était passé les voir, son père et elle, et avait laissé entendre que Lucas se verrait bien épouser leur fille. Pourtant, Evie ne se trouvait pas dans la pièce ; à l'extérieur, elle regardait par une fente dans la porte et écoutait attentivement les autres décider de son destin à sa place. Les yeux de sa mère s'étaient illuminés. Mais pas d'excitation ni de plaisir. Plutôt de soulagement. Evie ne serait plus à sa charge, du moins c'était ainsi qu'elle l'avait interprété. Son père s'était montré plus discret ; avait posé d'autres questions, opiné d'un air songeur en réfléchissant à sa réponse. C'était lui, également, qui avait suggéré que l'on consulte Evie ; ce n'était que la moindre des politesses, Evie savait qu'elle répondrait oui, qu'elle n'avait d'autre choix que d'accepter, mais c'était toujours agréable qu'on lui demande son avis. Agréable d'avoir l'impression que la décision la concernait plus ou moins et qu'elle n'était pas qu'un simple objet que l'on se passait.

Lucas refusa le gâteau à la pomme et le petit biscuit, il prit son café sans sucre. Evie le regarda boire, comme si ses lèvres ne ressentaient pas la chaleur de la boisson qui fumait encore. Était-il complètement insensible ? se demanda-t-elle. N'éprouvait-il aucune émotion ? Peut-être était-il une machine sous un vernis humain ? Cet après-midi, elle pensait avoir vu autre chose chez Lucas. Qui ne rimait à rien, qui la dépassait. Mais à présent, elle savait qu'elle avait été induite en erreur. Lucas avait mis un terme à la bagarre, car il suivait *Les Sentiments* à la lettre. Logiquement. Ce n'était pas par égard pour M. Bridges, ni parce que la haine des hommes le bouleversait, mais parce qu'il ne pouvait pas comprendre leur haine ni leur peur. Parce qu'il ignorait ce que c'était que d'éprouver ces sentiments.

– Et vous, comment allez-vous, Lucas ? demanda la mère d'Evie, en se penchant, impatiente, comme si la réponse de son convive était plus intéressante que n'importe quelle autre nouvelle au monde.

Il sourit.

– Je vais très bien. Très bien.

– Et votre mère ? Comment va-t-elle ?

– Bien, confirma-t-il. (Puis il hésita une seconde avant de poursuivre.) Malheureusement, mon frère est souffrant. Il est en quarantaine. Mais pour ma part, je me porte comme un charme.

Les yeux d'Evie s'écarquillèrent et ses joues la brûlèrent. Raffy était malade ? De quoi souffrait-il ? Elle regarda fixement ses parents, les intimant de poser la question qu'elle ne pouvait pas poser. Mais à la place, sa mère s'empara de la cafetière.

– Encore un peu de café, Lucas ? (Celui-ci opina et tendit sa tasse.) Quel plaisir d'avoir une compagnie si agréable, poursuivit-elle, mielleuse. Surtout ces jours-ci. Je suppose que vous êtes au courant, pour M. Bridges ? Juste au coin de la rue ! Quelle horrible histoire ! De quoi vous faire peur de parler aux gens, vraiment ! Il y a tellement d'influences dépravantes par ici...

Evie se retourna d'un coup pour voir Lucas hocher lentement la tête.

– C'est une horrible histoire, acquiesça-t-il. Mais telle est la nature du mal. Voilà pourquoi nous devons rester sur nos gardes et le combattre dès qu'il se présente. N'est-ce pas, Evie ?

Il croisa son regard et elle rougit de plus belle. Jouait-il avec elle ? La menaçait-il ? Elle le fixa, enhardie par sa colère.

– Il paraît que M. Bridges s'est fait attaquer, déclara-t-elle d'un ton égal. Qu'en pensez-vous ?

— Agressé par des gens bien intentionnés, qui veulent chasser le mal de nos rues, rétorqua immédiatement sa mère. Les Déviants doivent savoir que nous ne les tolérerons pas. Qu'ils n'ont rien à faire ici.

— Vous avez raison, Delphine, acquiesça Lucas. Ça ne vous dérange pas si je vous appelle Delphine ?

Voilà que c'était au tour de la mère d'Evie de rougir.

— Pas du tout, Lucas, je vous en prie, répondit-elle en souriant maladroitement et en serrant affectueusement sa main.

Evie, dégoûtée, détourna les yeux. C'était la femme qui avait instillé la peur en elle lorsqu'elle était enfant. Celle qui ne faisait aucune concession, qui imposait sa loi à Evie dès que celle-ci faisait quelque chose qu'elle désapprouvait. Et voilà qu'elle se comportait en jeune fille avec Lucas ! Evie croisa le regard de son père et comprit qu'il pensait la même chose.

— Tu crois que la violence a sa place ici, alors ? demanda prudemment Evie.

Lucas se retourna, lui sourit, un sourire qui ne gagna pas son regard. Mais jamais aucune de ses expressions n'envahissait ses yeux. Comme s'ils se bornaient à rester d'un bleu acier glacial.

— J'estime que nous devons nous montrer compréhensifs et indulgents à l'égard de nos concitoyens qui travaillent dur pour entretenir leur famille et font ce qu'ils peuvent pour prendre soin d'elle. La Cité est un lieu de bonté. Ça peut être difficile lorsque le mal fait son apparition.

— Mais… commença à dire Evie.

Puis elle s'arrêta quand elle vit son père la regarder d'un air entendu. Elle n'avait pas à répondre, ni même à avoir cette conversation. Elle ne pouvait pas demander à Lucas comment il pouvait affirmer une chose et en faire une autre. Ne pouvait pas le défier et lui demander ce que M. Bridges avait commis de si horrible.

Lucas s'éclaircit la gorge.

— Puis-je… me servir des toilettes ? s'enquit-il.

La mère d'Evie opina sur-le-champ.

— Bien sûr. À l'étage, première à gauche. Mais vous le savez !

Elle le gratifia d'un autre sourire mielleux qui disparut dès qu'il eut quitté la pièce. Elle s'en prit alors immédiatement à sa fille.

— Evie, dit-elle d'un ton furieux. Qu'est-ce qui ne va pas chez toi aujourd'hui ? Es-tu totalement incapable d'échanger des politesses ?

Evie secoua la tête.

— Non, je suis désolée. Je me demandais juste…

— Ne te demande rien, rétorqua sa mère, d'une voix basse et menaçante. Ne pose pas de questions difficiles. Tu as fait là une très bonne union, jeune fille. Une union que, au dire de certains, tu ne mériterais pas. Lucas est un homme bien. Si tu comptes l'épouser, tu as intérêt à te remuer un peu.

— Doucement, Delphine, dit gentiment son époux. Evie a toujours eu un esprit actif. Peut-être cela plaît-il à Lucas.

Sa mère ouvrit la bouche pour contre-attaquer. Evie lut la dérision dans ses yeux. Puis, apparemment, elle se ravisa.

— Peut-être, dit-elle à la place, lèvres pincées.

— Evie, lança son père en se tournant vers elle avec un demi-rictus. Et si tu allais attendre Lucas à l'étage ? Si tu lui montrais le petit salon ? Vous pourriez jouer aux cartes, si vous voulez.

Une fois de plus, la bouche de sa mère s'ouvrit, une fois de plus, la protestation traversa son visage. Et une fois de plus, son sang-froid sembla surgir à la dernière minute et fit apparaître un sourire forcé, un léger hochement de tête coincé.

En hésitant, Evie se glissa de sa chaise et traîna une minute au pied de l'escalier. Que dirait-elle à Lucas lorsqu'il réapparaîtrait ? Puis elle entendit un bruit dans le bureau de son père. Étonnée, elle se dirigea sur la pointe des pieds vers la porte fermée. Elle l'entrouvrit et trouva Lucas, immobile.

— Lucas, fit-elle en le dévisageant, yeux écarquillés. Que fais-tu ici ?

Il leva les yeux, visiblement surpris par son apparition.

— Evie, je suis désolé, je… j'admirais simplement les objets de ton père.

Il se tenait juste à côté de son bureau, devant son meuble de rangement où divers trophées et médailles étaient exhibés. Il n'y avait pas de concours dans la Cité ; il n'y avait ni gagnant ni perdant, parce que cela sentirait la soumission, provoquerait des sentiments qui pourraient être dangereux, qu'il s'agisse de la suffisance de gagner ou de la dévastation de perdre. On distribuait plutôt trophées et médailles aux citoyens qui apportaient des contributions remarquables à la Cité sans rien attendre en retour. Ralph, le père d'Evie, avait fait ce genre de contribution, lui avait-il raconté quand elle était enfant, en commençant par aller chercher des pierres pour ériger les murs de la Cité plus de quarante ans auparavant. Il avait fallu deux années pour les bâtir, et encore plus pour construire toutes les maisons, les routes et les fermes qui étaient là aujourd'hui. À l'époque, ce n'était qu'un petit garçon, et un sourire de gratitude du Guide suprême lui avait donné toute l'énergie nécessaire pour travailler, infatigable, douze heures par jour comme tous les autres. Il avait compris, même à l'époque, que ce qu'il faisait était important. Derrière lui, il n'y avait que souffrance, et devant lui l'espoir. Et lorsque l'on érigea le mur de la Cité et établit les structures, aussi bien matérielles que théoriques, Ralph s'était vu proposer un poste au gouvernement pour le dur labeur fourni, un bureau et une secrétaire. Mais il avait préféré rejoindre les ébénistes pour continuer à construire de ses mains, à la grande déception et irritation de Delphine, que cette décision agaçait encore et qui reprochait à son époux de penser si peu à leur avenir et à leur situation.

Evie se glissa dans la pièce, ferma la porte derrière elle.

— Tu voulais voir ses médailles ? Mais tu les connais déjà, non ?

Elle savait très bien que Lucas s'était déjà rendu dans le bureau de son père. C'était là qu'ils avaient discuté une fois que leur union avait été décidée, quand son père avait donné son aval.

— Oui, répondit Lucas en souriant d'un air décontracté. Mais en compagnie de ton père, ça ne m'a pas semblé judicieux de les regarder de trop près. C'est un homme modeste.

Il parlait calmement, mais quelque chose disait à Evie qu'il n'était pas tranquille. Pas du tout. Et cela l'enhardit. Pour la première fois de sa vie, elle viderait son cœur. Lucas n'avait rien à faire ici et il le savait ; elle était bien résolue à s'en servir à son avantage.

— Qu'a donc Raffy ? demanda-t-elle en croisant les bras et en le regardant droit dans les yeux.

— Il est souffrant, répondit Lucas d'un ton égal. Une maladie contagieuse.

— Elle a dû surgir très brusquement, alors, rétorqua Evie, en réalisant qu'elle n'avait pas du tout l'air d'avoir peur, que son ton et ses questions étaient peu appropriés. Mais elle se rendit compte qu'avec Lucas, peu importait ce qui était approprié. Il l'avait percée à jour.

– Oui, répondit Lucas en lui rendant son regard, comme s'il la défiait de l'interroger, de l'accuser de mentir ou de faire n'importe quoi pour éloigner Raffy d'elle.

Evie était en train de formuler la phrase adéquate lorsque des pas les firent sursauter. Elle fut étonnée de distinguer une lueur de peur dans les yeux du jeune homme à l'instant où ils se tournèrent vers la porte pour voir surgir son père. Déconcerté de les trouver dans son bureau, il ne sut momentanément pas quoi dire. C'était son domaine, et uniquement le sien. Evie et sa mère n'y entraient que quand il était là et seulement avec son autorisation.

– Lucas voulait me demander quelque chose. De très privé. Très important, expliqua rapidement Evie, qui ressentit la honte l'envahir brusquement en raison de la facilité avec laquelle le mensonge sortait de sa bouche. J'ai pensé que nous risquions d'être dérangés dans le salon. Que Mère…

Leurs regards se croisèrent et une étincelle de compréhension apparut dans les yeux de son père lorsqu'il remarqua son expression entendue.

– Bien sûr, l'interrompit-il en souriant. (Ses yeux allèrent de sa fille à Lucas et inversement. Il avait bien compris son message.) Excusez-moi, je serai dans la cuisine si vous avez besoin de moi.

Il lui adressa un petit sourire et sortit. Lucas la regarda d'un air interrogateur, puis ferma les yeux une seconde avant de les rouvrir.

– Merci, Evie. Tu as eu raison de lui dire que nous parlions. Sinon il aurait pu se faire des idées.

– Exact, acquiesça-t-elle. Mais il s'en est tout de même fait, non ? Il pense que tu es en train de fixer une date officielle pour notre mariage.

– Je crois que oui, en effet, répondit Lucas avec prudence.

Evie avait envie de le secouer, de hurler après lui, de lui arracher une espèce de réaction. Mais elle savait que Lucas était bien incapable de ce genre de chose. Comme Raffy l'avait déclaré, il était une machine. Elle se concentrerait simplement sur ce qui comptait, sur la raison pour laquelle elle avait menti à son père.

– Dis-moi la vérité au sujet de Raffy, ordonna-t-elle. Qu'as-tu fait de lui ? Il n'est pas malade. Je le sais. Dis-le-moi, sinon je raconte à mon père que tu fouillais dans ses affaires. C'est ce que tu faisais, non ? Parce que tu perds ton temps. C'est un homme bien. C'est un détenteur de clé.

Lucas se dirigea vers elle, ils n'étaient qu'à quelques centimètres l'un de l'autre. Et Evie ne vit plus de peur dans ses yeux, rien que du bleu.

– Je le sais. C'est pour cela qu'il a des décorations. Et c'est la raison pour laquelle je suis ici. Je ne l'espionne pas, non, j'avais juste envie d'admirer ses médailles, répondit-il d'un ton trop suave. Je ne vois pas pourquoi cela l'ennuierait. J'ai beau avoir oublié mes bonnes manières, voire ne pas avoir respecté le protocole habituel, je crois que ton père comprendrait. En revanche, qu'il se montre aussi compréhensif en apprenant que tu reçois des visites de mon frère à minuit, ça, c'est une tout autre histoire.

Evie recula d'un pas. Elle tremblait. Elle s'était sentie si forte, si intelligente, et elle constatait qu'elle n'était rien de tout cela. En levant les yeux sur Lucas, elle comprit qu'elle le haïssait plus qu'elle ne l'avait cru possible, même s'il était un A. Surtout parce qu'il était un A. Ils étaient censés être bons, les meilleurs, et Lucas... Elle expira lentement. Raffy avait raison, la Cité était corrompue. Ou plus probablement, elle-même l'était. Elle préférait encore fréquenter des D chaque jour de la semaine.

— Il faudra que tu t'expliques auprès de mon père, dit-elle en se retournant, vaincue mais déterminée à ne pas le montrer à Lucas. Il s'attendra à…

— Je lui préciserai que ces choses-là prennent du temps, acquiesça Lucas, qui se dirigeait déjà vers la porte. Merci, Evie. Nous devrons recommencer.

Sur ce, il quitta la pièce. Elle l'entendit s'entretenir brièvement avec ses parents, puis il disparut.

— Votre conversation s'est bien passée ? demanda son père.

Elle sursauta quand il entra dans son bureau.

Evie opina ; elle ne se faisait pas confiance pour prendre la parole.

— Bien, fit-il. Mais la prochaine fois, pas dans mon bureau. Lucas ne fait pas encore partie de la famille, Evie.

— Oui, papa, je suis désolée, répondit-elle, les yeux baissés.

Puis lentement, d'un pas lourd, elle monta se coucher.

8

Le Frère était debout lorsque Lucas frappa à la porte. Il aimait se lever quand il avait une nouvelle importante à annoncer. Cela lui donnait un air grave, pensait-il. L'impression, intérieurement et extérieurement, de prendre l'information au sérieux.

Cela signifiait aussi, en général, que sans le confort d'une chaise à laquelle se raccrocher, son interlocuteur s'en irait rapidement.

— Lucas.

Il s'approcha de lui, solennel. Lucas, quant à lui, demeurait illisible, comme toujours. Ou peut-être était-il *lisible* : peut-être n'y avait-il, en réalité, aucune émotion à lire.

— Frère.

Il ne chercha pas de chaise dans la salle comme le faisaient souvent les autres. Il lui fit front, la posture toujours aussi droite, ses yeux lui rappelant un ciel d'été radieux, mais sans soleil pour y apporter de la chaleur. Ils l'énervaient presque, mais il devrait faire avec, de toute façon. Lucas était loyal, engagé, inconditionnel. Un citoyen modèle. Le meilleur de ses hommes.

— J'ai lu votre rapport, déclara le Frère. Je comprends vos raisons de croire que Raphaël n'était pas en mesure d'implanter un dispositif de communication dans le

Système. Qu'il a seulement trouvé le code étrange et l'a signalé. Que son interprétation était, en soi, d'un mérite douteux et le fruit de son imagination plutôt extraordinaire. Je vois que vous l'avez analysé vous-même et que vous en avez déduit que ce n'était rien de plus qu'une erreur.

— C'est exact, Frère.

— Et vous en êtes absolument sûr ?

Lucas se renfrogna légèrement.

— Avec tout le respect que je vous dois, Frère, s'il y avait un dispositif de quelque sorte gravé dans le Système, je le saurais. Raphaël a découvert un code erroné, une erreur qui remonte à plusieurs années, passée inaperçue parce qu'elle n'est rien. À présent, elle a été effacée. Ce que Raphaël a trouvé et ce qu'il prétend avoir découvert sont deux choses différentes. Mon frère a toujours été un fantaisiste. Il vit dans les nuages. Et il confond ce monde imaginaire et la réalité, voilà tout. Vous avez ma parole, Frère.

On aurait dit un soldat, se surprit à penser le Frère. Peut-être que l'unité de technologie n'était pas un endroit pour lui, après tout. Peut-être serait-il mieux à la direction de la police, à lui insuffler sa motivation et son sens du devoir. Mais non. Il maîtrisait mieux le Système que quiconque. Sa science de la technologie et des programmes informatiques ne connaissait aucune limite. N'importe qui pouvait être à la tête de la police, mais seul Lucas pouvait faire fonctionner le Système.

— Je vois. (Il expira profondément, se dirigea vers son bureau et s'empara du dossier.) Le problème, Lucas, c'est que cela soulève des questions sur l'aptitude de votre frère, plus généralement. (Il décela une sorte d'étincelle dans les yeux de Lucas, mais elle disparut trop vite pour qu'il puisse l'analyser, l'interpréter.) Je crois que Raphaël est un garçon perturbé, poursuivit le Frère en baissant les yeux jusqu'à regarder vaguement au niveau du menton de Lucas. Plus que perturbé. Je pense que nous avons fait ce que nous pouvions pour lui, l'avons contenu aussi longtemps qu'il ne représentait aucun danger pour lui-même.

– Avez-vous des preuves ? demanda abruptement Lucas.

Le Frère sursauta légèrement : était-ce de l'indiscipline dans le ton du jeune homme ou simplement une question, une mise au point ? Puis il se ressaisit. Il projetait ses propres peurs sur Lucas, voyait de la colère là où il n'y en avait pas. Lucas ignorait ce que c'était que d'en ressentir. Il était pratiquement comme un fils pour le Frère, et pourtant celui-ci avait l'impression de le connaître moins bien que quiconque.

– Je sais, dit-il tristement, avec lassitude. Ou plutôt, le Système sait. J'avais espéré…

Il regarda Lucas et se surprit presque à avoir un mouvement de recul devant l'absence d'émotion sur son visage.

– Un rapport a été généré. Cela signifie que Raphaël va nous quitter.

– Pour devenir un E ?

– C'est ce que le Système a décidé, répondit le Frère d'un ton grave, en joignant les mains en geste de prière, une habitude dont il n'arrivait absolument pas à se défaire.

– Il subira un deuxième Nouveau Baptême ?

– Oui. On l'emmènera ce soir pour la sécurité de tous, expliqua le Frère, qui chercha une trace de tristesse, de colère sur le visage de son interlocuteur. Mais naturellement, il n'y avait rien.

– Très bien. Si le Système en a décidé ainsi… Est-ce tout ?

– C'est tout, répondit le Frère, qui ignorait pourquoi l'absence de réaction de Lucas faisait naître une légère déception chez lui.

Lucas ouvrit la porte, puis hésita.

– Frère ? fit-il d'un ton incertain, qui le prit au dépourvu.

– Oui, Lucas ?

– Pourrais-je passer une dernière soirée avec Raphaël ? Ma mère aussi ?

Le Frère le fixa. Lucas éprouvait donc quelque chose, après tout.

– Vous me sommez de retarder l'application de la décision du Système ?

Lucas opina lentement.

– C'est beaucoup demander, je sais, fit-il, la voix légèrement entrecoupée. Mais cela signifierait énormément. Pour ma mère.

Le Frère le regarda attentivement. C'était beaucoup demander. C'était sans précédent. Mais une journée ne changerait rien. Et le Frère pouvait enfin voir des nuages dans le ciel étincelant. Et sans savoir pourquoi, cela le réconforta. Lucas était humain. Il était réel, après tout.

– Demain, alors, dit-il.

– Merci.

Un sourire. Le premier, peut-être, dans les yeux de Lucas. Puis il disparut.

Lentement, le Frère se dirigea vers son bureau, sortit le dossier de Raphaël et le rangea dans son tiroir.

Evie savait que Raffy n'était pas au travail. En partie parce qu'elle était arrivée tôt et avait traîné dehors jusqu'à ce qu'elle voie Lucas débarquer tout seul. Et en partie parce qu'elle savait, tout simplement. Et elle se doutait aussi qu'il n'était pas malade. Elle avait entendu des bruits : il était sous surveillance, son frère avait été chargé de découvrir ce qu'il savait. Le reste, elle le combla à l'aide de son imagination, ses peurs, sa haine pour Lucas, la colère et la frustration qu'elle éprouvait envers lui, pour tout le monde.

Car en réalité, c'était sa faute à elle. Elle aurait dû arrêter plus tôt. Elle aurait dû être plus forte. Et à présent, Raffy était... quoi ? Enfermé quelque part ? Était en butte aux tortures de Lucas, non pas en raison d'une faille dans le Système, mais parce qu'il lui avait rendu visite. Parce que Lucas l'avait suivi et ne connaissait rien aux sentiments ni aux liens familiaux. Parce qu'il était cruel, furieux et jaloux.

En rentrant, elle passa devant chez Raffy et fut tentée de frapper à sa porte pour le voir, mais elle savait que c'était inutile. Elle ne pouvait pas plus le faire que décider de ne pas épouser Lucas, de ne pas aller travailler, de ne pas obéir au règlement de la Cité. Elle devait faire ce que l'on attendait d'elle, comme tout le monde. Aveuglément. Elle se demanda si tous ceux qui vivaient dans la Cité trouvaient ses règles aussi frustrantes, s'ils brûlaient d'envie de les briser et de laisser le désir et la colère les submerger. Les A étaient-ils des A car ils étaient naturellement bons ou simplement parce qu'ils savaient mieux se contrôler que les autres ? Lucas éprouvait-il parfois des désirs urgents qu'il devait maîtriser ? Evie partit d'un rire forcé. Lucas n'avait jamais eu de pulsions ni de sentiments, elle en était sûre.

Elle rentra chez elle pour trouver sa mère qui l'attendait dans la cuisine, une pile de nappes faites maison sur la table, sa machine à coudre à côté d'elle.

— Evie, dit-elle en soupirant, te voilà enfin ! Belle n'était pas là aujourd'hui, elle a la grippe. J'ai besoin de ton aide pour rattraper son quota.

Evie regarda fixement le tas de nappes. Avant qu'elle ne se fasse embaucher par le gouvernement, elle avait l'habitude d'aider sa mère à coudre des nappes et des draps. Elle rentrait de l'école et faisait de la couture pendant une heure ou deux avant de lui prêter main-forte pour préparer le dîner. Maintenant qu'Evie travaillait dix heures par jour, sa mère ne lui demandait jamais de coup de main. Et elle ne rapportait jamais de travail à la maison non plus.

— D'accord, dit-elle en posant son sac.

Après tout, la seule activité prévue ce soir, c'était de pester contre Lucas et de s'inquiéter pour Raffy.

— Bien. Je vais faire la cuisine et toi, tu pourras coudre. Comme au bon vieux temps.

Evie se lava les mains avant de s'asseoir à la table et de sentir les mécanismes étranges de la machine à coudre de sa mère. Elle commença par quelques essais et s'en félicita : les toutes premières fois qu'elle appuya sur la pédale, elle alla trop vite, ses broderies firent fausse route. Elle n'y était pas du tout, mais elle ne tarda pas à reprendre le rythme et à savourer le doux ronronnement qui semblait l'apaiser quand elle se concentrait sur sa ligne droite.

— Ton père me dit que Lucas t'a parlé hier soir, lança sa mère après quelques minutes de silence.

Evie se tut. Elle avait apprécié de ne pas penser au jeune homme pendant une minute ou deux.

— Tu as beaucoup de chance qu'un homme si parfait te courtise, poursuivit tout de même sa mère. J'espère que tu t'en rends compte. Que tu lui fais comprendre qu'il a fait le bon choix. Que tu es assez bien pour lui.

Evie cessa de coudre et la regarda.

— Ça ne t'intéresse pas de savoir s'il est assez bien pour moi ?

Sa mère roula des yeux.

— Evie, ne dis pas ce genre de chose, même pour plaisanter. Tu te débrouilles très bien avec Lucas. Très bien.

— C'est ce que tu penses, rétorqua Evie en repoussant sa chaise, brusquement claustrophobe, comme si la cuisine douillette, si réconfortante quelques secondes plus tôt, l'étouffait désormais à petit feu.

— Oui, parce que je ne suis pas sûre que tu t'en rendes compte, répliqua sa mère d'un ton sec. De pas grand-chose, d'ailleurs. Tu as de la chance d'être ne serait-ce qu'ici, Evie. Beaucoup de chance, en effet.

Elle jetait quelque chose dans un saladier, sa main se mit à bouger encore plus vite et Evie se surprit à se demander ce qu'il se passerait si le saladier et son contenu valsaient à travers la pièce. Puis elle réalisa qu'en réalité elle *espérait* que cela se produise.

Parce qu'elle était mauvaise. Elle le reconnut sans la moindre émotion. Cela ne la bouleversait même plus. C'était juste un fait. Qu'elle avait accepté.

— Tu crois que je devrais apprécier Lucas parce qu'il est bon. Que c'est un A, déclara-t-elle d'une voix éteinte.

Sa mère reposa le saladier et s'installa à table, en face d'Evie.

— Je pense que tu devrais être reconnaissante du beau mariage qui t'attend… Un bon mari, des perspectives intéressantes. Pas comme…

Elle ne finit pas sa phrase, mais Evie savait ce qu'elle allait dire.

— Pas comme toi ? fit-elle, puis elle se leva, la colère affluant dans ses veines. (Elle était lasse de maîtriser ses pulsions. Elle ne s'en sentait plus capable.) Père t'aime sincèrement. C'est un homme bien. Vraiment. Son bureau est rempli de médailles et de trophées et tout le monde l'aime et le respecte. C'est un détenteur de clé. Mais cela ne te suffit pas. Je regrette que tu ne puisses pas épouser Lucas. Vous vous méritez, tous les deux.

Laissant son ouvrage à moitié terminé, elle fila dans sa chambre, sourde aux appels de sa mère, puis à ses menaces et à ses ultimatums comme quoi elle ne dînerait pas, ne mangerait rien tant qu'elle ne se serait pas excusée.

Elle n'avait pas faim de toute façon.

Et jamais elle ne s'excuserait.

Il était tard, mais Evie ne dormait pas. Assise sur son lit, elle tâchait d'ignorer les tiraillements de son estomac, d'être au-dessus de choses aussi banales et peu importantes, quand il y en avait tant d'autres à comprendre, desquelles se soucier. Raffy, Lucas, son avenir.

Et pourtant, il y avait autre chose au centre de ses préoccupations, qui n'arrêtait pas de la tourmenter, qui refusait de la laisser tranquille. Ce que sa mère avait dit. « Tu as de la chance d'être ne serait-ce qu'ici. »

Mais sinon, où pourrait-elle donc être ?

Evie regarda par la fenêtre. Il faisait noir, il n'y avait pas un bruit. Derrière ses rideaux, elle pouvait voir des maisons, des centaines d'habitations exactement comme la sienne, des lumières qui brillaient aux fenêtres. Elle savait qu'à l'intérieur, des familles exactement comme la sienne s'assiéraient pour jouer aux cartes, pour lire *Les Sentiments*. Des gens bien. Productifs. Elle referma le rideau. Quelle était l'importance de la frontière entre les gens bien et les gens mauvais ? se demanda-t-elle. Les gens bien étaient-ils à deux doigts de la franchir ? Était-ce comme une ligne mince par terre sur laquelle on pouvait facilement trébucher si l'on ne regardait pas ? Ou une rivière qu'il fallait traverser ? Elle en avait volontiers traversé une, elle le savait, guidée par Raffy.

La porte s'ouvrit et Evie, inquiète, leva les yeux. C'était son père. Le clair de lune dansait sur son visage, montrant ses yeux ourlés de cernes noirs. Il s'assit au bout de son lit.

— Evie, dit-il calmement. Pardonne-moi de te déranger si tard.

— Ce n'est rien, répondit-elle d'un ton hésitant en regardant le réveil sur sa table de nuit et en sentant son estomac se serrer quand elle s'aperçut qu'il était presque minuit. (D'habitude, ses parents dormaient à 22 heures au plus tard.) Je suis désolée, reprit-elle. De ce que j'ai dit à Mère. Je ne le pensais pas.

— Tu t'es disputée avec ta mère ? s'enquit-il d'une voix triste.

— Oui… je croyais que c'était pour cela que tu venais me voir, expliqua-t-elle, sourcils froncés.

— Non, répondit son père. Non, je rentre d'une réunion avec les détenteurs de clés. On a détecté le mal dans la Cité. Un deuxième Nouveau Baptême devra avoir lieu.

Evie sentit un voile de sueur la recouvrir sur-le-champ. Parlait-il d'elle ? Venait-il lui annoncer qu'elle était passée E ? *Non, je vous en prie.* Elle changerait. Elle… s'aperçut qu'il l'observait d'un air impatient et se ressaisit.

— Oui, Père, murmura-t-elle.

— Evie, il y a autre chose.

Elle sentit un mauvais pressentiment s'abattre sur elle. C'était l'expression dans les yeux de son père. Son hésitation. Sa réticence à soutenir son regard. C'était elle. Ils venaient la chercher. Elle était le E. Elle se mit à trembler.

— Evie… je crains que le deuxième Nouveau Baptême ne soit pour… Raphaël.

Evie leva les yeux, sous le choc.

— Raffy ? Non…

Elle tremblait encore plus fort.

— Le Système a tranché, déclara-t-il calmement. Ce n'est pas à nous de juger. Mais je sais que toi et… (Il respira profondément.) Vous étiez amis autrefois. Tu vas épouser son frère. Je tiens à ce que tu saches que je suis sûr que cela n'aura pas de répercussions négatives sur Lucas. C'est un homme bien. Je ne veux pas que tu te fasses du souci.

– Tu ne veux pas que je me fasse du souci ? haleta Evie. Raffy n'est pas mauvais ! Il ne l'est pas ! Il est…

– Le Frère en personne m'a appris que Lucas avait joué un rôle central pour rassembler des informations pour le Système, expliqua son père, en mettant une main sur son épaule. Et je ne le considérerai pas différemment simplement parce qu'il a côtoyé le mal de si près. Maintenant, va te coucher, Evie. Demain sera une journée difficile.

Evie ne pouvait pas parler. Elle le regarda en silence sortir de sa chambre, attendit d'entendre ses pas dans celle qu'il partageait avec sa mère, que la porte s'ouvre et se referme.

Puis, des tas de questions lui traversant l'esprit, elle se leva, passa frénétiquement sa chambre en revue, commença à s'habiller. Elle devait trouver Raffy, le prévenir. Elle ignorait comment, mais elle y parviendrait. Raffy n'était pas mauvais. Non. S'il devait subir un deuxième Nouveau Baptême, elle ne le verrait plus jamais et ça, elle ne pouvait pas le supporter. Ils s'enfuiraient, loin de cet endroit horrible, de cette Cité prétendument remplie de bonté mais qui ne savait pas ce qu'était le bien, loin de là. Pas quand Lucas représentait l'idée de la bonté, un homme prêt à trahir son propre frère. C'était Lucas, le mal incarné. Pire même. Il était…

Elle entendit un bruit, quelqu'un frapper à la vitre. Et elle sentit son corps s'emplir de soulagement. C'était Raffy. Il s'était enfui. Il était là. Il était sain et sauf. Elle tira les rideaux, ouvrit la fenêtre. Mais elle resta bouche bée et ses cheveux se hérissèrent dans sa nuque. Parce que ce n'était pas Raffy qu'elle voyait, mais deux yeux bleus, vils et vides qui croisèrent les siens, et son premier instinct fut de refermer la fenêtre, d'enfermer Lucas dehors, de le pousser du mur qu'il avait escaladé, mais il fut trop rapide pour elle. Il attrapa ses poignets, la repoussa, balança ses jambes par-dessus le rebord et atterrit devant elle.

— Evie, dit-il, un sourcil arqué. Tu sors ?

9

Evie voulut hurler, mais aucun son ne sortit de sa gorge. Lucas plaqua immédiatement sa main sur sa bouche, l'attira contre lui de sorte que son dos fût collé à son torse. Puis il se baissa et ses lèvres se retrouvèrent près de son oreille.

– Je veux que tu m'écoutes, dit-il à voix basse. Je veux que tu m'écoutes très attentivement, Evie, tu comprends ? Et je te défends de faire du bruit. Pas un seul.

Evie hocha la tête, le corps tremblant. Les mains de Lucas s'enfonçaient en elle, elle n'arrivait pas à respirer. Allait-il l'emmener voir le Frère ? La faire étiqueter E elle aussi ? Elle se dit qu'elle s'en moquait, qu'elle refusait de s'en préoccuper. Et pourtant si, elle s'en souciait. Elle était terrifiée.

– Il faut que tu me confies la clé de ton père, ordonna Lucas.

Evie sentit tout son corps se tendre. La clé de son père ? Elle ne comprenait pas.

– Je ne te donnerai rien, murmura-t-elle, furieuse. Tu as trahi Raffy. Il n'est pas mauvais. Il ne l'est pas.

– Je le sais, répondit Lucas d'un ton égal. Voilà pourquoi j'ai besoin de la clé. Raffy doit sortir de la Cité. Et tu vas m'aider.

Evie sursauta, elle n'avait pas dû bien entendre.

– Je ne comprends pas, parvint-elle à dire. Je ne suis pas sûre de…

– Tu comprendras. Je vais te relâcher. Si tu fais un seul bruit, tu le regretteras.

Evie opina et Lucas la libéra, ôta sa main de sa bouche, la retourna vers lui. Et ce qu'elle vit la choqua. C'était Lucas, mais pas celui qu'elle connaissait. Ses yeux bleus étaient sombres, cernés ; il y avait une urgence en eux, de la douleur. Il lui rappelait quelque chose… quelqu'un. Et elle comprit immédiatement qui. Il lui faisait penser à Raffy. Pour la première fois, Lucas ressemblait à son frère. Mais elle ne lui faisait toujours pas confiance. Il était toujours Lucas. L'homme qui avait trahi Raffy.

– Tu sais ce que E signifie ? lui demanda Lucas.

– Raffy n'est pas un E, déclara-t-elle la voix tremblante. Non, ce que nous avons fait… ce n'était pas mal. Nous ne souhaitions pas…

– E veut dire Exécutable, l'interrompit Lucas, comme s'il n'avait pas remarqué qu'elle parlait. (Il la regardait fixement, imperturbable, mais elle constata qu'au-dessus de son œil gauche, un minuscule muscle palpitait.) Exécutable. On les laisse dehors à la merci des Maudits. Demain, Raffy sera un E. Demain soir, les Maudits seront là. Alors, ce soir, nous le ferons sortir de la Cité.

Evie, incrédule, le dévisagea.

– Tu te trompes. (Elle secoua la tête.) Non, haleta-t-elle.

– Tu crois que les Maudits viennent parce qu'ils sont en colère ? Ils viennent parce qu'on les a amenés. Parce qu'ils ont faim, déclara Lucas d'un ton amer. Pour faire le sale boulot de la Cité à sa place.

– Non ! (Evie secoua la tête.) Non, répéta-t-elle en plissant les yeux. Tu mens. Je ne sais pas ce que tu fais là, Lucas, mais je ne tomberai pas dans ton piège. Tu veux que je sois une E moi aussi. Tu comptes te débarrasser de nous deux, car tu es plein de haine.

Lucas, furieux, secoua la tête.

– Je suis ici parce que j'ai besoin de ton aide, expliqua-t-il, la voix légèrement tremblante. Parce que Raffy a besoin de ton aide. Sinon il est mort. Si tu tiens à lui donner un coup de main, tu dois me donner la clé de ton père.

Evie, sceptique, le dévisagea. Était-ce une ruse, un test ?

– L'autre jour, dit-elle brusquement, quand tu étais là, tu cherchais la clé. Voilà ce que tu faisais dans le bureau de mon père !

Sa bouche resta ouverte même quand elle eut fini de parler. L'étincelle dans les yeux de Lucas lui indiqua qu'elle avait raison.

– Tu savais déjà qu'il deviendrait un E, reprit-elle, la colère envahissant ses veines. Parce que c'est toi qui l'as dénoncé au Frère. Et maintenant, tu souhaiterais que je te donne un coup de main ? Tu es un menteur, Lucas. J'ignore pourquoi tu veux la clé, mais je ne t'aiderai pas.

Lucas opina lentement.

– Tu as raison sur un point. C'est ma faute si Raffy a été étiqueté E.

– Parce que tu leur as parlé de nous ? demanda Evie, une larme lui piquant les yeux, une larme qu'elle refoula de force parce qu'elle ne voulait pas pleurer. (Elle était trop furieuse.) Tu ne pouvais pas laisser ton frère violer l'une des précieuses règles de ta Cité ?

Lucas arqua un sourcil, puis détourna le regard.

– À cause de toi ? fit-il amèrement. Tu penses que je... (Il s'arrêta, déglutit. Le muscle au-dessus de son œil palpitait plus vite.) Non, Evie, pas à cause de ça.

Elle sentit son ventre se serrer.

– Alors pourquoi ? Pourquoi Raffy est-il un E ? Et pourquoi es-tu en train de me dire que tu veux l'aider alors que tu n'en as jamais eu envie ? Que tu l'as traité comme un citoyen de deuxième zone toute sa vie ? Que tu t'es comporté comme… une machine ?

Elle ne savait pas si elle aurait le courage de prononcer le mot. Et quand elle le formula et qu'elle vit le visage de Lucas s'assombrir, elle se demanda si elle n'était pas allée trop loin. Mais il opina lentement, s'assit sur le lit et laissa tomber sa tête entre ses mains.

– Je suis désolé, Evie, dit-il alors, en levant les yeux sur elle.

Ses cheveux blonds étaient tout décoiffés et, l'espace d'un instant, il eut l'air non seulement humain mais vulnérable. Evie voulait le réconforter, mais elle ne savait pas comment s'y prendre. Et de toute façon, elle ne lui faisait pas confiance. Elle ne lui ferait jamais confiance.

Il expira profondément.

– Je me suis montré dur envers Raffy. Mais je tâchais de le protéger. Il ne pouvait pas voir… ni comprendre que ce qu'il faisait, sa façon de se comporter, de regarder les autres… il ne voyait pas que cela allait lui attirer des problèmes. Il ne réalisait pas que notre père était pareil. J'essayais de le protéger.

Sa voix se brisa légèrement et Evie fit un pas hésitant vers lui.

– Ton père ?

Raffy parlait rarement de lui. Il était jeune quand il s'était fait étiqueter E, trop jeune pour comprendre qu'il était mauvais, dangereux. Mais il avait appris assez vite la signification de l'héritage de son père, que les gens se méfiaient de lui, ne lui faisaient pas confiance, tout simplement parce qu'il lui *ressemblait*.

– Notre père croyait en cet endroit. Il pensait qu'en apprenant plus, il pourrait aider. Mais il refusait de suivre les règles. De respecter le protocole, ne comprenait pas que les règles existaient pour… pour…

Lucas se tut de nouveau, les yeux perdus dans le vide.

– Pour quoi ? demanda Evie, à bout de souffle.

Il croisa son regard, puis secoua la tête.

– Nous n'avons pas le temps. Pas maintenant. Nous devons faire sortir Raffy d'ici tant qu'il fait nuit. Tant que tout le monde dort.

Evie le regarda d'un air méfiant. Puis elle s'assit sur le lit à côté de lui.

– Tu ne m'as pas expliqué pourquoi Raffy est passé E. Pourquoi c'est ta faute, si tu n'as pas parlé de moi. De nous.

Lucas passa furtivement la pièce en revue, comme s'il pouvait y avoir du monde qui attendait sa réponse.

– C'était la faille, fit-il enfin, le regard s'assombrissant de plus en plus. Je lui ai appris à se servir de la technologie et à la manipuler. Je pensais que cela lui offrirait un avenir. Mais il est devenu trop doué. Il a découvert… quelque chose. Qu'il n'aurait pas dû.

Les yeux d'Evie s'écarquillèrent. Elle se rappela immédiatement ce que Raffy lui avait affirmé à propos de la faille. Se revoyait lui dire qu'il devait se tromper.

– Tu fais allusion au dispositif de communication ? s'enquit-elle, les poils se hérissant dans sa nuque.

Lucas, alarmé, la fixa.

– Il te l'a dit ? Il t'en a parlé ?

– Je croyais qu'il avait tout inventé. Il imagine toujours des tas de choses, déclara Evie, la voix brisée.

– En as-tu parlé à quelqu'un ?

Lucas ne la quittait pas des yeux. Evie secoua la tête.

Il sembla digérer la nouvelle. Puis ses yeux se reposèrent sur elle, intransigeants, comme s'ils la transperçaient.

– Alors, tu vas m'aider ? Me donner la clé ?

Il la scrutait attentivement. Tout son visage paraissait différent du Lucas qu'elle avait connu toute sa vie. Il avait l'air d'une vraie personne. Qui avait besoin d'elle. Qui se préoccupait réellement de Raffy.

– Tout ce temps, tu savais ? Tout ce temps, tu faisais semblant ? demanda-t-elle à Lucas.

Il hocha la tête.

– Je devais le faire, murmura-t-il. Je suis désolé.

– Et moi ? Qu'est-ce que j'étais ? Pourquoi vouloir m'épouser ?

– Parce que je savais que Raffy t'aimait et qu'il ne t'aurait jamais. Je voulais au moins m'assurer que tu ne coures aucun danger.

Une boule se forma dans la gorge d'Evie. Et des sentiments qu'elle ne put identifier l'envahirent.

– Je vais t'aider, chuchota-t-elle.

L'ombre d'un sourire effleura le visage de Lucas, avant de disparaître.

– D'accord. (Il se leva, Evie aussi.) Il nous faut la clé. Va la chercher. Retrouve-moi dehors. Si l'un de tes parents se réveille, joue les somnambules. Fais comme si tu n'arrivais pas à dormir. N'importe quoi, OK ? Mais ne prononce jamais mon nom. Ils ne doivent pas savoir que je suis ici. Tu comprends ? Beaucoup de choses dépendent de cela, Evie.

Elle opina. Elle n'était pas habituée à ce nouveau Lucas. Elle continuait à s'attendre qu'il l'agresse, que ses yeux bleus redeviennent froids comme l'acier tandis que ses lèvres se retrousseraient, triomphantes, devant sa stupidité. Mais il se contenta de la remercier d'un regard et sortit par la fenêtre, la laissant seule, mille pensées traversant son esprit, mais concentrée sur une seule : elle l'aiderait à sauver Raffy. Elle ferait n'importe quoi.

Elle se faufila vers la porte sans un bruit, l'entrouvrit. Le couloir était désert. Elle hésita une seconde devant la chambre de ses parents, comme avant quand elle sortait retrouver Raffy. Elle attendit jusqu'à ce qu'elle entende la respiration rythmée de son père, puis continua jusqu'à l'escalier. Les marches craquaient, elles l'avaient toujours fait, mais Evie savait lesquelles pourraient supporter son poids sans gémir trop bruyamment. Délicatement, elle les descendit, comme sur des pierres de gué, jusqu'à ce qu'elle fût en bas. Puis, quelques secondes plus tard, elle se retrouva dans le bureau. Leva les yeux sur le portrait de sa mère derrière lequel se trouvait le coffre-fort, celui qui contenait la clé, celui que son père n'ouvrait que les soirs où les Maudits venaient. Il le faisait seul, sans sur-veillance, suivant le protocole. Mais Evie avait appris, enfant, à se glisser dans une pièce sans se faire remarquer, à observer, à surveiller.

Nerveusement, elle grimpa sur le bureau et enleva le tableau. Puis, les mains moites, elle se mit à tourner les chiffres du coffre-fort, comme elle avait regardé son père le faire. 4. 5. 24. Sa date de naissance. La porte s'ou-vrit délicatement et elle fixa la clé un instant avant de la prendre.

Puis elle s'arrêta. Que faisait-elle ? Elle entrait dans le jeu de Lucas. Toute sa vie, il s'était montré froid, sans cœur et cruel. Mais voilà que, d'un seul coup, il pré-tendait que cela n'avait été qu'un simulacre ? Et il fallait qu'elle croie qu'il ne désirait qu'une seule chose, les aider, Raffy et elle ? Lucas n'éprouvait pas de sentiments. Il était sans pitié. Il était intelligent. Et quel que fût son plan, elle ne se ferait pas avoir.

Elle recula, descendit de la table, puis sortit du bureau et de la maison. Lucas l'attendait.

– Tu l'as ? demanda-t-il en tendant la main.

Elle secoua la tête.

– Je ne le ferai pas, répondit-elle en le regardant droit dans les yeux. Je ne te fais pas confiance.

Lucas l'attrapa par les épaules.

– Evie, tu dois me croire. Tu ne comprends pas ? Il n'y a pas d'autre moyen. Tu me donnes la clé, sinon Raffy… Raffy…

Sa voix se brisa. Evie le fixa, incrédule, alors que des larmes apparaissaient dans ses yeux. Il les essuya brutalement.

– Mais comment te faire confiance ? demanda-t-elle d'un ton piteux. Comment, après tout ce que tu as fait ?

– Tout ce que j'ai fait ? Du style, cacher tes petits rendez-vous nocturnes avec Raffy ? M'assurer que le Système ne les découvre jamais ? Ce genre de chose ? s'enquit Lucas, les yeux brillants de colère.

Evie le regarda fixement, avec hésitation.

– Tu savais ?

– Bien sûr. (Il soupira.) Sinon, comment, d'après toi, auriez-vous pu vous en sortir ?

Evie digéra lentement la nouvelle. Le Système n'était pas au courant. Lucas l'avait protégée pendant des années. Les avait préservés, tous les deux. Ou, songea-t-elle brusquement, le Système en avait informé Lucas afin qu'il puisse gagner sa confiance à elle. Serait-il vraiment resté sans rien faire s'il avait été au fait de ses rendez-vous avec Raffy ?

– Je ne vois pas comment tu pourrais empêcher le Système de savoir, lança-t-elle, alors que le doute envahissait son esprit. Tu ne peux pas le contrôler.

Lucas ferma les yeux. Puis il la scruta, d'un air étrange, hésitant.

– D'accord, il y a autre chose.

– Quoi ? s'enquit-elle en plissant les yeux. Qu'est-ce que c'est ?

Il expira profondément.

– Je vais te confier quelque chose, Evie. D'important. Pour que tu me fasses confiance. D'accord ?

– D'accord, répondit-elle, sceptique.

Il regarda en l'air, puis reposa les yeux par terre, comme s'il cherchait les bons mots.

– De quoi s'agit-il ? demanda-t-elle. Dis-moi.

Il sortit un papier. Le lui donna. Evie le fixa sans comprendre. C'était une espèce de certificat. Son nom était inscrit dessus, avec celui de ses parents.

– Tes parents, déclara-t-il enfin dans un murmure. Ce ne sont pas tes parents.

Evie le dévisagea avec hésitation.

– Bien sûr que si, répondit-elle.

– Non, Evie. (Il expira profondément, recula d'un pas, la regarda avec inquiétude.) Ils t'ont adoptée quand tu avais trois ans.

Les yeux de la jeune fille se plissèrent lorsqu'ils passèrent de nouveau le document en revue jusqu'à ce qu'elle trouvât le mot qu'elle cherchait. Bien caché, tout en bas : « Adoption. » Elle eut mal au cœur, froissa le papier et en fit une boule.

– Qu'est-ce que tu racontes ? lança-t-elle d'un ton furieux. Encore un mensonge ? Qu'est-ce que tu racontes, Lucas ?

Elle lui donna un petit coup dans la poitrine avec le doigt, qui se transforma en coup de poing, et sans s'en rendre compte elle se mit à le frapper. À l'injurier. Tout sens des convenances avait disparu, tout faux-semblant s'était volatilisé.

– Qu'est-ce que tu racontes, Lucas ? Explique-moi !

Il l'attira près de lui.

– Cela faisait partie du programme de croissance, murmura-t-il, la voix tendue par l'émotion. Il n'y avait pas assez de monde, pas assez de jeunes. Après les Horreurs, les femmes ne pouvaient plus avoir d'enfants. Personne… (Il respira profondément.) Alors, ils laissèrent entrer du monde. Des gens désespérés. Qui avaient parcouru des kilomètres. Ils avaient faim, mouraient de faim. Ils pensaient que la Cité les sauverait. Ils sont venus ici et…

Il se tut. Des larmes brillaient dans ses yeux.

– Et quoi ? dit Evie. (Elle ressentait une sensation étrange en bas de sa colonne vertébrale.) Qu'est-il arrivé à mes vrais parents ?

– On a pris leurs enfants. On les a donnés à des couples bien sous tous rapports. Qui ne pouvaient pas en avoir.

Evie sentit une boule se former dans sa gorge.

– Ce n'est pas ma question. Que leur est-il arrivé ? Qu'est-il arrivé à mes vrais parents ?

Sa voix était basse, gutturale.

Lucas secoua la tête en guise de réponse.

Evie recula d'un pas. Elle ne pouvait pas parler. Elle se retourna, se dirigea vers la maison, celle où elle avait grandi, celle qu'elle considérait comme la sienne. Une maison qui désormais n'incarnait plus qu'un mensonge.

Elle avait mal au cœur.

Elle voulait hurler. Elle voulait crier après Lucas, lui intimer d'arrêter de mentir, de lui dire ces choses.

Mais elle n'en fit rien, car elle savait, au fond de son cœur, qu'il ne mentait pas. Elle le savait parce qu'elle se souvenait. L'homme de son rêve, qui la portait contre sa poitrine. La femme, qui lui caressait la tête, qui lui parlait de l'endroit merveilleux où ils se rendaient, qui lui demandait d'être forte. Ses parents. C'étaient ses vrais parents.

Elle se retourna vers Lucas et s'aperçut qu'elle avait les yeux emplis de larmes.

– J'ai rêvé d'eux, s'entendit-elle dire. (Sa voix n'avait rien à voir avec la sienne, car elle était de nouveau perdue, une petite fille portée par un homme qui l'aimait.) Le Frère m'a raconté que je rêvais de la Cité. Ils savaient. Ils...

Elle croisa le regard de Lucas, y vit la douleur, sut qu'il comprenait. Puis, quand elle se laissa tomber contre lui, elle sentit ses bras la serrer bien fort, et c'était presque comme si elle se retrouvait dans son rêve.

– Tu vois ? murmura-t-il, désespéré. Il y a tellement de mensonges, ici, Evie. Nous devons faire sortir Raffy. Il le faut.

Et Evie opina, parce qu'elle savait qu'il avait raison. Mais elle savait également autre chose.

– Je pars moi aussi, déclara-t-elle.

Et son corps s'emplit de peur, car derrière les murs de la Cité, il n'y avait que du danger, les Maudits, un monde cruel rempli d'âmes cruelles. Mais elle prendrait le risque.

– Non, dit immédiatement Lucas. Non, tu restes ici. Tu es en sécurité. J'ai tout prévu. On croira que Raffy a volé la clé. Tu dois rester.

– Jamais, répondit Evie en secouant violemment la tête. Je pars avec Raffy. Je n'ai rien à faire ici. Je ne veux pas vivre ici. Je ne veux plus rien avoir à faire avec cet endroit.

Lucas ne dit rien pendant quelques secondes. Puis il recula, serra de nouveau ses épaules, mais plus délicatement cette fois.

– C'est dangereux là-bas, déclara-t-il alors. Es-tu sûre de toi ?

Evie opina.

– Je ne peux pas rester. Pas maintenant. Et de toute façon, ils comprendront que c'était moi. Raffy aurait dû briser une fenêtre, quelque chose comme ça. Et si nous le faisons, mon père se réveillera, donnera l'alerte et personne ne pourra s'enfuir.

Lucas croisa son regard, il avait l'air malheureux.

— Je n'aurais jamais dû venir ici, déclara-t-il.

— Si, répliqua Evie. Et de toute façon, si ce que tu m'as dit est vrai, à propos de mes parents en tout cas, je ne peux pas rester. Plus maintenant. Ils m'ont enlevée à mes vrais parents. Ils m'ont menti. Toute ma vie ici n'a été qu'un mensonge.

— Ils ont trompé tout le monde, rétorqua Lucas d'un ton calme.

— Alors, nous partirons tous, déclara Evie.

Elle déglutit, tâcha d'ignorer l'énorme boule dans sa gorge. Elle voulait être froide comme Lucas avant, être une machine pour ne plus autant souffrir. Peut-être que c'était ce qui s'était passé. Peut-être que c'était à cause du père de Lucas.

Il croisa son regard et, un instant, elle y vit quelque chose. Qu'elle reconnut à moitié, qui lui faisait penser à Raffy, mais qui, dans un sens, la déconcertait, parce qu'elle craignait que son œil affiche le même désir ardent. Elle avait détesté Lucas. Elle l'avait méprisé. Et à présent...

— Je ne peux pas venir, dit-il alors.

Il se retourna et s'éloigna brusquement de la ligne qui avait existé entre eux pendant ces quelques secondes étranges, donnant l'impression à Evie de trébucher et de tomber, mais dans quoi, elle l'ignorait.

— Je dois rester, poursuivit-il. J'ai des choses à faire. Je...

Evie savait que c'était sa tête qui parlait, pas son cœur. Et d'un seul coup, elle le comprit, pas tout, mais suffisamment. Elle réalisa qu'il avait survécu, qu'il avait fait ce qu'il devait. Qu'il était réel, qu'il avait souffert, qu'il souffrait encore.

– Il y a des choses à accomplir. Des choses à… marmonna Lucas, puis il leva de nouveau les yeux sur elle, et cette fois elle sentit la puissance de son regard, du besoin ardent, de sa soif de réconfort, de compréhension, et sans en avoir l'intention, sans le vouloir, sans trop réfléchir à ce qu'elle faisait, elle avança vers lui et laissa ses mains le toucher, effleurer sa poitrine, ses épaules, son cou.

Il l'enveloppa de nouveau dans ses bras, ses lèvres trouvèrent les siennes et elle sentit ses larmes se mêler aux siennes, sa douleur se mélanger à la sienne, jusqu'à ce qu'ils ne fassent plus qu'une seule et même personne, la même colère, le même désespoir, la même peur. Puis, aussi vite que cela avait commencé, ce fut terminé. Ils reculèrent, restèrent main dans la main encore quelques secondes avant qu'elles aussi ne se défassent. Et Evie comprit que c'était la même pensée qui les avait contenus. La même pensée pour la même personne. Raffy.

– Je reviendrai, murmura Evie. Je reviendrai avec la clé, mais je quitte la Cité, Lucas. Je ne peux pas rester ici. Plus maintenant.

– Je sais, répondit Lucas en détournant le regard. (Ses cheveux blonds étincelaient au clair de lune, ses yeux tristes scrutaient à présent l'inconnu qui les attendait sur le chemin en contrebas.) Je suis vraiment désolé, Evie. Pour tout.

10

Evie jeta un dernier regard à la maison dans laquelle elle avait pensé vivre jusqu'à son mariage. Lucas lui serra affectueusement la main.

– Prête ? demanda-t-il. (Elle hocha la tête.) Parfait, allons chercher Raffy.

Il ne lâcha pas sa main, ou peut-être s'accrocha-t-elle à la sienne, elle l'ignorait. Elle savait simplement qu'elle ne pourrait pas accomplir cela toute seule, qu'elle avait besoin de sentir la peau de Lucas, sa chaleur, de savoir qu'elle n'était pas seule. Elle avait cru que dans la Cité, on n'était jamais seuls ; toute la civilisation reposait sur la communauté, la citoyenneté, la solidarité. Mais doré-navant elle savait qu'elle n'en avait jamais fait partie, que sa vie n'avait été qu'un mensonge. Qu'elle était seule. Qu'elle l'avait toujours été.

Il ne lui fallut que quelques minutes pour arriver à la maison que Lucas partageait avec sa mère et son frère. Mais quand il se dirigea vers la porte, Evie le retint, leva les yeux sur lui. Il y avait tant de choses qu'elle désirait savoir, qu'elle ne parvenait pas à comprendre.

– Tout ce temps ? demanda-t-elle. Tu as vraiment… fait semblant ? Tout ce temps ?

Lucas croisa son regard, puis détourna les yeux.

– Question de survie, répondit-il calmement.

– Et… (Elle fronça les sourcils en essayant de rassembler les pièces du puzzle dans sa tête, mais il y en avait trop, des questions.) Le dispositif de communication ? Cela veut dire… Sais-tu ce que c'est ? As-tu… ?

Lucas hocha la tête.

– C'est mon père qui l'y a mis, chuchota-t-il.

– Ton père ?

Evie le fixa, incrédule.

Lucas opina.

– Evie, il existe un monde derrière ces murs. Pas très engageant ni plein de ressources, mais un monde tout de même. Il y a des gens qui peuvent t'aider. Que mon père a contactés…

– Une autre Cité ?

Lucas opina.

– Tu dois la trouver. Là-bas, tu seras en sécurité.

Evie ouvrit la bouche, mais il secoua la tête.

– Pas de questions. Nous n'avons pas le temps, murmura-t-il. Quand nous serons dans la maison, il y aura trop de choses à faire. Raffy refusera de m'écouter, il lui faudra trop de temps pour comprendre. Tu dois montrer l'exemple. Sortez par la porte est, puis partez vers le nord. Tu peux y arriver ?

Evie fit oui de la tête.

– Continuez à avancer jusqu'à ce qu'il fasse jour, puis trouvez une cachette. Il y a des grottes au nord. Sinon, trouvez-vous n'importe quelle couverture. Il faut que tu comprennes que les Horreurs ont pratiquement détruit le monde. Vous devrez emporter à boire et à manger. Et il te faudra être prudente, Evie. Prends soin de Raffy. Il peut se montrer impulsif, se mettre en colère trop rapidement.

Leurs regards se croisèrent et il y eut une sorte d'étincelle, mais avant qu'Evie ne puisse l'interpréter, Lucas avait encore détourné les yeux.

– Prenez des petites routes pour aller vers l'est jusqu'à ce que vous arriviez en lisière de la Cité.

– Les marécages ? s'enquit Evie, qui essayait d'empêcher sa voix de trembler.

Tout le monde connaissait les marécages qui entouraient la Cité, qui séparaient le bien du mal. Evie ne les avait vus qu'une seule fois, de nombreuses années plus tôt, quand son père l'y avait emmenée. Il lui avait raconté qu'ils étaient dus au système d'irrigation intelligent qui permettait à l'eau de continuer à couler dans les rivières de la Cité, et qu'ils servaient de défense supplémentaire des frontières. Il lui expliqua que, contrairement à ce que l'on racontait en classe, il n'y avait pas de monstres dans les marais, qu'il n'y avait rien à craindre, qu'ils protégeaient et nourrissaient tous les citoyens. Et Evie avait écouté attentivement, hoché la tête, mais elle avait tout de même été soulagée de partir, de retraverser les petits champs à l'intérieur des marécages où les agriculteurs s'occupaient de leurs cultures, jusqu'à la sécurité des routes et des maisons qui constituaient la partie habitée de la Cité, celle qu'elle connaissait. Celle qu'elle pensait ne jamais quitter à l'époque.

– Il y a un chemin qui traverse les marécages, expliqua Lucas en opinant. Continuez tout droit vers l'est et cherchez une chaumière. Attention, elle a l'air abandonnée mais elle ne l'est pas. Il y a un gardien et il a un chien.

– Un chien ? fit Evie, la gorge serrée.

– Tout ira bien. Vous porterez des vêtements imperméables. Ils masqueront un peu votre odeur. Contournez la maison et vous trouverez le chemin derrière. Il vous conduira à la porte est. Passez-la, mettez-vous à courir en direction du nord et ne vous retournez pas.

– Et toi ? demanda Evie. Que vas-tu faire ?

Lucas haussa les épaules, ébaucha un petit sourire.

– Ça ira. Ne t'inquiète pas pour moi. Alors, prête ?

Elle le regarda une dernière fois, scruta ces yeux, autrefois si froids, qui rayonnaient désormais, et hocha la tête en signe d'assentiment.

– Prête, répondit-elle, et il ouvrit doucement la porte d'entrée.

La maison était plongée dans l'obscurité. Evie s'accrocha à Lucas qui la guida dans l'escalier, puis dans la chambre de Raffy. Il alluma une petite lumière et la jeune fille eut le souffle coupé. Raffy était ligoté à son lit, les yeux fermés, la respiration pénible. De temps en temps, il tirait sur les cordes dans son sommeil, et pendant un instant le ventre d'Evie se serra de peur, parce que Lucas avait attaché son frère, parce qu'elle ne s'attendait pas du tout à cela. Elle jeta un œil sur Lucas, pensant voir ses yeux froids se moquer d'elle pour l'avoir cru, pour être tombée dans son piège. Mais tout ce qu'elle y décela, c'était la douleur. Lorsqu'il se pencha sur son frère pour le libérer, son expression était de la tendresse.

– Je suis désolé, Raffy, murmura-t-il, mais c'était le seul moyen.

Raffy ouvrit un œil, puis deux. Ils étaient vitreux quand il passa la scène en revue, puis, constatant que ses mains étaient détachées, voyant Lucas penché sur lui, il se rua en avant, le poussa par terre, puis se leva d'un bond et courut vers Evie.

– Vite ! Nous devons sortir d'ici ! Nous devons lui échapper !

Mais Evie secoua la tête.

– Raffy, dit-elle. Nous nous en allons. Lucas nous aide à quitter la Cité.

Raffy, surpris et choqué, la dévisagea.

– Lucas ? La machine ? Ne lui fais pas confiance, Evie. Il m'a ligoté. Il me gardait prisonnier ici.

Il attrapa son amie et tâcha de s'enfuir, mais il tomba, la traînant par terre. Immédiatement, Lucas lui sauta dessus.

– Du calme, siffla-t-il. Si Mère se réveille… (Il regarda la porte avec inquiétude et fit signe à Evie de se cacher.) Au cas où, murmura-t-il.

Elle se précipita derrière les rideaux épais qui bordaient les fenêtres de son ami, mais il n'y avait aucun bruit, excepté le corps de Raffy qui se débattait pour échapper à l'étreinte de son frère.

– Raffy… dit Lucas.

Mais cela ne servait à rien. Son frère le rouait de coups et refusait d'écouter. Evie sortit de sa cachette et s'accroupit à côté de lui.

– Raffy, dit-elle en lui prenant la main. Tu me fais confiance ?

Les yeux du garçon allèrent de son visage à celui de Lucas, et inversement, puis il opina.

– Demain, tu passeras E, murmura-t-elle.

Les yeux de Raffy s'ouvrirent en grand, sous le choc, et il se mit à agiter les bras et les jambes encore plus violemment, mais Evie resserra son étreinte sur sa main et il s'immobilisa.

– Nous quittons la Cité. Toi et moi, ensemble. Lucas va nous aider. J'ai la clé de mon père. Lucas n'est pas celui que tu crois, Raffy. Ce n'est pas une machine. Il te protège.

Raffy la regarda, dégoûté.

– Me protège ? fit-il, bouillant de rage. C'est à cause de lui que je vais passer E ! Il m'a ligoté. Il a affirmé que je représentais un danger pour moi-même !

– Tu l'étais, dit Lucas d'une voix basse mais mesurée. Tu racontais des choses qui auraient pu te coûter très cher. J'ai dû prétendre que tu délirais, que tu étais perturbé. Sinon…

– Sinon quoi ? fit Raffy, furieux. Sinon, cela aurait eu de mauvaises répercussions sur toi ? Affecté ta glorieuse carrière ?

– Raffy, non, protesta Evie, qui ressentait sa colère, mais qui était incapable d'ignorer la souffrance sur le visage de Lucas, quel que soit le mal qu'il se donnait pour essayer de la dissimuler. Tu dois me faire confiance.

– Vous devez y aller, reprit Lucas. Ligotez-moi pour faire croire que vous m'avez eu. (Il relâcha Raffy et extirpa deux vêtements imperméables et des bottes en caoutchouc de sous son lit.) Vous en aurez besoin pour les marécages, expliqua-t-il d'un air détaché, en les rangeant dans un sac à dos. Il y a aussi à boire et à manger, suffisamment pour quelques jours.

Evie les fixa du regard, puis demanda à Lucas :

– Tu savais que je comptais m'en aller ? Tu avais tout prévu ?

Lucas la regarda attentivement.

– Je pensais que je partirais.

– Et ? s'enquit Evie, qui essaya de dissimuler le tremblement dans sa voix.

Elle détourna les yeux.

– C'est mieux ainsi. Si je reste, je peux vous protéger jusqu'à ce que vous soyez en sécurité.

– En sécurité à l'extérieur de la Cité ? demanda-t-elle.

– En sécurité loin de Lucas et en crevant hyper rapidement de faim, lança Raffy d'un ton sarcastique. Pas vrai, Lucas ?

– Ensuite, vous devrez trouver à boire et à manger tout seuls, dit Lucas, qui ignora leurs questions. Si vous emportez plus que cela, ce sera trop lourd. Il y a des points d'eau qui proviennent de la rivière de la Cité. On a construit un barrage à l'ouest, mais elle continue à couler de l'est. (Il finit de remplir le sac à dos qu'il donna à Raffy.) Peux-tu le porter ?

Son frère le lui arracha des mains.

– Alors comme ça, on va vraiment s'enfuir ? Et toi, tu resteras ici, les bras croisés ? (Il roula des yeux.) Tu parles ! Je sais ce qui se passera : tu enverras la police à mes trousses. Comme pour Père.

– Raffy. (Evie lui lança un regard d'avertissement.) Ne dis pas cela, c'est faux.

– Si, rétorqua Raffy, en colère. Je l'ai entendu leur parler. Il ne nous aide pas. Il ne connaît pas cette notion.

Evie se tourna vers Lucas avec incertitude. Il ne croisa pas son regard.

– Ne me dis pas que tu as appelé la police pour qu'elle arrête ton père ! lança-t-elle, la voix légèrement entrecoupée. Tu n'as pas fait ça ! Tu n'as pas pu faire ça !

Lucas se détourna.

– J'ai fait ce que j'avais à faire, déclara-t-il d'une voix basse.

– Non ! haleta Evie. Non, c'est impossible !

Elle chassa une larme d'un battement de paupières, regarda fixement Lucas, lui intimant de lui expliquer que ce n'était pas vrai. Elle s'était imaginé qu'il était bon, qu'il était son ami, qu'il était en colère contre la Cité à cause de son père. Il lui avait fait croire qu'il avait souffert, qu'il comprenait. Mais Lucas garda le silence.

– Pas impossible, lança Raffy en plissant les yeux. Tout est possible, n'est-ce pas, Lucas ?

Celui-ci se tut. Son visage était envahi de culpabilité lorsqu'il tira les cordes de Raffy vers lui et les attacha autour de ses chevilles, puis de ses poignets. Evie vit sa montre en or étinceler au clair de lune et frissonna.

– Tu… (Evie fixa Lucas, consternée, secouant la tête d'incrédulité quand Raffy serra le nœud à sa place, bien fort. Lucas grimaça mais ne dit rien.) Tu as vraiment appelé la police pour arrêter ton père ?

– Bien sûr qu'il l'a fait. C'est de Lucas dont nous parlons. Il t'a peut-être eue, mais pas moi, déclara Raffy en attrapant le sac à dos et en lançant à son frère un regard dégoûté. Viens, Evie. Voyons jusqu'où nous pouvons aller avant qu'il ne les envoie à nos trousses. Voyons combien de temps il lui faudra pour trahir sa famille, cette fois.

Evie opina en hésitant, elle ne comprenait pas, ne comprendrait jamais. Mais Lucas regardait de l'autre côté. Elle prononça son nom, mais il se contenta de lui jeter un coup d'œil suffisamment long pour leur intimer de partir.

– Au revoir, articula-t-elle silencieusement, en suivant Raffy hors de la pièce.

Mais Lucas ne la regarda pas, il fixait le mur en face de lui. Evie n'était pas sûre, mais elle crut voir ses yeux perdre une fois de plus de leur chaleur et redevenir lentement acier.

Ils sortirent par la porte du fond, traversèrent le jardin jusqu'au chemin derrière. Ils ne dirent rien ; à chaque coin, ils s'arrêtaient, passaient en revue le sentier ou la route devant eux avant de continuer, tête baissée. Le sac à dos de Raffy semblait énorme ; plusieurs fois Evie lui demanda s'il n'était pas trop lourd, si elle pouvait l'aider, mais celui-ci se contenta de grommeler une réponse. Et ils commencèrent à laisser la Cité derrière eux. Les routes densément peuplées firent place aux quartiers agricoles, aux champs de blé, de froment, d'herbe pour les quelques troupeaux de vaches autorisées à brouter. À chacun de ses pas, Evie avait de plus en plus froid, comme si elle quittait le confort d'un feu de cheminée. Mais le feu n'était pas là pour lui tenir chaud, se répétait-elle sans cesse. Il allait consumer Raffy s'ils restaient. Et elle aussi. Elle garda donc la tête baissée et courut à moitié derrière lui, réprimant les peurs, les inquiétudes qui tournaient dans sa tête, se disant qu'elle n'avait pas le choix, que les terres habitées par les Maudits en dehors de la Cité étaient moins dangereuses pour eux que le monde entre les murs de la Cité.

Puis Raffy s'arrêta et Evie aussi, et ils regardèrent autour d'eux, yeux écarquillés. Ils étaient arrivés aux marécages, tellement inondés que leurs pieds auraient pu s'y enfoncer – les terres que son père lui avait montrées, en l'avertissant de ne jamais mettre un pied dedans parce qu'elles l'engloutiraient, comme tous les Maudits qui avaient essayé d'envahir la Cité.

Evie respira un bon coup et ôta le sac du dos de Raffy. En silence, ils enfilèrent leurs vêtements imperméables.

– Où va-t-on maintenant ? demanda Raffy, la voix pleine de sarcasme.

Il ne lui avait toujours pas pardonné de faire partie du plan de Lucas, réalisa-t-elle. Elle ne savait pas si elle se l'était elle-même pardonné, d'ailleurs. Elle avait embrassé Lucas. Il l'avait regardée dans les yeux et elle avait ressenti quelque chose qu'elle n'aurait pas dû.

– Il y a une chaumière, dit-elle brusquement, entre ses dents.

Elle passa l'horizon en revue, puis sentit son ventre se serrer quand elle la vit – se serrer de soulagement, mais aussi de peur, parce qu'elle était réelle, parce qu'ils se trouvaient tout près, à présent.

– Par là. (Elle montra la maison délabrée au loin, exactement comme Lucas l'avait décrite.) Il y a un gardien avec un chien. Derrière, un chemin qui mène à la porte est.

– Un chemin ? À travers les marécages ?

Raffy arqua les sourcils. Evie haussa les épaules en guise de réponse.

– C'est ce que Lucas a prétendu.

– Si Lucas l'a dit, c'est que ça doit être vrai, rétorqua Raffy, furieux. Et depuis combien de temps planifiez-vous cela ensemble, tous les deux ? Depuis quand êtes-vous de si bons amis ? Oh, mais j'oubliais ! Vous allez vous marier. Quelle honte de partir avec moi ! Ou est-ce une autre partie du plan que tu ne m'as pas encore dévoilée ? Celle où tu me laisses tomber devant la porte et où tu fais demi-tour pour vivre heureuse avec Lucas pour le restant de tes jours, comme tu l'as toujours désiré ?

Evie le regarda fixement. Sa lèvre se mit à trembler.

– Ce n'est pas vrai, murmura-t-elle, désespérée. Raffy, ne fais pas ça. Pas maintenant. Nous devons nous en aller avant que l'on ne se rende compte de ton départ.

Raffy la regarda d'un air furieux, puis haussa les épaules.

– Très bien. Donc on se dirige vers la maison ? demanda-t-il en se mettant en route.

Evie le suivit.

– Il faut faire attention au chien, dit-elle.

Mais il n'écoutait pas. Il avançait à grandes enjambées et elle dut courir pour le rattraper.

Ils arrivèrent devant la maison. Raffy en fit le tour avant d'agresser Evie verbalement.

– Un chemin ? Il n'y en a pas ! Juste un marais ! Nous voilà pris au piège. Alors, tu fais toujours confiance à Lucas ?

Evie déglutit, mal à l'aise. Raffy avait raison : aucun chemin en vue, juste des marécages. Déjà, leurs bottes s'enfonçaient dans le sol, s'ils allaient plus loin, ils se feraient engloutir. Était-ce vraiment ce que Lucas avait voulu ? Non, non, elle savait que non. Lucas était bon. Lucas devait…

Ils entendirent un aboiement et tous deux se figèrent sur place.

– Et maintenant, le chien nous attaque, lança Raffy d'un ton amer. Je te l'avais dit. Je te l'avais dit.

Mais Evie n'écoutait pas. Elle courait frénétiquement dans tous les sens pour trouver le chemin. Il était là, elle le savait. Elle tâcha de se souvenir des paroles de Lucas. Juste derrière. Juste… puis elle regarda de nouveau la maison et se rendit compte de leur erreur. Ils se tenaient sur le côté de l'habitation. Ils devaient revenir devant la façade, sans perdre de temps. Ils n'étaient pas au bon endroit.

– Par ici, siffla-t-elle en tirant le bras de Raffy.

Elle tâcha de courir, mais le sol était trop lourd sous ses pieds : il lui faudrait une éternité pour avancer de quelques pas. L'aboiement devenait de plus en plus fort ; elle vit une lumière s'allumer dans la chaumière.

Ils se rendirent à l'arrière de la maison et Evie, le regard fixe, se promit de trouver le chemin. Elle crut voir des sentiers partout alors que ce n'étaient que des ombres par terre. Puis, brusquement, elle distingua une petite saillie en pierre au clair de lune. Grâce à elle, le cottage ne s'enfonçait pas dans les marécages ; elle leur permettrait de sortir de ce mauvais pas.

– Par ici, murmura-t-elle en montrant la saillie à Raffy et en s'y dirigeant aussitôt.

Elle monta sur les pierres, lança un sourire plein d'espoir à son ami et avança. Le chemin faisait quelques mètres de largeur, suffisamment pour courir. Mais dès qu'elle accéléra et lui cria de faire vite, la porte de la chaumière s'ouvrit et un chien se rua au-dehors, révélant de grands crocs et poussant un grognement pétrifiant quand il se rua sur eux. Evie resta figée sur place : elle se trouvait de l'autre côté du marécage, le plus plat. Si elle perdait l'équilibre, si elle quittait le chemin, elle se noierait. Mais la bête courait déjà vers elle. Il n'y avait pas d'échappatoire. Elle rassembla ses forces, sentit ses dents se serrer, ses poings se serrer alors que tout semblait se dérouler au ralenti sous ses yeux.

Et alors elle vit Raffy se ruer sur l'animal, le pousser hors du chemin, dans les marécages. Le chien ouvrit la gueule et essaya de lui sauter dessus, mais ses pattes arrière s'enfonçaient, exactement comme les jambes de Raffy. Ce dernier vit Evie qui le regardait fixement et qui se précipita vers lui.

— Va-t'en ! cria-t-il.

Mais Evie refusait de partir. Elle courut vers lui, enleva son imperméable et le lança de l'autre côté du marécage, s'accrochant fermement à un bras du vêtement pour que Raffy puisse attraper l'autre. Il se trouvait encore à quelques mètres et avança vers elle avec acharnement. Mais à chacun de ses pas, il s'enfonçait davantage.

— Raffy ! hurla Evie. Raffy !

Il réessaya une fois, deux fois et parvint à l'agripper. Evie s'allongea sur le chemin, tint l'imperméable des deux mains et tira dessus de toutes ses forces. À deux reprises, la tête de Raffy disparut dans les marécages ; à deux reprises, elle cria son nom, et à deux reprises elle le vit réapparaître, les yeux emplis de peur, les dents serrées de détermination. Puis, enfin, il se hissa sur le chemin, recouvert d'une odeur nauséabonde de la tête aux pieds.

La porte du fond de la chaumière se rouvrit, cette fois un homme apparut, les cheveux et le teint gris, avec quelque chose à la main. Un fusil. Evie en avait vu sur les photos distribuées en classe pour leur montrer l'étendue du mal humain avant la Cité. On leur avait raconté qu'aucune arme n'existait au sein de la Cité. Et pourtant…

— Viens, dit Raffy, qui à son tour avisa le fusil et tira son amie vers lui. Dépêchons-nous.

Ils se mirent à courir, puis tombèrent quand un bruit résonna plus fort que ce qu'Evie avait jamais entendu, plus fort que le tonnerre, plus fort que l'éclair.

– Tu vas bien ? murmura Raffy.

– Ça va, répondit-elle.

– Ne te relève pas. Nous ramperons jusqu'à ce que l'on ne nous voie plus.

Evie opina et le suivit en se traînant à plat ventre alors que les coups de feu retentissaient derrière elle. Puis l'homme finit par abandonner et ils se redressèrent pour s'enfuir à toutes jambes.

– La porte, dit Raffy, après ce qui leur parut une heure, mais qui n'avait sûrement été que quelques minutes. Elle est là. Lucas avait raison.

Evie la vit apparaître devant elle comme un ange, comme si tous ses souhaits se réalisaient d'un seul coup. Une immense porte en fer, garnie de pointes en haut et en bas. Sur la gauche, il y avait un verrou. En hésitant, elle sortit la clé et la donna à Raffy.

– À toi, dit-elle.

Elle ne se faisait pas confiance.

Raffy la prit, l'introduisit dans la serrure et la tourna. Evie ne savait pas ce qu'elle attendait – un coup de feu, peut-être, l'apparition d'une armée ou quelque chose comme ça. Mais au lieu de cela la porte s'ouvrit tranquillement. De l'autre côté s'étendait un paysage gris, désert et plat.

– Es-tu vraiment sûre de vouloir quitter la Cité ? lui demanda-t-il alors.

Elle le regarda. Ses cheveux emmêlés, son visage recouvert de vase, son corps qui tremblait, ses yeux émouvants. Et d'un seul coup, elle n'eut plus peur : qu'y avait-il à craindre, après tout ? Ils quittaient l'endroit qui aurait tué Raffy, qui lui avait menti sur tout.

– J'en suis sûre, murmura-t-elle.

Raffy sourit et lui prit la main. Ils passèrent la porte ensemble avant de la refermer derrière eux.

– Et maintenant ? fit-il en s'adossant au vantail pour contempler le paysage qui s'étendait devant eux.

– Maintenant, on court, répondit Evie. Sans s'arrêter.

11

Raffy s'agita et ouvrit les yeux. Puis il s'étira et se leva.

– As-tu bien dormi ?

Evie haussa les épaules sans enthousiasme. Elle n'avait pas fermé l'œil, mais ne tenait pas à le lui dire. Il y avait de la lumière, trop, même, dans la grotte qu'ils avaient trouvée. Et des bruits étranges partout autour d'eux, qui l'avaient fait se tendre de peur. Elle mourait d'envie de se rapprocher de Raffy, de sentir son corps tout près du sien, qu'il la console, qu'il la protège. Mais il ne lui apportait aucun réconfort ; il n'était que colère et sarcasme.

– Et maintenant ? fit-il en la regardant d'un air moqueur. On court encore ? Ou on reste ici en attendant que les animaux sauvages nous attaquent ? Qu'a dit Lucas ? Ou n'avait-il rien planifié de si loin ?

Evie ferma les yeux et tâcha de faire disparaître les larmes qui montaient. Elle avait espéré que le sommeil ferait quelque chose, que Raffy se calmerait. Mais il était encore plus en colère. Et elle en avait assez de leurs disputes. Ils se querellaient depuis qu'ils avaient quitté la Cité. Pour savoir s'ils se dirigeaient vers le nord ou pas, si Lucas leur avait dit de s'enfuir rien que pour se débarrasser d'eux, sur la quantité d'eau qu'ils devraient boire. Puis, lentement, le soleil s'était levé et ils avaient de nouveau débattu pour savoir s'ils devaient continuer leur course ou trouver une cachette. Evie avait fini par gagner et ils s'étaient mis à chercher un endroit où ils pourraient se reposer, en sécurité jusqu'à ce que la nuit tombe de nouveau. Ils avaient choisi cette grotte en silence, avaient mangé et bu en silence. Raffy l'avait à peine regardée avant d'annoncer qu'ils devraient dormir et il s'était recroquevillé, dos au mur.

Le paysage qu'ils avaient traversé était étrange et horrible, comme dans un rêve fiévreux : des immeubles remplacés par des arbres, des routes effondrées, d'immenses étendues grises et sans vie qui semblaient s'étirer à perte de vue, et d'autres édifices à terre. Des gens avaient-ils habité ici ? Avaient-ils élevé des enfants, étaient-ils allés travailler, avaient-ils vécu là sans se rendre compte que le néant se trouvait au coin de la rue ? S'étaient-ils enfuis avant que les Horreurs ne commencent ou les bombes les avaient-elles pris par surprise ? C'étaient les questions qu'Evie avait posées à ses maîtres à l'école, les interrogations qui l'avaient tourmentée. Mais les professeurs incapables ou réticents ne lui avaient jamais donné de réponse. Les gens avaient eux-mêmes provoqué les Horreurs, lui avaient-ils affirmé. Leur amygdale les avait corrompus ; la violence, l'égoïsme et l'orgueil régnaient sur eux tous. Le mal était un mode de vie pour eux.

— Il a simplement précisé de continuer vers le nord, expliqua Evie d'un ton calme.

Elle ouvrit les yeux et vit Raffy penché sur elle, qui la fixait. Quand elle le regarda, ses yeux s'adoucirent légèrement.

— Faim ?

Elle hocha la tête.

— Moi aussi. Mangeons un morceau. Ensuite, je pense qu'il faudra se remettre en route.

Elle fut tentée de l'avertir, de lui rappeler qu'ils disposaient de très peu de nourriture et qu'ils devaient se rationner, mais elle se tut. Elle était lasse de se disputer. Ce nouveau monde était suffisamment dur et vide, elle ne pouvait pas envisager plus grande solitude que celle qu'elle ressentait déjà.

Raffy ouvrit son sac et lui jeta du pain et du fromage qu'elle avala d'abord à contrecœur, puis elle se surprit à tout engloutir car la faim triomphait d'elle. Mais elle jaugeait Raffy avec prudence. Toute leur vie, ils avaient désiré être ensemble. Voilà qu'ils l'étaient, et ils s'adressaient à peine la parole. Le monde à l'extérieur de la Cité ressemblerait-il toujours à cela ?

— Et si nous allions dans l'autre Cité ? proposa-t-elle enfin. L'endroit qui communique avec le Système ?

Raffy finit de manger, sortit une bouteille d'eau du sac et en but une gorgée. Puis il se leva.

— Alors maintenant, tu me crois ? demanda-t-il, la voix pleine de sarcasme. Pourtant, pour Lucas, c'était clair, je m'étais trompé. C'était une faille, voilà tout.

Evie secoua la tête.

— Il m'a raconté qu'il avait dit cela pour te protéger. Pour que tu n'en parles à personne… il m'a expliqué que c'était un dispositif de communication. Que c'était sa faute si tu l'avais trouvé.

Elle croisa le regard de Raffy et se tut ; il avait perçu de la chaleur dans sa voix, mais son expression était hostile.

— C'est ce qu'il m'a raconté, en tout cas, reprit-elle abruptement. Quand il m'a demandé de t'aider à t'échapper.

— Alors, ça doit être vrai, rétorqua-t-il en détournant les yeux. (Il but une autre gorgée d'eau, puis se leva.) Écoute, dit-il en fermant le sac, nous ne pouvons pas penser à l'autre ville. Pas maintenant. Nous devons partir le plus loin possible de la Cité. Ils vont nous chercher. Et nous devons éviter les Maudits. Et trouver à manger, à boire, un abri. Je crois que cela suffira pour l'instant, non ?

Il la regardait à peine, comme si elle était la dernière chose qu'il souhaitait voir.

– Mais…

Le visage d'Evie se tordit involontairement. Elle savait qu'il avait raison. Mais elle refusait de l'entendre. Elle voulait courir vers quelque chose, pas s'enfuir. Elle voulait des réponses, décharger sa colère contre la Cité, trouver l'autre ville. Celle dont elle venait.

– Mais quoi ?

Raffy poussa un soupir d'impatience.

– Mais nous chercherons l'autre Cité, quand nous serons sûrs d'être hors de danger ? Lucas a dit de partir vers le nord, et je suis certaine que c'est parce que…

– Lucas raconte beaucoup de choses, la coupa Raffy, furieux. Mais il n'est pas là pour l'instant. Je vais dans cette direction. Tu viens ?

Il se dirigea vers l'entrée de la grotte et, pendant quelques instants, Evie le regarda s'en aller. Elle était seule. Au milieu d'un no man's land. Elle était fatiguée. Elle avait faim. Et Raffy lui reprochait de lui avoir sauvé la vie.

– Tu sais que E, ça veut dire Exécutable ? cria-t-elle brusquement. Qu'ils comptaient laisser les Maudits te tuer ? Si je ne t'avais pas aidé à t'enfuir. Si Lucas ne t'avait pas aidé.

Raffy s'arrêta et se retourna.

– Exécutable ?

– Oui, Exécutable, répondit Evie en courant pour le rattraper. Les E ne sont pas remis en état, expliqua-t-elle, à bout de souffle. On les abandonne à l'extérieur de la Cité pour que les Maudits viennent les tuer. Ils les mangent. Comme des sauvages.

– Et c'est mon frère qui t'a raconté ça, n'est-ce pas ? fit Raffy, d'une voix toujours provocante mais un semblant de peur traversant son visage.

– Il m'a expliqué qu'il t'avait enfermé afin que personne ne puisse te parler. Il a tenté de leur dire que tu délirais, que tu avais inventé toutes ces histoires sur le dispositif de communication. Il affirme qu'il s'efforçait de te protéger.

– Comme il a essayé de protéger notre père ? fit Raffy, la voix brisée. Evie, il a appelé la police. Pour qu'elle l'arrête. C'était un E. Tu prétends donc que mon père était coincé de l'autre côté des murs de la Cité ? Que Lucas savait ?

Il se mordit la lèvre, se détourna et se moucha avec sa manche.

Evie baissa les yeux. Des larmes s'y accumulaient aussi. Lucas avait-il pu faire une chose pareille ? Raffy avait-il raison à son sujet, après tout ? Elle se ressaisit. Non, elle ne pouvait pas le croire.

– Peut-être que oui, Raffy, je ne sais pas, dit-elle. Mais il nous a tout de même aidés à nous échapper. Il a empêché les Maudits de te tuer. Et il… il…

– Il quoi ?

– Il m'a raconté que mes parents n'étaient pas mes parents, répondit Evie dans un sanglot. Que l'on m'avait amenée dans la Cité. Qu'ils avaient tué mes vrais parents.

– Quoi ?

Raffy resta figé sur place.

– Il a dit qu'ils laissaient entrer les gens qui avaient des enfants, qu'ils les enlevaient et… et…

Il secoua la tête, ses yeux bougeaient comme s'il enregistrait des informations. Puis il la prit par les épaules.

– Ton rêve ! Ton rêve !

Evie opina, les larmes coulèrent désormais en cascade sur ses joues. Des larmes de chagrin, d'épuisement, de peur, de trahison.

– Ils me répétaient que je devais lutter contre mes rêves. Puis ils m'ont raconté que je rêvais de la Cité. Le Frère. Il savait. Il a toujours su. Et Lucas me l'a confirmé. Pourquoi me dirait-il la vérité s'il n'essayait pas de m'aider ? Peut-être que mes parents venaient de cette autre Cité. Tu ne comprends donc pas que nous devons aller là-bas ?

Raffy la regarda fixement quelques secondes, puis l'attira contre lui, la prit dans ses bras, ses sanglots se mélangèrent aux siens et ils s'accrochèrent l'un à l'autre.

Il la relâcha et elle leva les yeux pour constater que les siens étaient remplis de feu, que le désespoir qui y avait élu résidence avait fini par en être expulsé.

– Nous trouverons cette autre ville, je te le promets. Je suis désolé, Evie, sincèrement désolé.

Evie sourit à travers ses larmes.

– Moi aussi, réussit-elle à dire en dépit de la boule dans sa gorge. Je suis désolée.

Raffy l'attira contre lui et l'embrassa tendrement.

– Nous sommes ensemble, c'est tout ce qui compte. D'accord ?

Evie regarda le garçon qu'elle aimait depuis si longtemps, son meilleur ami, son confident, et elle hocha la tête. Et même quand Raffy l'attira contre lui, son esprit s'emplit une fois de plus de l'image de Lucas, de la douleur dans ses yeux, du désespoir sur son visage. Elle les chassa, enfouit la culpabilité au fond de son cœur.

– Alors, viens, dit Raffy en lui adressant un sourire. Il va faire nuit. C'est le moment de se mettre en route.

Ils sortirent de la grotte, retournèrent dans le paysage sinistre, coururent, puis marchèrent pour reprendre leur souffle, cavalèrent de nouveau sur une terre sèche et craquelée, à travers des entrepôts sans toit, des chemins de terre – qui, autrefois, avaient dû faire office de trottoirs, songèrent-ils.

– Attends, fit brusquement Evie en avisant quelque chose devant elle.

Elle s'arrêta, se pencha et le déterra.

– Qu'est-ce que c'est ?

– Un jouet, répondit-elle en le tournant entre ses mains.

La forme parfaite d'un bébé en plastique, une matière que l'on trouvait rarement à la Cité. Il n'y avait que les vieux objets qui étaient en plastique, et on les considérait d'un très mauvais œil parce qu'ils appartenaient aux Maudits ; on ne fabriquait pas de plastique dans la Cité, et seules les choses neuves qui y étaient confectionnées étaient véritablement appréciées, car elles encourageaient l'industrie et la productivité et tout ce qui rendait la Cité si merveilleuse. Quand Evie retourna la poupée entre ses mains, elle crut entendre le mépris du Frère et de sa mère, qui l'auraient qualifiée de « jouet du mal », lui disant que cela la corromprait. Les jouets n'étaient pas autorisés dans la Cité, les seuls qu'elle avait vus étaient ceux de l'ancien monde, que l'on retrouvait de temps en temps et avec lesquels on jouait avant que les professeurs ne les confisquent, tout comme les parents inquiets. Mais elle n'était plus dans la Cité.

– Je vais la garder, décida-t-elle.

– Sérieusement ? (Un froncement de sourcils incrédule déforma le visage de Raffy.) Elle est sale. Et c'est un jouet d'enfant.

– J'ai été enfant, autrefois, répliqua calmement Evie. On ne devrait pas la laisser ici toute seule.

– Bon, si tu tiens vraiment à la conserver, je vais la ranger dans le sac, déclara-t-il.

Puis ils entendirent quelque chose. Un bruissement. Inquiets, ils se regardèrent. Il n'y avait personne en vue, mais cela ne signifiait pas qu'ils n'étaient pas en danger.

– Allons-y, murmura Raffy et ils se remirent en route le plus discrètement possible.

Evie osait à peine respirer et priait ses pieds de se poser doucement sans faire de bruit.

Une zone boisée apparut devant eux et Raffy la prit par la main, l'entraînant vers les arbres.

– Par ici à travers, haleta-t-il.

Quand ils se faufilèrent entre les troncs, leur majesté prit Evie au dépourvu : des arbres plus gros qu'elle ne l'avait jamais imaginé, si hauts que l'on aurait dit qu'ils pouvaient toucher la lune, des troncs énormes qui jaillissaient d'un sol noué d'herbes et de ronces sauvages, qui lui griffaient les chevilles, lui piquaient la peau. Mais elle sentit à peine la douleur, tant cet endroit envahi par les mauvaises herbes l'émerveillait, cet endroit de secrets, de quelque chose de plus fort même que tout ce que la Cité pourrait accomplir. Ils coururent jusqu'à ce qu'ils ne puissent plus aller plus loin, qu'ils n'entendent plus qu'une douce brise qui agitait les arbres.

– Bien, lança Raffy, en se penchant pour reprendre son souffle. Nous devrions rester ici.

– Crois-tu que c'était un policier ? demanda Evie, anxieuse.

Raffy secoua la tête, mais elle put discerner la peur dans ses yeux.

– Ce n'était probablement rien, dit-il, faisant visiblement de son mieux pour avoir l'air détendu et confiant. Mais si c'était la police, alors c'est l'endroit idéal pour se cacher. Nous pouvons grimper aux arbres s'il le faut.

Evie opina prudemment.

– Et si ce n'était pas la police ?

Raffy croisa son regard. Tous deux connaissaient l'alternative, tout aussi horrible : les Maudits.

— Je crois que ce n'était rien, reprit Raffy avec un haussement d'épaules qui fit quelque peu retomber la tension dans l'air. Mais personne ne nous trouvera ici. Écoute, il y a un ruisseau qui coule tout près. Nous pourrons dénicher un abri. Et à manger.

— À manger ?

Evie regarda autour d'elle avec hésitation. Elle ne voyait que des arbres et des ronces.

— Des baies, annonça Raffy d'un ton confiant. Et il y a probablement des lapins. Des oiseaux. Je peux en capturer quelques-uns.

Evie, le front plissé, digéra la nouvelle.

— Comment les… mangerons-nous ? finit-elle par demander.

Raffy rit.

— Il te faudra les tuer, répondit-il, les yeux brillants. Puis tu les feras cuire. Ce n'est que justice, si c'est moi qui les attrape.

Les yeux d'Evie s'écarquillèrent d'inquiétude.

— Je ne peux pas tuer un lapin, déclara-t-elle en reculant légèrement. Je ne peux pas. Je ne saurais pas comment.

Il rit encore et la chahuta, taquin.

— Tu n'en as jamais dépouillé ?

Evie secoua la tête. Ils avaient bien des lapins dans la Cité, mais on les abattait dans le quartier agricole. Quand on voyait l'animal, il était déjà coupé en morceaux, vendu dans un sac. Pas recouvert de fourrure avec une tête, des yeux et…

— Moi non plus, répliqua Raffy avec un grand sourire. Aucune idée de comment en attraper un. Pour être honnête, je ne suis pas sûr qu'ils puissent vivre dans un endroit comme celui-ci. Je te faisais marcher. Concentrons-nous sur les baies pour l'instant, d'accord ?

– Idiot ! lança Evie en riant.

Elle se rendit compte que c'était la première fois qu'elle souriait depuis des jours. En regardant Raffy se mettre à quatre pattes pour trouver des baies, elle comprit que si c'était un soulagement de ne pas devoir tuer un animal sauvage, leurs chances de survie par ici semblaient plutôt minces.

Elle le rejoignit en tâchant de ne pas grimacer chaque fois que des ronces lui piquaient les chevilles ou lui égratignaient les bras.

– As-tu trouvé quelque chose ?

– Des mûres, répondit Raffy en lui en montrant une. Pas encore assez mûres, mais je crois qu'elles sont comestibles.

Evie tendit la main pour en prendre une, mais elle sentit quelque chose s'enrouler autour de sa cheville et la projeter violemment en l'air. Elle se retrouva enchevêtrée dans un filet, à trente mètres du sol. Raffy courut vers elle, mais à son tour il fut pris dans un filet qui pendillait de l'arbre au-dessus d'eux.

Quelques secondes plus tard, des hommes vinrent couper les mailles. Paralysée par la peur, Evie, dans un silence atroce, se vit assister à leur double enlèvement. Raffy et elle furent bâillonnés et emmenés de force.

12

Elle est avec Raffy ; ils s'accrochent l'un à l'autre parce qu'ils savent que l'on essaie de les séparer.

– Tu m'aimes ? murmure-t-il. Seulement moi ?

Et elle hoche la tête avec fougue, car elle est convaincue que c'est la vérité, qu'ils sont faits l'un pour l'autre, qu'il se passe quelque chose entre eux que rien ne peut briser, que ça a toujours été « Raffy et elle », et que ça le sera toujours. Puis il commence à faire froid et les poils sur ses bras se dressent ; elle sait que Raffy le ressent également parce qu'il se raidit et regarde autour de lui. Et, d'un seul coup, les voilà qui les entourent ; ils sont comme des fantômes, des créatures flottantes, mais elle comprend aussitôt qui ils sont. Ce sont les Maudits, ils sont venus les chercher, ils doivent courir… Ils courent, mais pas assez vite, et quand ses talons touchent le sol, elle rebondit dans les nuages, mais cela ne suffit pas, cela ne suffira jamais. Evie trébuche, elle est à terre. Raffy se retourne et elle peut lire la peur sur son visage, et même quand il se rue vers elle, elle devine qu'il est trop tard. Il crie que tout cela est une erreur, puis il disparaît et le voilà remplacé par Lucas, qui la regarde dans les yeux et lui annonce qu'elle doit être forte, courageuse, qu'il dépend d'elle. Il passe ses bras derrière sa tête et la soulève délicatement, puis se penche et elle décèle la douleur et le supplice dans ses yeux, voit qu'il a besoin d'elle. Son futur époux. Lucas. Et c'est plus fort qu'elle, lorsque ses lèvres trouvent les siennes et qu'il l'embrasse, elle se sent en sécurité, entière, d'un seul coup elle trouve du sens à tout. Mais elle ferme les paupières ; et quand elle les rouvre, il a disparu et elle est seule et il fait très froid…

Evie se réveilla toute frissonnante. Un homme la regardait fixement, tout près d'elle. Elle avait mal à la tête, une douleur qu'elle n'avait encore jamais ressentie. Elle tâcha de bouger, mais ses chevilles et ses poignets étaient attachés. Elle sentit son estomac se serrer au souvenir du piège – les mains puissantes qui l'avaient coincée, Raffy qui s'était débattu et avait perdu la partie, jeté au sol, face contre terre. Elle revit leur sac mis sens dessus dessous, les questions qu'on leur criait, les informations que l'on exigeait. Elle se souvint qu'on l'avait forcée à marcher des heures, jusqu'à ce qu'elle ne puisse plus avancer. Qu'on lui avait offert un verre d'eau, qu'elle l'avait accepté, s'était écroulée. Elle n'avait aucun autre souvenir, ignorait totalement comment elle était arrivée dans cet endroit froid, enténébré. Elle sentait l'haleine de l'homme, sucrée et âcre en même temps, comme le verre de bienvenue du rassemblement. Comme les feux de joie, comme…

– Vous voilà réveillée. Très bien, dit-il. Désolé pour la douleur. Il fallait enlever vos puces. Juste par mesure de précaution.

Evie regarda le type d'un air incertain. Elle ignorait de quoi il parlait. Elle savait uniquement que c'était l'un de ceux qui les avaient enlevés, Raffy et elle. Le sommet de son crâne était dégarni et ses cheveux coupés court étaient gris argenté. Son visage était ridé, sale, bruni par le soleil.

Il portait un tee-shirt, pas de chemise. Dans sa main, il tenait un revolver. Le métal menaçant l'éblouissait.

Il n'était pas civilisé, réalisa-t-elle brusquement. C'était un Maudit. C'était un Maudit et il allait les assassiner.

Elle le savait, tout au fond d'elle. Par conséquent, il ne lui restait plus que quelques heures à vivre.

L'homme la dévisagea quelques secondes, puis rit et rangea l'arme dans sa poche arrière.

– Ne t'inquiète pas, je ne te tuerai pas. Sinon, je l'aurais fait depuis longtemps. Je veux savoir qui tu es, en revanche. Ce que tu faisais sur le territoire de la Cité.

– Le territoire de la Cité ? Nous n'étions pas…

– Oh que si, fit le type en souriant. Tu croyais que les terres à l'extérieur de la Cité n'appartenaient à personne ? Ils y patrouillent. Ils n'aiment pas que l'on s'en approche de trop près. Et vous étiez tout près.

Evie chercha Raffy des yeux, mais il demeurait introuvable. S'était-il échappé ? Le torturaient-ils ? L'avaient-ils déjà tué ? Elle scruta l'homme, regarda son visage, essaya de savoir si une amygdale dirigeait chacun de ses mouvements, corrompait chacune de ses pensées.

– Tu cherches ton petit ami ? Il est derrière moi.

Il se déplaça légèrement et Evie vit ce qui ressemblait à un tas de vêtements par terre à l'autre bout de la pièce. Il ne bougeait pas. Elle resta bouche bée.

– Il est vivant, déclara l'homme. Si c'est ce qui t'inquiète.

Evie ne dit rien. Ce type semblait lire dans ses pensées et cela ne lui plaisait pas.

– Bon, poursuivit-il sur le ton de la conversation, comme si tout cela était normal, comme si elle ne s'était pas fait capturer et amener dans cet endroit étrange, puis ligoter comme un animal. Qui es-tu ? Que fais-tu ici ?

Evie le regarda d'un air furieux. Les cordes entaillaient ses poignets, ses chevilles, elle voulait qu'elles se desserrent, qu'il la laisse pour qu'elle puisse réveiller Raffy et qu'ils trouvent un moyen de s'enfuir. Puis d'un seul coup, du coin de l'œil, elle vit quelque chose bouger, la pile de vêtements qu'était son compagnon se releva d'un bond, se rua sur l'homme et le fit tomber. Evie tâcha de l'aider, mais les liens lui entaillaient la peau.

Le type cria un nom et quelques secondes plus tard un autre apparut, affreux, trapu, les bras gonflés de muscles. Il emmena Raffy de force, lui donna un coup de poing dans le ventre et le jeta par terre.

— Si c'est ce que tu veux… déclara le premier homme entre ses dents, en crachant du sang.

Il se leva et regarda Raffy, dégoûté.

— Fais-lui entendre raison, dit-il à Evie.

Puis il sortit, accompagné de son acolyte, et ferma la porte derrière eux.

Immédiatement, Evie se traîna vers Raffy, étendu au sol, le visage ensanglanté. Elle ne pouvait pas le toucher ; elle se contenta de l'examiner, les yeux brusquement emplis de larmes parce que cela n'était pas censé se passer : ils étaient si près du but.

— Raffy ? Raffy ? Tu vas bien ? s'enquit-elle en cillant comme une folle car elle était incapable de chasser ses larmes.

— Ça va, répondit-il en s'asseyant.

Il colla son front contre celui d'Evie, puis s'éloigna et regarda autour de lui. Ses yeux lançaient des éclairs ; sa mâchoire était coincée en une affreuse grimace.

— J'ai failli l'avoir.

— Je sais, répliqua Evie en hochant violemment la tête pour lui montrer qu'elle comprenait. Mais ce sont des Maudits, Raffy. Ils ne sont pas humains. Pas comme nous.

Raffy grimaça.

– Ma tête, marmonna-t-il. J'ai mal. Où sommes-nous, au fait ?

Ils passèrent les environs en revue ; Evie constata qu'ils se trouvaient dans une vaste salle haute de plafond, aux murs gris, au sol en béton, sans rien d'autre. C'était la plus grande pièce que la jeune fille ait jamais vue, plus vaste même que la salle de Rassemblement. La lumière qui y entrait par des fenêtres crasseuses révélait des murs lépreux, de larges zones d'humidité, des plantes qui poussaient à travers les fissures et plusieurs vitres cassées. Chaque extrémité était close par une porte lourde qui, à coup sûr, devait être verrouillée. Il n'y avait aucun meuble, juste les minces matelas sur lesquels ils avaient dormi tous les deux et leurs couvertures qui sentaient l'humidité.

– Je ne sais pas, répondit-elle. Ça me paraît vieux.

Raffy soupira légèrement, grimaçant de douleur.

– Pré-Cité, en déduisit-il. Ces hommes ne l'ont pas construite. (Il regarda autour de lui, plein d'admiration.) Pas mal, pour une bande de malfrats, non ?

Evie ne savait pas quoi dire. Elle était consciente que les humains pourvus d'amygdales étaient capables aussi bien de grandes que d'horribles choses. Que l'humanité avait réalisé d'immenses exploits, les amygdales intactes. Mais cela continuait à la terroriser, à la gêner de savoir que ceux qui avaient construit ce bâtiment, ceux qui attendaient dehors avaient le mal dans leur cerveau et cherchaient une occasion de les corrompre.

– D'après toi, qu'est-ce qu'ils vont faire de nous ? demanda-t-elle, mais elle le regretta immédiatement quand Raffy s'assombrit.

– J'aurais dû voir le piège, dit-il. J'aurais dû…

– C'est ma faute si on s'est fait prendre, répliqua Evie rapidement. Mais ce n'est pas grave. Ce qui compte, c'est la suite.

– La suite, c'est qu'ils viendront nous tuer, répondit Raffy, amer. (Il passa de nouveau la pièce en revue.) Nous pourrions sortir par ces fenêtres. Détache-nous. Je vais t'aider à monter, puis…

– Elles sont à trente mètres de haut, répliqua Evie d'un ton hésitant, il nous faudrait une échelle. Et ils nous cueilleraient probablement de l'autre côté, de toute façon.

– Tu as une meilleure idée ? demanda Raffy, irrité. Tu crois qu'attendre de mourir, c'est mieux ?

Elle n'eut pas l'occasion de répondre. Quand Raffy finit sa phrase, la porte se rouvrit d'un coup.

– Vous avez eu le temps de reprendre vos esprits ?

C'était le même homme. L'air résolu, il entra à grandes enjambées, attrapa Raffy par les épaules. L'autre, le trapu, le suivit, muni d'une chaise en bois, sur laquelle il jeta Raffy avec brutalité. Puis il força Evie à se relever et la traîna jusqu'à ce qu'elle soit en face de Raffy, à quelques mètres seulement.

– Bon, commença le premier individu, celui aux cheveux coupés ras et au crâne dégarni, un petit sourire aux lèvres. Toi, reprit-il en montrant Evie, tu vas parler, sinon… (Il désigna Raffy.) Il va beaucoup souffrir. Mon pote a un bon crochet du droit, et si tu ne veux pas qu'il entre en contact avec le visage de ton ami, tu vas me dire qui vous êtes et ce que vous fichez là, OK ?

Evie se mit à trembler. Elle ne savait pas ce qu'était un crochet du droit, mais elle comprenait qu'ils n'hésiteraient pas à faire du mal à Raffy et elle ne pouvait pas le supporter. Mais pire que cela, c'était se rendre compte que le Frère avait raison, que le monde en dehors de la Cité était un endroit cruel et dégoûtant, où les humains étaient des sauvages, où chacun se laissait diriger par ses plus bas instincts. Et ce nouveau monde était désormais le sien.

– Ne leur dis rien, lança Raffy d'un ton de défi.

Quelques instants plus tard, l'homme à côté de lui le frappa si fort à la tête que Raffy perdit connaissance pendant quelques secondes. Evie, paniquée, hurla :

— Arrêtez, je vous en prie ! les implora-t-elle, le corps tremblant.

— On arrêtera quand tu parleras, répondit le type avec un petit haussement d'épaules. Alors, encore ? dit-il à son compagnon, qui serra le poing.

— Non ! cria Evie tandis que le premier homme levait la main. Non, vous ne pouvez pas. Je suis au courant que vous êtes des Maudits, mais ne voyez-vous pas que c'est mal ? Vous devez arrêter. Vous devez…

Elle tâcha de boitiller vers Raffy, mais le type l'en empêcha.

— Je sais qui vous êtes, déclara-t-elle calmement. Seuls les Maudits vivent en dehors de la Cité. Seuls les Maudits feraient ce genre de chose.

— Des Maudits ? fit-il, arquant un sourcil. Tu penses que nous sommes des Maudits ?

Il rit.

— Crois-moi, des Maudits ne pourraient pas faire cela. Très bien, Angel. Frappe encore le garçon.

Le deuxième homme tapa de nouveau Raffy et du sang coula de son nez.

— Espèce de… sale type ! cria Evie d'une voix perçante, regrettant de ne pas avoir plus d'insultes dans son vocabulaire, plus de façons d'exprimer sa haine.

Il soupira.

— Des Maudits. Bien sûr. Explique-moi simplement ce que vous faites là. Est-ce si difficile ? Ton ami ne va pas te remercier de garder le silence, je peux te le promettre.

Evie jeta un œil à Raffy qui crachait quelque chose par terre. On aurait dit une dent. Ses yeux étaient vitreux, mais il parvint à secouer la tête. Elle vit l'homme préparer de nouveau son poing. Elle savait qu'elle devait faire quelque chose, que Raffy ne pourrait pas en supporter plus, même s'il ne l'avouerait jamais. Et elle savait qu'elle ne pourrait pas raisonner avec le mal, ni faire appel à leur meilleure nature.

– Attendez ! lança-t-elle. S'il vous plaît, attendez.

– Tu me dis qui vous a envoyés et ce que vous êtes venus chercher ici, déclara l'homme. Et nous arrêtons. Voilà le marché.

– Personne ne nous a envoyés, répondit Evie, en colère. (Le visage de son compagnon était en sang, elle savait que le type le tuerait s'il continuait à le rouer de coups.) Nous nous sommes échappés de la Cité.

– Vous vous êtes échappés ! (Le premier sourit.) Ouais, je suis désolé, mais ça ne tient pas la route.

Il avança vers Raffy et cette fois, c'est lui qui le frappa.

– Non ! hurla Evie. Vous avez promis que vous arrête-riez si je vous avouais ce que nous faisions ici.

– Tu as menti. Personne ne s'échappe de la Cité. Dis-nous la vérité et nous arrêterons.

Evie garda le silence. L'homme claqua des doigts et l'autre laissa Raffy pour venir s'occuper d'elle.

– Voyons si ton ami va parler pour te sauver, dit-il alors que le second la menaçait du poing.

Evie s'arma de courage ; on ne l'avait jamais frappée, elle n'avait jamais connu de peur physique aussi violente, mais elle était déterminée à ne pas le montrer.

– Non ! hurla Raffy. Lâchez-la ! Nous nous sommes échappés, c'est vrai ! tonna-t-il. (Le poing de l'homme s'arrêta juste devant son visage, elle sentit la crasse sur ses mains.) Par la porte est. Son père est un détenteur de clé. Elle la lui a volée.

– Alors comme ça, elle lui a piqué sa clé ? fit le premier homme. (Le poing de l'autre resta où il se trouvait, si près qu'Evie dut fermer les yeux.) Bon, admettons que vous disiez la vérité. Expliquez-moi pourquoi deux charmantes jeunes personnes souhaiteraient s'échapper de la Cité. Ce n'est pas tout à fait un camp de vacances par ici, non ?

– Parce qu'ils allaient me tuer, lança Raffy, bouillonnant de rage. (Evie fut brusquement libérée de l'étreinte du deuxième homme. Désorientée, elle tomba avant de pouvoir retrouver son équilibre.) Parce qu'ils m'ont fait passer E.

– Toi ? Tu es un Exécutable ? Vraiment ?

Il regardait Raffy d'un air incrédule.

Raffy jeta un œil à Evie, puis au type. Elle savait qu'il pensait la même chose qu'elle, que ce type était au courant que E signifiait Exécutables.

– Oh oui, je suis au courant pour les Exécutables, dit l'homme, qui surprit leurs expressions. Mais ce que j'aimerais comprendre, c'est pourquoi un garçon comme toi est passé E ? Qu'as-tu donc pu faire ?

Il regarda Raffy attentivement, comme s'il inspectait un veau, lui donna un petit coup dans l'épaule et examina sa figure.

– Parce que j'ai découvert quelque chose dans le Système et qu'ils ont l'air de croire que c'est moi qui l'y ai mis.

L'homme sursauta. Son front se plissa quand il se retourna et fit quelques pas, apparemment perdu dans ses pensées, puis il rejoignit Raffy et se pencha, son visage à quelques centimètres du sien.

– Tu as trouvé quelque chose dans le Système ? Quoi ? Quoi donc ?

– Je ne sais pas, répondit Raffy entre ses dents. Une faille. Quelque chose ne fonctionnait pas correctement, c'est tout.

L'homme se remit à faire les cent pas.

— Tu connais le Système ?

Raffy opina.

— Plus ou moins. J'étais un opérateur.

L'homme expira.

— Le problème, c'est que pour moi, cela ne se tient toujours pas. Tu prétends que tu as été étiqueté E. Alors comment ça se fait que l'on ne t'ait pas arrêté pour t'emprisonner ? Comment as-tu pu t'en aller ?

— Parce que je n'étais pas encore un E quand je suis parti. Je me suis échappé la veille, expliqua péniblement Raffy.

L'homme secoua la tête.

— Non, fit-il. Et voilà comment je sais que tu mens. Voilà pourquoi mon pote Angel va devoir frapper ta petite copine, sauf si tu décides d'avouer la vérité. Parce que, mon ami, ce que tu me racontes est impossible. Personne ne connaît de changement de Système par avance. Personne.

Le trapu avança vers Evie d'un air menaçant et elle recula.

— Attendez ! lança Raffy désespérément. Attendez. Mon frère m'a parlé du changement. Il m'a dit que je devais m'enfuir.

— Ton frère, fit le type, sourcils arqués. Et il était au courant, car… ?

— Je ne sais pas, répondit Raffy. Parce qu'il est haut placé dans le gouvernement.

Le trapu relâcha Evie.

— Voyons si j'ai bien compris, récapitula le premier. Tu es étiqueté E parce que tu trouves une faille, ton frère est haut placé dans le gouvernement et il risque sa carrière pour vous aider, ta petite amie et toi, à vous échapper ? Ça ne ressemble pas trop à la Cité, je trouve. Nul ne peut défier le Système, n'est-ce pas ?

Raffy garda le silence. Le type haussa les épaules, puis se tourna d'un coup vers Evie.

– Et tu es simplement partie avec lui, comme ça ? Tu étais juste contente de quitter la Cité ?

Evie opina.

– Il le fallait. C'est moi qui serais passée E ensuite.

– Et tu sais pourquoi ?

– Parce que j'ai pris la clé dans le coffre de mon père.

– Parce que tu as pris la clé dans le coffre de ton père, répéta l'homme en souriant. Bien sûr. Tu vois, Angel ? Tout se tient.

Le trapu grommela et le premier s'en prit à Raffy.

– Parfaitement logique, pour une histoire à dormir debout que la Cité a montée de toutes pièces. Vous êtes venus nous fliquer. N'est-ce pas ?

– Non, fit Raffy, l'air renfrogné. Je déteste la Cité. Jamais je n'espionnerai pour elle. Laissez-nous partir.

– Pour aller où ? fit l'homme, un petit sourire aux lèvres. Nulle part, fiston. Maintenant que tu es en dehors de la Cité.

– Eh bien si, en l'occurrence, souffla Raffy.

– Et où donc ?

L'homme se baissa d'un coup, de sorte que son visage se retrouva à quelques centimètres de celui de Raffy.

– Une autre Cité, répondit brusquement Evie. Il y en a une autre.

– Une autre Cité, vous dites ? (Il se dirigea vers elle et gloussa.) Et comment es-tu au courant, jeune fille ?

– Parce que le père de Raffy l'a découverte. Il communiquait avec elle. Raffy a déniché le dispositif de communication. Voilà pourquoi il est passé E. Voilà pourquoi nous sommes ici. Alors s'il vous plaît, laissez-nous partir. Nous ne sommes pas des espions. Nous ne sommes rien.

L'homme la dévisagea pendant quelques secondes. Puis il fixa Raffy.

– Vous laisser partir ? dit-il enfin. Nous le faisons, et vous êtes morts en une journée. Non, mes amis, nous n'en ferons rien. Mais ne vous inquiétez pas. Nous prendrons soin de vous. N'est-ce pas, Angel ?

Celui qui avait frappé Raffy opina en silence. Evie ne voyait pas de nom plus inapproprié. Les anges étaient de magnifiques créatures mythiques de l'ancien monde, les gens faisaient appel à eux pour qu'ils viennent les sauver quand ils avaient des problèmes. Quoique, comme elle l'avait appris à l'école, c'était là toute la sottise des humains : ils se tournaient vers des êtres inexistants pour qu'ils les défendent au lieu de comprendre qu'ils pourraient se sauver eux-mêmes. Mais même, elle voyait mal quiconque s'adresser à cet homme violent et furieux pour voler à son secours.

– Je m'appelle Linus. (Il tendit la main à Raffy qui la regarda d'un air de doute.) Je suis désolé, j'avais oublié, ajouta-t-il avec un petit sourire.

Il passa la main sous son tee-shirt et en sortit un couteau. Raffy le jaugea prudemment et tendit les bras derrière lui pour que Linus sectionne la corde. Angel, pendant ce temps, coupa celles qui ligotaient Evie. Lentement, douloureusement, elle se mit à bouger. Elle avait mal aux jambes. Tout son corps était courbaturé et contusionné. Raffy se leva à son tour. Angel disparut brièvement, puis revint avec un linge humide avec lequel Raffy se nettoya la figure.

– Bienvenue dans votre foyer temporaire, lança Linus en tendant la main à Evie. Tellement temporaire que nous partons aujourd'hui. Il vous faudra d'autres vêtements. Et à manger. Une longue marche nous attend. Vous aurez besoin de toute votre énergie.

– Pourquoi ? demanda Raffy d'un ton maussade. Où nous amenez-vous maintenant ?

– Vous verrez, dit Linus, tout sourire. Vous le découvrirez bien assez tôt.

13

Linus les fit sortir de la pièce, puis en traverser une seconde sans toit, et ils se retrouvèrent sur ce qui avait dû être autrefois une route. De l'extérieur, Evie constata que l'endroit où ils étaient avait dû être magnifique, décoré de piliers très ornés pointés vers le ciel et d'ouvrages de maçonnerie couleur miel. Elle se retourna et le contempla, émerveillée : elle n'avait jamais rien vu de tel, ne parvenait pas à comprendre comment un monde si mauvais pouvait engendrer quelque chose de si beau. Derrière le bâtiment, il n'y avait rien ; une route qui s'étirait dans le désert, des plantes grimpantes qui serpentaient à travers les gravats.

– Ça vous plaît ? Avant, c'étaient les tribunaux, déclara Linus, en regardant autour de lui, ses yeux bleu clair brillant. Mais bon, vous n'y connaissez sûrement pas grand-chose en droit, hein ?

Il dévisageait Evie, qui rougit, gênée.

– Non, finit-elle par répondre. Qu'est-ce que c'est ?

– Le droit ? (Il gloussa. Son sourire s'élargit et des rides apparurent de ses yeux à sa bouche, des rides profondes qui donnaient à sa figure une telle chaleur et une telle profondeur qu'Evie s'aperçut qu'elle n'avait plus peur de lui.) Le droit, c'est ce qui permet à une civilisation d'exister. Le droit, c'est ce qui évite à la société de sombrer dans une mêlée de vengeance et de crimes.

Evie se renfrogna.

– Est-ce comme le Nouveau Baptême ? demanda-t-elle en hésitant.

– Le Nouveau Baptême ? Linus resta figé sur place, la chaleur disparaissant de son visage. Tu crois qu'il protège ? (Il soupira, s'arrêta et mit ses mains sur ses épaules.) Le droit n'a rien à voir avec le Nouveau Baptême. Le droit est un ensemble de règles et de principes au moyen duquel nul ne peut être accusé et puni de quoi que ce soit sans avoir l'occasion de se défendre. Ses principes de base visent à rendre la société juste et équitable pour tous. Le droit, c'est... c'est... (Il virevolta sur lui-même.) C'est un terme que l'on ne devrait jamais employer dans la même phrase que « Nouveau Baptême », à moins que le mot « contraire » n'en fasse partie. Suis-je clair ?

– Oui, répondit Evie avec inquiétude, bien que ce ne fût pas clair du tout.

Elle n'avait aucune idée de ce dont il parlait. Tout ce qu'elle savait, c'était que sa peur était de retour, qu'elle avait mis Linus en colère, l'avait énervé. Et elle n'y tenait pas. Elle souhaitait qu'il l'apprécie. Elle devinait que Raffy ne lui faisait pas confiance, à sa façon de ne jamais le quitter des yeux, mais elle voulait le mettre dans sa poche, revoir ses rides de rire. Parce que si Linus était au courant pour la Cité, peut-être en savait-il encore plus. Peut-être connaissait-il les gens qui étaient venus à la Cité toutes ces années auparavant. Comme ses vrais parents.

– Bien, dit-il avec brusquerie. OK, on y va. Par ici.

Il les fit tourner au coin, puis entrer dans un autre édifice. Mais une fois dedans, ils se retrouvèrent dehors : l'immeuble n'était qu'une façade sans parois ni fond. De l'autre côté, trois tentes étaient plantées dans l'herbe ; entre elles était assis un groupe de cinq personnes, dont

Angel, qu'Evie reconnut immédiatement. Il lui adressa un petit signe de la main lorsqu'ils approchèrent ; elle s'empressa de détourner les yeux et essaya d'empêcher ses épaules de se raidir de peur.

Linus le remarqua.

— Angel est un type bien, déclara-t-il en posant une main sur l'épaule d'Evie quand ils passèrent devant une tente. C'est l'un de mes meilleurs amis. Ne crains rien, il ne te fera jamais de mal tant que tu ne deviens pas notre ennemie.

Raffy éloigna son amie de lui, et la main de Linus retomba sur son flanc.

— Et comment sommes-nous censés savoir si vous êtes notre ennemi ou pas ? demanda-t-il, la mâchoire serrée de colère. Nous ignorons qui vous êtes. Vous affirmez ne pas être des Maudits, mais alors pourquoi nous avez-vous capturés, frappés ?

— Chaque chose en son temps, répondit Linus en souriant. Asseyez-vous. Mangez quelque chose.

Il s'assit en tailleur à côté d'une rousse, qui ouvrit immédiatement divers pots devant elle et mit ce qu'Evie imaginait être de la nourriture dans trois assiettes en carton. Puis elle les tendit une par une à Linus. Il en donna une à Raffy, une à Evie et l'autre, il la garda pour lui.

— Mangez, dit-il en faisant un signe de la tête. Ensuite, nous parlerons.

Hésitante, Evie regarda les aliments. Un rouleau. Quelque chose de vert. Quelque chose de blanc. Rien n'était identifiable, rien ne ressemblait à ce qu'ils avalaient dans la Cité. Dans la Cité, la nourriture était simple et naturelle. Bouillie, grillée, cuisinée avec un peu d'huile si cela était absolument nécessaire. Le pain et l'avoine constituaient le gros de leur régime, avec du lait et des pommes de terre pour les compléter. Si l'assiette devant elle était très colorée, elle crut reconnaître des carottes, mais elles étaient coupées en petits morceaux, mélangées à autre chose, peut-être des oignons. Ce pouvait être du poison, elle le savait, mais cela sentait très bon et elle était affamée.

– Mange, répéta Linus, plus délicatement cette fois. Tu vas aimer. Martha est une excellente cuisinière. (Il sourit à la femme à sa gauche, que le compliment fit rougir.) Échange ton assiette contre la mienne, si tu crains que nous ayons l'intention de t'empoisonner, ajouta-t-il en lui offrant la sienne, les yeux brillants.

Evie sursauta légèrement. Elle était troublée que Linus, apparemment, sache toujours exactement ce qu'elle pensait.

– Ce ne sera pas nécessaire, le coupa Raffy. (Il serra affectueusement le poignet d'Evie.) Nous partagerons tous les deux la même assiette.

Il lui adressa un petit sourire, qui disait qu'ils ne mangeraient pas uniquement dans le même plat mais qu'ils étaient embarqués dans l'aventure ensemble, qu'ils la traverseraient ensemble, qu'ils étaient tous les deux comme dans leur arbre, quand ils riaient, parlaient, partageaient des secrets, des peurs. Evie prit le morceau de pain et le fourra dans sa bouche, et elle dut s'empêcher de hurler de bonheur, parce que c'était la chose la plus succulente qu'elle ait jamais savourée.

– Essaie l'avocat, suggéra Linus, en désignant une substance verte étalée sur son assiette. Trempe le pain dedans.

Elle s'exécuta. Elle n'en avait jamais dégusté. Et c'était divin, la texture la plus agréable qu'elle ait jamais goûtée.

– C'est bon, souffla-t-elle en mangeant.

Linus sourit et fit un clin d'œil à Martha. Ils observèrent Evie dévorer le pain et l'avocat, et la laissèrent se resservir. Elle sourit à Raffy, pour partager ce plaisir avec lui. Mais il regardait sur le côté et elle remarqua quelque chose qu'elle n'avait encore jamais vu. Une cicatrice, du sang séché sur sa tempe droite. Elle était passée inaperçue quand tout son visage était ensanglanté, mais elle était là, juste à l'endroit où se trouvait la sienne, où la douleur avait été insoutenable mais avait visiblement disparu. Elle se toucha la tempe, sentit l'entaille légère, quelque chose qui grattait, comme des points de suture. Et elle reposa son assiette parce que son cœur martelait sa poitrine, parce que brusquement elle avait perdu l'appétit.

— Que vouliez-vous dire à propos de nos puces ? s'enquit-elle, la voix quelque peu entrecoupée. Avant que nous ne nous réveillions ?

Linus sourit ; il avait la bouche pleine.

— Je croyais que nous mangions, répondit-il.

Evie tâcha d'avaler, mais elle n'avait plus de salive. Elle n'aurait pas pu manger, même si elle l'avait voulu. Elle s'adressa de nouveau à Linus.

— Nous ne pouvons pas parler et manger en même temps ? demanda-t-elle calmement.

Cette fois, il rit.

— Je comprends pourquoi tu as quitté la Cité. Je t'imagine mal là-bas, si tu poses tout le temps des questions.

Evie secoua la tête.

— Je déteste la Cité. Je ne veux pas en parler.

— Alors, dans ce cas je parlerai, répliqua Linus avec un petit haussement d'épaules. (Il reposa son assiette devant lui.) Probablement pas une mauvaise idée, d'ailleurs. Nous devrons bientôt nous mettre en route.

— Pour aller où ? demanda Raffy.

— Ah, fit Linus. Là est la question, n'est-ce pas ? Et je n'y répondrai pas, si vous voulez bien m'excuser. Disons juste que nous retournons au camp de base.

— Au camp de base ? (Evie croisa le regard de Raffy.) Qu'est-ce que c'est ?

– C'est là d'où nous venons. Où vit notre peuple.

– L'autre Cité ? demanda Evie, tout excitée.

Elle eut la chair de poule.

Linus l'observa, soutint son regard quelques secondes, puis tourna légèrement la tête.

– Pas exactement une Cité, non, dit-il.

– Alors, qu'est-ce que c'est ? s'enquit Raffy en se penchant et en regardant attentivement Linus.

– C'est… (Linus eut l'air songeur quelque temps. Puis il fit la grimace.) C'est un travail en cours, dit-il.

Raffy reposa son assiette.

– Vous aviez dit que vous alliez parler ! lança-t-il.

– Nous parlons, répondit Linus, sourcils arqués.

– Non. C'est faux. Vous ne nous dites rien du tout. Comment connaissez-vous la Cité ? Quelles sont ces puces dont vous avez parlé à Evie ? Qui êtes-vous ? D'où venez-vous ? Pourquoi nous avez-vous piégés et pourquoi nous gardez-vous à présent ? Pourquoi ne nous tuez-vous pas ou ne nous laissez pas partir ? Expliquez-nous.

La voix de Raffy était basse, ses yeux intenses. Evie voyait chaque muscle dans son cou, le long de ses bras, fléchis, prêts à bondir.

Linus le remarqua, lui aussi. Evie crut déceler une sorte de respect dans son regard. Ou peut-être l'avait-elle imaginé, cherché, attendu, créé ? Quoi qu'il en soit, elle le fixa avec toute la détermination possible, parce qu'elle avait besoin qu'il lui réponde, parce qu'ils méritaient une réponse, parce que chaque question qu'elle posait n'en amenait que d'autres et que sa tête l'élançait à cause de toutes les incertitudes qui y pesaient.

Linus s'installa confortablement. Un petit sourire courait sur ses lèvres, comme si tout cela était un jeu, comme s'il prévoyait ce qu'il allait faire. Puis il se pencha.

– La puce dont je vous ai parlé, dit-il, en laissant aller son regard d'Evie à Raffy, c'est un implant que vous aviez tous les deux dans la tête. Un dispositif de pistage. Je l'ai retiré afin que la police de la Cité ne puisse pas vous suivre. Ne puisse pas *nous* suivre.

– Des implants ?

Evie porta de nouveau la main à sa tempe. Elle jeta un coup d'œil à Raffy : il faisait la même chose, pensait la même chose, à propos du sang, de la douleur à leur réveil.

– Désolé, mais je devais le faire, déclara Linus d'un ton calme. L'eau que je vous ai fait boire contenait des analgésiques. Vous devriez vous sentir bien, à présent.

Evie se rapprocha de Raffy. Elle sentait qu'elle se mettait dans tous ses états. Une puce ? Dans sa tête ? Dans celle de Raffy ? Qui les traquait ? Mais le Système aurait été au courant ! De leurs rendez-vous. De l'arbre. De tout.

Raffy tendit la main, prit la sienne et la serra fort. Puis il se tourna vers Linus. Evie devina, à la façon dont les muscles de sa mâchoire se contractaient, qu'il pensait la même chose.

– Vous mentez, dit-il, la voix nouée. Il n'y a pas d'implants dans la Cité. Pas de puces. Ce n'est pas possible. Sinon, comment aurions-nous pu nous sauver ? Dites-moi ce que vous faisiez. Vous étudiiez nos cerveaux ? Pourquoi ? Qu'avez-vous fabriqué ?

Linus expira et s'assit plus confortablement, en appui sur ses coudes.

– Examiner vos cerveaux ? Eh bien, l'exercice aurait pu être intéressant, oui, mais je préfère ne pas ausculter ceux des personnes vivantes. Je ne sais pas pourquoi, mais les cerveaux n'aiment pas ça, visiblement.

Ses lèvres se retroussèrent, puis il se pencha, brusquement sérieux.

— Écoutez-moi, reprit-il, à voix basse. Tout ce que l'on vous a raconté dans la Cité, vous devez l'oublier.

— Pourquoi ? s'enquit Raffy d'un ton furieux. Alors que vous ne nous dites rien ?

— Je le ferai lorsque ce sera le moment, expliqua Linus. Je vous dirai tout quand j'estimerai que vous serez prêts à l'entendre.

— Nous le sommes, rétorqua Raffy, bouillant de rage, en se levant et en lui bloquant la route. Vous aviez promis. Alors, parlez. Dites-nous quelque chose. Tout.

— Je vous ai parlé de la puce, dit Linus, d'un ton mesuré. Et vous ne me croyez pas.

— Parce que je sais que vous mentez, répliqua Raffy, qui ne cédait pas. Dites-moi autre chose. De vrai.

Linus eut l'air d'y réfléchir. Puis il haussa les épaules.

— Vous m'avez demandé pourquoi je ne vous avais pas abattus tous les deux.

— Alors ? fit Raffy. Expliquez-nous.

— Parce que ça ne sert à rien, répondit Linus en passant devant lui. Parce que si vous continuez comme cela, vous allez vous tuer tout seuls. (Il s'arrêta, puis repartit en direction de Raffy, qui ne se trouvait plus qu'à quelques centimètres de lui.) Vous n'êtes plus dans la Cité, ajouta-t-il alors, d'une voix basse, mais énergique. Les règles sont différentes, mais elles existent tout de même. Et ici, ce sont les nôtres. Pour notre protection. Alors, pensez-y, voulez-vous ? Vous apprendrez ce que vous devez savoir quand vous devrez le savoir et quand je désirerai vous le dire. En attendant, profitez de notre hospitalité, mangez bien et reposez-vous. Dans une heure, nous partons. Votre mal de tête réapparaîtra. Martha a les analgésiques nécessaires. Vous hydrater vous aidera à récupérer. Tu auras médicaments et eau si tu fais ce que l'on te dit. Ta copine aussi, si elle fait ce qu'on lui dit, et elle suivra ton exemple, mon ami, alors penses-y. Songe à tout cela. À plus tard.

Sur quoi, il s'en alla, retraversa la façade de l'immeuble, laissant le silence dans son sillage.

Raffy reprit son assiette, se remit à manger et fit signe à Evie d'en faire autant. Elle hésita, puis l'imita.

– Je suis contente que vous mangiez, observa Martha, un sourire énigmatique aux lèvres, la voix douce et mélodieuse après le ton rauque de Linus. Ça doit être difficile d'être ici. Au début, nous avons tous trouvé cela troublant. Mais Linus est un homme bon. Il a nos meilleurs intérêts à cœur.

Puis elle se leva et se retira dans une tente. Un par un, les autres en firent de même jusqu'à ce qu'Evie et Raffy se retrouvent seuls sur l'herbe.

– « Meilleurs intérêts », murmura Raffy d'un ton sarcastique. Je n'en crois pas un mot. Cet endroit a quelque chose de bizarre. Linus aussi. Nous ne nous éterniserons pas ici pour le découvrir.

Les yeux d'Evie s'écarquillèrent.

– Non ? chuchota-t-elle en retour.

– Nous partirons ce soir, expliqua-t-il, les yeux brillants. Linus est un menteur. Ils le sont tous. Ils veulent quelque chose de nous, mais ils ne l'obtiendront pas. Fais comme si tout allait bien. Ensuite, quand je donnerai le signal, nous courrons. OK ? Mais pour l'instant, mange. Si ça se trouve, nous n'avalerons plus rien avant un bon moment.

Evie approuva de nouveau, puis ils mangèrent. Lorsqu'ils furent repus, Raffy s'allongea et Evie se blottit contre son épaule. Et lentement, craintivement mais apaisée par la respiration de son compagnon, elle s'endormit.

– Je vois, dit le Frère en regardant son policier en chef, un type bien, qui portait fièrement le bâton.

Pas de revolver pour ses hommes, pas d'arme maléfique. Parfois le Frère trouvait ses propres règles frustrantes, restrictives, souhaitait que les gens puissent voir le monde tel qu'il était, voient ce qui devait être fait, mais aussi la vérité. Le vieil homme à la Loge avec son fusil et son chien savait ce que le monde était en réalité, mais c'était aussi un alcoolique, un bon à rien, un gars qui ferait ce qu'on lui demandait en échange d'un approvisionnement hebdomadaire en boisson du rassemblement – un vin doux fermenté qui aidait tout le monde à être ému, spirituellement. On ne pouvait pas compter sur lui.

– Et aucune trace d'eux ?

– Aucune, Frère, répondit l'homme, la tête baissée. Nous avons cherché. Nous n'avons pas arrêté jusqu'à la tombée de la nuit.

– Très bien. Merci.

Il attendit qu'il s'en aille avant de laisser tomber sa tête en arrière. Aujourd'hui avait été une journée affreuse. D'abord, la découverte de l'évasion du jeune. Puis que la fille l'avait aidé. Son père avait été livide en l'apprenant, sa mère, furieuse, hurlant qu'elle avait toujours été au courant que cette gamine était mauvaise. Et à présent, la police qui n'avait pas réussi à retrouver la trace des deux fugitifs.

Était-ce le hasard ou l'avaient-ils fait exprès ? Comment auraient-ils pu mettre au point une chose pareille ? Impossible. Ils n'auraient pas pu savoir ce qu'ils réservaient au garçon. Sauf si Lucas leur en avait parlé. Et c'était impossible. C'était...

Il expira bruyamment, puis appela son secrétaire via l'Interphone.

— Envoyez-moi Lucas, aboya-t-il d'un ton plus brusque qu'il ne l'aurait souhaité. S'il vous plaît, ajouta-t-il juste à temps.

— Oui, Frère, bien sûr.

Sa main lâcha le bouton, toucha son front, où elle rejoignit sa main droite, la posture qu'il adoptait toujours en cas de difficulté, de défi.

Ce sont des moments comme ceux-là qui nous fabriquent, murmura-t-il en lui-même. *C'est dans ces instants difficiles que nous pouvons nous améliorer. Devenir plus forts.*

Il avait prononcé ces paroles tellement de fois à tant de personnes, offert une grande consolation, un grand réconfort. Et pourtant, il était rongé par le ressentiment, par une colère qui semblait le consumer, qui lui coupait le souffle.

Comment avaient-ils su ? Comment avaient-ils planifié une fuite pareille ? Comment ? Comment ?

Un coup à la porte. Doux, inoffensif. Celui de son secrétaire.

— Faites-le entrer ! cria-t-il.

Quelques instants plus tard, Lucas apparut.

— Frère, dit-il, le visage paisible, indifférent.

— Qu'avez-vous appris ? demanda le Frère, en tâchant de chasser la lassitude de sa voix, en vain.

— À mon avis, ils planifiaient cela depuis longtemps, annonça Lucas d'un ton calme. Le timing semble être une coïncidence, la conséquence de l'incarcération de mon frère plutôt que l'imminence du changement d'étiquette. Nous savons à présent que la fille et lui avaient l'habitude de se retrouver. Il connaissait mieux le Système que ce que nous pensions, avait trouvé un moyen pour dissimuler leurs allées et venues. J'aurais dû me douter que la fille était aussi une Maudite – c'était ma fiancée, Frère. J'aurais dû le voir. Mais non. Je la croyais. Je…

Il s'arrêta brièvement, se ressaisit.

– Elle a dû venir chez moi dans la nuit. Je m'en veux. J'aurais dû le savoir. J'aurais dû rester vigilant.

– Vous n'étiez pas censé deviner jusqu'où ils étaient prêts à aller, rétorqua le Frère en secouant la tête. Ni que le mal était si profond en eux.

– Non, répondit Lucas. Mais j'aurais dû prévoir le pire.

Le Frère opina.

– Peut-être. Quoi d'autre ? Elle a pris la clé. Comment ?

– Son père prétend qu'il ne lui a pas donné le code.

– Alors comment ?

– Sa mère affirme qu'elle était retorse. Qu'elle avait dû l'espionner.

– Mais quand ? Voilà plusieurs mois que l'on n'a pas eu besoin de la clé.

Lucas se tut. Il se contenta de hausser les sourcils.

– Je vois, dit le Frère.

– Avons-nous des chances de les retrouver ? s'enquit Lucas.

Le Frère secoua la tête.

– Non. La police a épuisé ses recherches. Il est fort probable qu'ils aient été attaqués par des animaux sauvages ou tués par les Maudits, à l'heure qu'il est. J'essaie de protéger mes ouailles, Lucas, mais je ne peux pas défendre ceux qui décident de partir.

– Non, Frère.

Pas la moindre trace de tristesse, le Frère se surprit-il à penser, et un petit frisson parcourut sa colonne vertébrale.

– Merci, Lucas. Ce sera tout.

– Bien, Frère. (Il se dirigea vers la porte. Puis se retourna, brièvement.) Le dossier sur mon frère. Sur la faille. Puis-je le clore, maintenant ?

Le Frère opina. Il ne servait plus à rien, désormais. Lucas ouvrit la porte. Et le Frère remarqua quelque chose. Sa mâchoire était contractée. Pas détendue comme d'habitude, pas ferme et forte, mais serrée. Étroitement serrée.

– Mais envoyez-le-moi, dit le Frère d'un air songeur. J'aimerais l'avoir dans ce bureau, vous comprenez.

Lucas hésita une fraction de seconde, suffisamment pour que le Frère sache qu'il avait pris la bonne décision.

– Très bien, Frère.

– Merci, Lucas. Merci, comme toujours.

Il se cala dans sa chaise et s'aperçut que le poids avait disparu. Qu'autre chose avait pris sa place, quelque chose qui avait apporté de l'énergie, du sens et tout ce qu'il avait perdu ces derniers jours.

Une vague idée. De quoi, il l'ignorait, mais il finirait par le savoir. Et entre-temps, il resterait sur le qui-vive, vigilant. Voilà pourquoi il était le Frère.

Voilà pourquoi il était responsable.

14

Evie ne dormit pas longtemps. À peine ses paupières se furent-elles lourdement refermées que Raffy la secoua doucement.

– Ils plient bagage. Debout, Evie.

Elle ne voulait pas se réveiller, ni retourner dans ce monde étrange ni retrouver la douleur dans sa tête, les questions qui tournaient en rond. Mais quand elle ouvrit les paupières, elle vit Raffy qui la dévisageait, les yeux hagards, un peu plus doux que depuis qu'ils avaient quitté la Cité. Doucement, ses doigts dessinèrent le contour de sa mâchoire, puis son pouce se déplaça délicatement sur son sourcil et elle referma les paupières juste un instant, car ils étaient à découvert ; et pour la première fois ils ne se cachaient pas dans un arbre ni dans une grotte, ils ne regardaient pas derrière leur épaule ou ne redoutaient pas ce qui les attendait au tournant. Ils *étaient*, tout simplement. Ils étaient ici, ensemble, sous le soleil chaud, et elle n'avait jamais été aussi heureuse. Elle voulait préserver le moment. Parce que bien que cela se passât, bien qu'elle pût sentir Raffy, son contact, son torse contre sa joue, elle savait que ce n'était pas réel, que cela ne pouvait pas durer. Parce que des instants comme celui-ci ne duraient jamais, elle en était intimement convaincue. Ils n'existaient que brièvement pour vous donner de la force, pour avoir des souvenirs auxquels se raccrocher quand arrivaient des jours plus sombres.

– Je t'aime, Evie, murmura-t-il, et elle ressentit un tiraillement dans son ventre, un besoin de lui, plus encore que cela. Tu es la seule personne au monde qui compte. Toi et moi, Evie. Il y aura toujours toi et moi.

Et elle opina, attrapa son cou, sentit ses baisers sur elle, bougea contre lui. Mais tout ce temps, il n'y avait qu'une pensée dans sa tête. Lucas. Elle devait lui parler de lui. Elle devait lui dire la vérité.

– Raffy, murmura-t-elle. Raffy, il y a quelque chose…

Mais elle entendit des pas qui se rapprochaient, quelqu'un appeler. C'était Linus. Elle avait laissé passer sa chance.

– Hé ! cria-t-il. Par ici, aidez-nous !

Evie se leva rapidement pour que Raffy puisse en faire de même. Linus regarda vaguement autour de lui et se tourna vers Evie.

– Toi, viens donner un coup de main à Martha.

Il ne connaissait pas son nom, se surprit-elle à penser. Il ne leur avait jamais demandé comment ils s'appelaient.

Evie se hâta de retrouver Martha qui démontait une tente. Comme les gitans dans les histoires de sa mère, songea-t-elle en déterrant des piquets. Ne jamais rester trop longtemps au même endroit, toujours s'enfuir. Est-ce que ce serait sa vie, désormais ?

Elle arracha les derniers piquets, roula le tapis de sol, fit de son mieux pour plier la tente et, fascinée, observa Martha la ranger comme une experte dans un sac qui paraissait bien trop petit pour l'accueillir. Et pendant qu'elle la regardait, Evie toucha sa tempe par inadvertance ; sa nouvelle cicatrice l'élançait, pas de douleur, mais d'autre chose qu'elle ne parvenait pas à identifier.

Puis elle comprit ce que c'était. De la peur. Parce qu'en dépit de tous ces sourires, de toutes ces réponses et explications, Evie ne faisait pas confiance à Linus. À aucun d'eux, d'ailleurs.

La vérité, c'était qu'elle se faisait à peine confiance à elle-même.

— As-tu mal à la tête ? demanda Martha, d'un air aimable et chaleureux.

— Non, enfin un peu. Mais ça va.

Elle ne voulait pas de leurs remèdes. Martha avait l'air gentille, mais Evie préférait souffrir, connaître toute l'ampleur de sa douleur plutôt que la masquer à l'aide de médicaments. Dans la Cité, ils étaient rares, la maladie était apportée par les individus eux-mêmes, par le biais de la faiblesse ou de l'orgueil. Les hommes et les femmes devaient la supporter, disait toujours le Frère, sinon ils n'apprendraient rien d'eux, sinon ils ne deviendraient pas plus forts.

Et pourtant, elle n'était plus dans la Cité, songea Evie.

— Prêts ? (Linus surgit devant eux, Raffy à son côté. Il était évident, à la sueur sur son front, qu'il aidait les hommes à ranger.) Nous ne devrions pas tarder. Une fois qu'il fait nuit, nous sommes trop vulnérables. Pouvez-vous les porter ?

Il leur donna deux sacs à dos. Raffy les soupesa avant d'en confier un à Evie.

— Vulnérables ? fit Raffy en balançant le sac sur son dos et en aidant son amie à mettre le sien.

— Des animaux sauvages. Pire, expliqua Linus en haussant légèrement les épaules. Venez. On y va.

Raffy tendit la main et Evie la prit, reconnaissante.

— Depuis combien de temps êtes-vous là ? demanda-t-elle à Linus.

— Dans ce camp ? Oh, une semaine à peu près, répondit-il en rassemblant tout le monde.

Elle digéra la nouvelle. Mais elle ne comprenait toujours pas.

– Et que faites-vous ici ? Pourquoi n'êtes-vous pas restés dans...

Elle tâcha de se rappeler le nom de leur Cité, de leur chez-eux.

– Au camp de base ? fit Linus. (Il dodelina de la tête en comptant les gens et les bagages jusqu'à ce qu'il soit sûr que tout soit prêt.) Bonne question, dit-il en se retournant pour la gratifier d'un sourire. À laquelle je répondrai plus tard, si ça ne te dérange pas. Quand je te connaîtrai mieux. (Il lui fit un clin d'œil et marcha jusqu'à la façade de l'immeuble.) Bien, tout le monde, c'est parti.

Il se mit en route et tous le suivirent, leurs bagages sur le dos. Deux hommes au fond portaient un grand sac de toile sur un bâton. Dans leur main libre, ils tenaient des jumelles. Son père aussi en avait. Son faux père. Il lui avait expliqué comment s'en servir, avait observé sa stupéfaction quand elle avait regardé à travers les lentilles pour constater que le ciel, si lointain, se trouvait brusquement à portée de main. Qu'elle pouvait presque toucher les oiseaux qui le traversaient en volant.

Bien qu'en réalité elle ne puisse pas du tout les toucher, apprit-elle, profondément attristée.

Elle désigna les jumelles à Raffy qui arqua les sourcils.

– C'est la vigie, murmura-t-il.

Evie hocha la tête. La vigie. Pour les protéger des animaux sauvages. De pire encore. Elle frissonna, quoique le soleil la réchauffât. Elle mourait d'envie de parler à Raffy seul à seul, d'essayer d'analyser les choses avec lui comme ils l'avaient toujours fait. Mais c'était impossible, on les entendrait. Ils avaient le droit d'être ensemble, ce qui était déjà une amélioration par rapport à la Cité. Mais sans partager leurs pensées, sans trahir leurs peurs, c'était comme si un immense fossé invisible les séparait.

Evie se demanda si Raffy le ressentait aussi profondément qu'elle ; l'expression résolue sur son visage suggérait tout le contraire. Mais, se surprit-elle à penser, elle avait toujours été à l'origine de la plupart de leurs conversations, celle qui parlait si longtemps qu'elle en avait mal à la gorge. Ce qui lui manquait, c'était que Raffy écoute, ses hochements de tête silencieux, ses yeux foncés, émouvants, qui lui disaient qu'il comprenait, qu'il ne la jugeait pas, qu'il l'acceptait pour ce qu'elle était.

Ils marchaient vite. Ils quittèrent rapidement le groupe d'immeubles délabrés pour traverser un paysage bien plus désert que celui autour de la Cité.

Evie sentit Raffy lui tirer la main. Quand elle se retourna, il l'attira contre lui.

– OK, murmura-t-il si bas qu'elle l'entendit à peine. J'ai un plan.

Son cœur s'accéléra. D'excitation, de peur.

Raffy se mit à accélérer, traînant Evie avec lui, dépassant Martha et Angel de sorte qu'ils se retrouvèrent juste derrière Linus. Celui-ci les entendit approcher et, se retournant, il leur adressa un sourire chaleureux.

– Oui ? fit-il, anticipant une question.

– Arriverons-nous au camp de base ce soir ? s'enquit Raffy.

– Arriverons-nous au camp de base ce soir ? répéta Linus d'un ton songeur. Et pourquoi désires-tu le savoir ?

– Parce que Evie ne se sent pas bien, expliqua Raffy en lui serrant la main. Je veux juste savoir combien de temps encore nous allons voyager.

– Qu'est-ce qui ne va pas ? demanda Linus en s'arrêtant brusquement et en portant son attention sur Evie.

Celle-ci se sentit devenir rouge écarlate.

– Je… je ne sais pas, répondit-elle, mal à l'aise.

– C'est son ventre, s'empressa de dire Raffy.

– Ah, fit Linus, peut-être l'eau. Très bien. Nous nous arrêterons dès qu'il le faudra, Evie. Tiens-moi au courant, d'accord ?

– D'accord, dit-elle, les joues brûlantes.

– Et le camp de base ? insista Raffy. Y serons-nous ce soir ?

Linus y réfléchit de toute évidence. Puis il haussa les épaules.

– Non, nous y arriverons demain. Ce soir, nous planterons une tente pour nous tous. Plus on est nombreux, plus on est en sécurité.

Son visage se plissa de nouveau en un sourire exaspérant. Puis il se remit en marche. Evie croisa le regard de Raffy et ils se laissèrent encore distancer de manière à se retrouver derrière Angel et Martha.

– Ce soir, murmura Raffy. Dans la nuit, quand il fera sombre. Une fois que nous serons au camp de base, il sera trop tard pour s'échapper.

– Ce soir, murmura Evie à son tour.

Mais sa bouche était brusquement sèche et son cœur battait fort dans sa poitrine. Elle avança au côté de Raffy, adopta son rythme et tâcha de ne pas penser au poids de son sac sur son dos, à la peur de ce qui l'attendait.

Le soleil se couchait lorsqu'ils s'arrêtèrent – ou du moins marquèrent une pause. Evie se demandait si Linus les dirigeait vers l'endroit du bivouac. Avait-il prévu de s'arrêter là, ou était-ce simplement à cause du crépuscule ? Quoi qu'il en soit, se dit-elle, cela n'avait pas d'importance. Ce qui comptait, c'était que bientôt Raffy et elle seraient de nouveau en fuite et se débrouilleraient tout seuls. Raffy avait dû avoir la même pensée, car il avait lui aussi tout dévoré et tout bu au déjeuner. Et une fois de plus, comme ils en avaient parlé en détail la veille, ils évitèrent de se regarder quand ils arrivèrent dans la clairière où la tente avait été plantée, se retinrent de poser des questions. Ils observèrent, écoutèrent, aidèrent à installer le camp pour la nuit.

Personne ne semblait leur accorder beaucoup d'attention, on leur demandait un coup de main de temps en temps – Evie, pour aider Martha à préparer le repas, Raffy, pour aider Angel et Linus à trouver du bois. Mais à part cela, c'était comme si on les avait acceptés, comme si cette étrange petite communauté était devenue la *leur*. Evie n'avait toujours pas oublié qu'Angel avait frappé Raffy, que Linus s'était moqué de lui et l'avait torturé pour obtenir des réponses. Mais pour une raison ou pour une autre, ces souvenirs disparaissaient et paraissaient moins réels que la camaraderie, la protection qu'elle ressentait à présent entre eux.

– Nous mangeons. Puis quand tout le monde ira se coucher, nous attendrons. Dès qu'ils dormiront, nous partirons.

Raffy était apparu à ses côtés ; sa voix était basse et trahissait l'urgence, il regardait droit devant lui comme s'il ne lui parlait pas du tout.

Evie déglutit. Sa gorge était redevenue sèche.

– Tu es sûr que l'on fait bien ? murmura-t-elle.

– Quoi ? (Raffy perdit toute retenue et se retourna d'un coup, face à elle, sourcils froncés.) Qu'est-ce que tu racontes ?

– Je me dis juste que plus on est nombreux, plus on est en sécurité, expliqua Evie d'un ton anxieux. (Elle sentit ses paumes transpirer d'inquiétude.) Et où irons-nous ?

– Où nous voudrons, répondit Raffy en plissant les yeux. C'est nous qui déciderons.

– Mais ils ont de la nourriture et un abri…

Elle voyait bien que Raffy était furieux contre elle, mais elle ne put s'en empêcher.

Raffy se détourna et croisa les bras.

– Si tu tiens à rester avec Linus, ses mensonges, ses règles et ses menaces, alors parfait, fit-il, bouillonnant de rage. Mais pas moi. Je me barre.

Evie respira profondément. Puis elle posa la main sur le bras de son compagnon.

– Alors je viens avec toi, déclara-t-elle calmement.

– Tu es sûre ? fit Raffy en la regardant intensément. C'est toi et moi ? Tu ne veux pas rester ici parce que Lucas te l'a demandé ?

Elle ignora le sarcasme dans sa voix. Elle le méritait, même si Raffy ne savait pas pourquoi.

– C'est toi et moi, annonça-t-elle. Juste toi et moi. Si tu pars, je pars.

Ces paroles lui donnèrent du courage, diminuèrent son appréhension sur ce qui l'attendait et elle vit Raffy y réagir à son tour, ses yeux s'adoucir, tout son visage s'enthousiasmer.

– Alors d'accord, dit-il. Attends que je te fasse signe.

– Vous avez faim, vous deux ? Nous mangeons, lança Linus qui surgit de nulle part.

Une heure plus tôt, le soleil s'était couché. L'obscurité qu'Evie n'avait même pas vue tomber les recouvrait déjà.

– Bien sûr, répondit immédiatement Raffy. Merci.

Il se dirigea vers le feu de camp. Evie le suivit, mais en hésitant. Linus avança à ses côtés.

– C'est un jeune homme impétueux, ton ami, observa-t-il. Courageux, mais impétueux. Ça ne fait pas toujours bon mélange.

Elle se mordit la lèvre et garda le silence.

– Toi, en revanche, eh bien, tu es différente, reprit-il d'un ton songeur. Ce n'est pas à cause de toi que vous vous retrouvez de ce côté du mur de la Cité, n'est-ce pas ?

(Evie se tut, mais Linus ne semblait pas attendre de réponse, de toute façon.) Tu es ici pour le protéger. Ce qui est ironique, parce qu'il se prend pour ton protecteur. Mais la protection, ce n'est pas que la force. C'est l'intelligence, la compréhension. Savoir quand s'enfuir et quand rester. Tu ne crois pas ?

Evie le dévisagea ; elle était bien contente qu'il fasse nuit, car l'obscurité dissimulait ses joues brûlantes. Linus pouvait-il vraiment voir en elle ? Comment cela se faisait-il qu'il ait toujours l'air de savoir ce qu'elle pensait, les sentiments qu'elle cachait au fond de son cœur ?

Linus gloussa.

– C'est un chic type. Je le vois bien. Mais il va s'attirer des problèmes si tu ne l'arrêtes pas, reprit-il en posant une main sur son épaule. Tu sais ce qu'il te reste à faire. Et je sais que je peux compter sur toi. Comme le frère de Raffy a cru en toi.

Evie sentit son ventre se serrer. Il savait. Il était au courant du plan de Raffy.

La main de Linus serra délicatement la sienne, puis il la relâcha, et quelques minutes plus tard il était parti, avançait à grandes enjambées pour rejoindre Angel et Martha autour du feu de camp, offrait une assiette à Raffy qui prenait place par terre. Evie s'installa à son côté, les joues encore chaudes, incapable de croiser son regard. Parce qu'elle ne savait pas si l'on pouvait encore compter sur elle, surtout Raffy. Parce qu'elle ne savait pas si elle pouvait même compter sur elle-même.

15

Evie tâcha de manger ; à contrecœur, elle mit dans sa bouche une cuillerée du porridge visqueux que Martha avait préparé, mais son estomac se moquait bien de la nourriture. Il était trop occupé à se retourner, à faire volte-face chaque fois que Raffy la regardait, chaque fois que Linus croisait son regard.

Mais bien qu'elle fût incapable de manger, en dépit des tentatives de Raffy pour l'encourager, elle ne désirait qu'une seule chose : que le repas ne se termine jamais, que Linus, Angel, Martha et les deux autres hommes taciturnes dont elle avait appris qu'ils s'appelaient George et Al n'aillent jamais se coucher, ne dorment jamais, ne la forcent jamais à devoir prendre une décision. Partir avec Raffy ou l'empêcher de s'en aller. Le trahir ou le laisser courir à sa mort. À leur mort.

Linus se leva le premier.

— Bien, je vais me coucher, annonça-t-il. Je propose que nous profitions tous d'une bonne nuit de sommeil.

Regardait-il directement Evie ? Elle avait l'impression que oui, que ses yeux transperçaient son âme.

Angel suivit Linus peu après. Martha débarrassa la première, aidée d'Evie qui mourait d'envie de s'occuper, puis George et Al grommelèrent un « bonne nuit » et la suivirent dans sa tente. Raffy se leva.

– C'est l'heure d'aller se coucher, dit-il haut et fort en bâillant. Je suis crevé.

Evie opina. Elle lui emboîta le pas en silence, trébuchant sur les sacs de couchage d'Al et George qui s'étaient installés à l'entrée, et rejoignit le coin qui leur était réservé, à Raffy et elle.

Puis ils attendirent.

Une heure, jusqu'à ce que, autour d'eux, ils entendent une respiration lourde, de doux ronflements. Puis Raffy tendit la main pour secouer légèrement Evie. Celle-ci, qui n'avait même pas osé ciller, s'assit immédiatement, le cœur battant la chamade.

Prudemment, Raffy s'accroupit et se dirigea vers l'ouverture. Evie suivit, tâchant de ne pas respirer ni de penser à ce qu'ils faisaient, à ce qui les attendait. Prudemment, délicatement, ils passèrent devant des corps endormis, traversèrent l'atmosphère chaude et ensommeillée de la tente. Raffy enjamba Al et se mit à dézipper l'ouverture. Il y avait trois couches avec diverses fermetures et cadenas, comme sur toutes les tentes. Pour éloigner les animaux sauvages, avait expliqué Martha quand Evie l'avait aidée à les démonter. Sans cela, plus rien ne les en protégerait.

Mais elle aurait Raffy, se dit-elle. Ils seraient ensemble, et libres, comme ils en avaient toujours rêvé.

Elle était passée par un chemin légèrement différent de celui de Raffy ; elle avait voulu rester le plus loin possible de Linus et avait donc marché sur la pointe des pieds derrière Martha. À présent, elle avançait anxieusement vers George ; il était grand et carré et sa silhouette occupait une place immense sous la tente. Elle ne pourrait pas l'enjamber. Il n'y avait aucun espoir, ses jambes n'étaient pas assez longues. Elle devrait sauter. Raffy leva les yeux et comprit son dilemme. Il se retourna, tâcha de lui trouver une alternative, mais le seul autre chemin nécessitait un demi-tour jusqu'au couchage qu'ils avaient déserté, pour suivre celui que Raffy avait pris. Evie inspira profondément et sauta. Les yeux de Raffy s'écarquillèrent et tous deux retinrent leur souffle. Elle atterrit, heurta légèrement la toile, mais pas suffisamment pour réveiller quelqu'un. Elle sourit. C'était un bon présage. Ça se passerait bien pour eux.

Raffy souleva la porte de la tente.

– Tu la refermeras après ? murmura Evie.

Il secoua la tête.

– Pas le temps.

– Mais ils se feront attaquer ! dit Evie, la culpabilité affluant une fois de plus dans ses veines. Il faut la fermer !

– Ça ira, répondit Raffy, dont les yeux s'assombrirent légèrement. Ils sont à l'intérieur, non ? Et c'est leur faute, c'est eux qui nous ont capturés. Ils se moquaient bien de nous quand Angel nous tabassait, non ?

Evie secoua la tête. Elle voulait croire qu'il avait raison. Elle lui prit la main, sentit qu'il la serrait pour la rassurer. Puis, d'un pas hésitant, elle le suivit hors de la tente, dans l'air nocturne et tonifiant. Le sol était humide sous leurs pieds, il avait dû pleuvoir pendant que tout le monde dormait ; mais la terre avait goulûment absorbé l'eau, tout ce qui restait n'était qu'une vague humidité.

– Par ici, ordonna Raffy en montrant la direction d'où ils venaient. Nous avons intérêt à nous éloigner le plus possible du camp de base.

– Mais nous repartirions en direction de la Cité, rétorqua Evie d'un ton hésitant. Allons à l'est. C'est la direction que Lucas nous a conseillée.

– Et cela nous conduit pile entre les mains de Linus, répliqua Raffy, la bouche pincée.

Evie le regarda fixement.

— Parce qu'il pensait que Linus était un ami qui pourrait nous aider, dit-elle.

— Ou peut-être voulait-il qu'il fasse le sale boulot à sa place, riposta Raffy, glacial.

— Et quel genre de boulot ?

Ils s'immobilisèrent quand une voix qu'ils ne reconnurent que trop bien retentit clairement.

— Tu crois que ton frère t'a trahi ?

Au clair de lune, Evie distingua la colère et le désespoir sur le visage de Raffy. Et elle savait que c'était sa faute. Elle aurait dû ne rien dire, ils seraient loin à présent. L'avait-elle fait exprès ? Raffy s'en doutait-il ? Si c'était le cas, il n'en laissait rien paraître, il ne la regardait même pas. Il fixait Linus, concentrait toutes ses énergies sur lui. Raffy semblait prêt à bondir, à courir, tous ses muscles étaient tendus et prêts à se mettre en marche.

— Laissez-nous partir, demanda-t-il d'un ton rauque. Vous n'avez pas besoin de nous. Nous n'avons pas besoin de votre protection. Nous pouvons veiller sur nous. Laissez-nous partir.

Linus eut l'air songeur quelques secondes.

— Tu y tiens vraiment ? Tu veux te débrouiller tout seul ? Evie, c'est aussi ce que tu souhaites ?

Elle hésita, suffisamment longtemps pour que Raffy la foudroie du regard.

— Oui, dit-elle enfin. Oui, c'est ce que je désire.

Linus opina lentement.

— Je vois.

Puis il haussa les épaules.

— Alors, on peut y aller ? demanda Raffy, une once d'espoir dans la voix. Vous nous laisserez partir ?

Linus sourit. Tout son visage se froissa, ses yeux étincelèrent au clair de lune. Il avait l'air sage, se surprit à penser Evie, mais triste. Même si ce sourire envahit tout son visage, même si ses yeux pétillaient, ce n'était pas de joie. C'était autre chose. Elle le reconnut. C'était de la douleur. Puis il secoua lentement la tête.

— Angel ? appela-t-il doucement.

Son homme de main apparut aussitôt. Raffy essaya de courir, hurla à son amie de s'enfuir avec lui, mais cela ne servit à rien. Angel attrapa d'abord Raffy, le confia à Linus avant de capturer la jeune fille. Elle regarda Linus plaquer le visage de son compagnon contre la terre tout en ligotant ses poignets avec une espèce de corde. Angel attacha ensuite ceux d'Evie.

— Vous n'irez nulle part sans nous, annonça Linus d'un ton calme. Vous essayez de quitter ce camp une fois de plus et vous êtes morts.

— Pourquoi ? fit Raffy, bouillonnant de rage. (Angel le tenait fermement, mais il résistait, se débattait. Evie restait calme. Elle savait quand une bataille était perdue d'avance.) Pourquoi refusez-vous de nous laisser partir ?

Linus haussa les épaules.

— Parce que j'ai fait une promesse à ton père il y a très longtemps, répondit-il, imperturbable. Et je tiens mes promesses. Elles sont le dernier bastion de la civilisation. Si nous ne pouvons pas les respecter, nous sommes maudits.

— Mon… père ? fit Raffy, à peine audible. Que voulez-vous dire ? Vous ne connaissez pas mon père. Vous ne…

— Tu ne sais pas ce que je sais, l'interrompit Linus posément. Maintenant, je retourne me coucher et vous aussi. Dormez un peu. Nous avons de la route à faire demain matin. Merci de ne plus nous déranger à présent.

Avant que Raffy ne puisse le harceler de questions, Linus disparut sous la tente. Angel leur fit signe d'y entrer eux aussi. En titubant, ils regagnèrent leurs sacs de couchage et tombèrent comme des masses. Ils ne dirent pas un mot, mais Evie avança en se tortillant de manière que son front se retrouvât contre le dos de Raffy et qu'il pût la sentir, savoir qu'elle était là, qu'elle comprenait ou qu'elle voulait comprendre. Raffy recula en gigotant, son dos se retrouva collé contre son ventre, sa chaleur faisant office de couverture. Et ainsi, serrés l'un contre l'autre, ils ne bougèrent plus jusqu'au matin.

– Debout, et vite !

Evie se réveilla subitement, car George leur donnait des coups de pied à travers les sacs de couchage. Quand ses yeux s'ouvrirent, il recula d'un pas.

– Linus dit que nous partons dans cinq minutes, annonça-t-il en haussant les épaules, et il s'en alla.

Immédiatement, Raffy se mit debout. On aurait dit qu'il n'avait pas fermé l'œil, bien qu'Evie ait été rassurée par son souffle lourd et ensommeillé toute la nuit. Ses yeux, ourlés de cernes noirs, semblaient plus sombres que d'habitude, plus torturés.

Il ne parla pas de Linus, ni de ses propos de la nuit précédente ; il se contenta de se lever, de ranger leurs sacs. Quand ils furent prêts à quitter la tente, elle avait été démontée autour d'eux. Martha leur distribua un gros morceau de pain et de l'eau, puis ce fut l'heure de partir. Evie et Raffie n'avaient pas échangé un seul mot ; elle l'observa attentivement, mais elle ne savait pas quoi dire, ne pouvait pas parler avant qu'il ne le fasse. Et Raffy ne montrait aucune intention de s'exprimer. Ses yeux suivaient Linus comme ceux d'un faucon, furtivement parfois, plus ouvertement d'autres fois, lorsqu'ils traversèrent le paysage désert en direction de l'endroit qu'il avait redouté, qu'il avait été tellement résolu à fuir.

Ils s'arrêtèrent brièvement pour déjeuner, quand le soleil fut à son zénith, s'abritèrent sous une rangée d'arbres pendant une heure environ. Ensuite ils se remirent immédiatement en route, Martha en tête avec Linus, Angel en queue, George et Al juste devant Evie et Raffy.

Et peu avant que le soleil se couche, Evie remarqua quelque chose au loin. Une colline, une grande colline sans arbres, mais… Elle plissa les paupières, tira sur la manche de Raffy. Des tentes. Des structures. Les yeux de Raffy suivirent les siens et il s'arrêta brièvement. Angel lui rentra dedans. Il jura puis, lorsqu'il vit ce que le garçon regardait fixement, il se fendit d'un large sourire.

– Enfin chez soi, souffla-t-il. Enfin.

Il fit signe à Raffy de se remettre en route et, après une courte pause, celui-ci s'exécuta. Evie ne cessait de lui jeter des coups d'œil inquiets, mais plus ils se rapprochaient, moins Raffy semblait agité.

– Il n'y a pas de murs, observa-t-il en fronçant les sourcils quand ils s'approchèrent du camp de base.

C'était un nom approprié, songea Evie. Ce n'était pas une Cité, les structures étaient toutes temporaires. Et le camp de base était niché un peu plus haut sur la colline.

– Pas besoin de murs, répondit Linus dont le visage se froissa en un sourire familier. Le paysage naturel et les tours de guet servent de protection, mais nous n'emprisonnons pas les nôtres. Chez nous, c'est comme ça.

En silence, ils passèrent devant la première tour et entrèrent dans le camp. Des personnes en bleu de travail allaient et venaient, le visage sérieux, puis sourirent quand ils virent Linus. S'ensuivirent d'étranges salutations, qu'Evie découvrait pour la première fois : tapes dans la main, tapes dans le dos. Elle s'arma de courage, mais personne ne lui tapa dans la main ni dans le dos. Juste Linus, Angel, George et Al. Martha, ils l'étreignirent, la firent tourner, l'embrassèrent sur la tête. Quant à Evie et Raffy, ils se contentèrent de les regarder prudemment.

— Quel est cet endroit ? souffla Raffy.

— Cet endroit ? fit Linus, qui surgit brusquement derrière eux. Fiston, c'est le quartier général de l'armée. Nous nous préparons pour la bataille et nous serons bientôt prêts. J'ai le sentiment que ce pourrait être le plus tôt possible.

Il y avait une centaine de personnes en tout dans le camp, chacune occupant un emploi rémunéré. Mais là où la Cité était divisée en différents quartiers de travail qui correspondaient à différents métiers, selon le sexe – maçons, boulangères –, le camp de base semblait réunir tout le monde. Partout où Evie regardait, elle entendait parler, rire, discuter. On chantait en travaillant, les hommes et les femmes blaguaient et se taquinaient.

Et il n'y avait pas d'étiquettes.

Elle se surprit à les regarder fixement quand elle en fit le tour. Linus le remarqua et arqua un sourcil.

— Tu ne t'attendais pas à ça ? demanda-t-il.

Evie rougit.

— Ils nous ont fait croire que tous ceux qui se trouvaient en dehors de la Cité étaient des sauvages, dit-elle d'un ton calme. Que les gens étaient mauvais. Mais ce n'est pas vrai ? N'est-ce pas ?

— Non, Evie, c'est faux, répondit Linus.

Puis il passa un bras sur ses épaules et sur celles de Raffy.

— Venez avec moi, je veux vous montrer quelque chose.

Il les conduisit entre deux grandes tentes, le long d'un passage jusqu'à une tente aux parois renforcées et devant laquelle était posté un garde, armé d'un fusil.

– La Cité vous a menti au sujet d'un tas de choses. La plupart, probablement, déclara Linus.

– Toute la Cité est un mensonge, pour ce que j'en sais, ajouta Raffy d'un ton bourru.

Linus sourit.

– Tu as raison. Bien sûr. Mais… (Il les regarda attentivement.) Mais voici le pire de tout. En tout cas, c'est ce que je pense. Ces gens. Sous cette tente.

– Il y a des personnes, là-dedans ? demanda Evie d'un ton hésitant. Des prisonniers ?

– Pas des prisonniers, répondit Linus en secouant la tête. Absolument pas. Du moins pas les nôtres. Regardez par vous-mêmes.

Evie s'approcha de la tente. À travers d'étroites fenêtres en plastique, elle put distinguer des visages étranges, des visages tristes. L'un d'eux la vit, se précipita vers la fenêtre, y colla sa figure, la déformant horriblement. Evie réprima un hurlement quand d'autres vinrent rejoindre la première, roulant des yeux, de la salive sortant de leur bouche. Puis ils se mirent à hurler, à gémir ; Evie cria et essaya de s'enfuir, mais Linus refusa de la laisser faire.

– Tu sais qui sont ces gens ? lui demanda-t-il.

Evie opina. Elle connaissait ce bruit. C'était celui qui lui disait que tout était terminé. Celui qu'elle avait si souvent entendu, cachée sous ses draps lorsque son père sortait de la maison pour protéger la Cité, pour la protéger. Raffy le reconnut lui aussi. Il fixa Linus, sans comprendre.

– Ce sont les victimes expiatoires de la Cité, expliqua-t-il en les éloignant de la tente, puis en s'arrêtant, l'air sérieux. Ce sont les morts cérébraux. Les victimes de tout ce que votre magnifique Cité a décidé d'entreprendre.

– Les morts cérébraux ? Mais… dit Evie, le front plissé. Mais ils ne sont pas morts. Ils sont… ils sont…

Linus sourit de nouveau, mais cette fois, le sourire n'envahit pas ses yeux.

– Bien sûr, dit-il. Vous les connaissez sous le nom de « Maudits ».

16

Personne ne dit mot pendant une minute. Evie finit par briser le silence.

– Vous… vous gardez les Maudits ici ? Ce sont vos prisonniers ?

Linus secoua la tête et les conduisit dans un couloir couvert, puis une cour, à travers un vaste dédale de tentes.

– Par là, dit-il.

Ils le suivirent et se retrouvèrent dans une pièce douillette, ornée de tapis et de coussins, et d'un grand bureau de bois foncé recouvert de cuir vert au fond de la pièce. Evie ne put le quitter des yeux.

– Joli, n'est-ce pas ? fit Linus, croisant son regard. L'un des trésors que j'ai sauvés. Asseyez-vous, je vous prie, tous les deux.

Lui-même s'assit sur un gros coussin, et ils s'installèrent à leur tour. Linus les regarda comme s'il lisait en eux, comme s'il essayait de voir tout au fond de leur âme, puis il soupira.

– Thé ? proposa-t-il.

Evie opina. Linus se leva d'un bond, passa la tête hors de la pièce et appela quelqu'un, puis vint se rasseoir. Quelques instants plus tard, un homme arriva avec un plateau sur lequel se trouvait une théière, du lait et des biscuits. Linus les servit. Evie prit volontiers sa tasse.

— Les Maudits ne sont pas nos prisonniers, expliqua-t-il ensuite, après avoir siroté une gorgée de son thé et reposé délicatement la tasse devant lui.

— Mais… le coupa Evie sans pouvoir s'en empêcher.

— Nous en avons certains, oui, mais ce n'est pas ce que tu crois.

— Alors qu'est-ce que c'est ? demanda Raffy en regardant Linus droit dans les yeux, sans avoir peur ni se laisser décourager.

Linus sourit.

— Vous permettez ? fit-il. Me laisseriez-vous vous raconter une histoire ?

— Une histoire ? fit Raffy, suspicieux. Pourquoi ?

— Parce que ensuite vous comprendrez, répondit Linus d'un ton doux. Et vous verrez peut-être le monde tel que moi, je le vois.

— Et si je refusais ? fit Raffy, d'un ton brusque. Vous êtes un menteur. Vous mentez sur tout et même sur mon père. J'en ai marre des gens qui me racontent n'importe quoi. Plus que marre.

— Raphaël, je ne te mens pas, rétorqua Linus en levant les yeux sur lui, brusquement triste. Et je suis désolé si c'est ce que tu penses. Je ne vous ai peut-être pas tout dit, mais c'était pour nous protéger. Il fallait que je sache si vous étiez vraiment… je devais me montrer prudent, c'est tout.

— Alors, dites-moi ce que vous savez sur mon père, insista Raffy, sans broncher.

— Laissez-moi vous raconter l'histoire. Et s'il y a autre chose que vous désirez savoir, je vous le dirai, leur promit Linus.

Raffy considéra la proposition quelques secondes ; il avait l'air méfiant, inquiet.

— Racontez-nous, lui intima Evie en attrapant la main de Raffy. Racontez-nous l'histoire.

— Merci. (Linus sourit.) Il était une fois un homme. Certains trouvaient que c'était un grand homme, d'autres pensaient le contraire. C'était un scientifique. Un médecin. Il avait une idée qui, croyait-il, pourrait sauver l'humanité, débarrasser le monde de la violence et de la terreur qui menaçaient constamment de détruire toutes les choses magnifiques et incroyables que les humains construisaient. Il imaginait un nirvana où la paix régnait, où les gens vivaient en harmonie avec les autres, où ils perdaient la volonté de se battre.

— Le Guide suprême, déclara Evie d'un ton calme.

— Le Guide suprême, acquiesça Linus, songeur. C'est une façon de l'appeler. Moi, je préfère le Dr Fisher. C'était son nom, avant les Horreurs, avant la Cité, avant tout cela. Quand il a énoncé ses idées à plusieurs journalistes médicaux, à un grand nombre de conférences. Et savez-vous ce qui s'est passé ?

— Les gens n'aimaient pas cette idée parce qu'ils ne tenaient pas à se débarrasser du mal, parce que celui-ci ne voulait pas s'en aller.

— C'est une façon de voir les choses, lança Linus en haussant les épaules. Mais ce qui s'est réellement passé, c'était qu'ils se moquèrent de lui. Ridiculisèrent toutes ses théories. Refusèrent de le publier, écrivirent des articles satiriques à son sujet, le baptisèrent « successeur de Frankenstein ». Vous savez qui était Frankenstein ?

Evie et Raffy secouèrent la tête.

— Non, bien sûr que non, dit Linus, souriant en lui-même. Eh bien, ça n'a aucune importance. Ce qui compte, c'est que le Dr Fisher refusa de renoncer à son rêve et tâcha de recruter des personnes qui lui serviraient de sujets expérimentaux, à qui l'on ôterait des morceaux de leur cerveau. Seulement, cela ne se passa pas si bien. Et quand les autorités scientifiques et médicales l'apprirent, elles le radièrent, engagèrent des poursuites pour le faire enfermer. Mais il ne se fit pas coffrer. Il plaida la démence. S'en sortit...

Il croisa le regard vide d'Evie et Raffy et sourit de nouveau.

– Ah ! les procès... Encore autre chose dont vous n'avez jamais entendu parler. Très bien, laissez tomber. Ce qui se passa, c'est qu'il entra dans un mouvement de résistance. Illégal. Se mit à fréquenter les cinglés, des individus qui ne se moquaient pas de lui et dont les grandes idées avaient été tout aussi contrariées. Des gens comme moi.

– Comme vous ? (Linus avait captivé d'un seul coup l'attention d'Evie et Raffy.) Vous connaissez le Guide suprême ?

– Nous étions amis, acquiesça Linus. Plus ou moins. Des camarades, quoi. Nous avions tous les deux un rêve. Nous avions tous les deux une idée de l'avenir.

– Quel était votre rêve ? demanda Evie, le souffle coupé. Le même que celui du Guide suprême ?

– Non. (Linus secoua la tête.) Mais... (Il expira.) Vous voulez voir mon idée ?

Tous deux opinèrent.

– Bien, venez avec moi.

Il se releva d'un bond léger et quitta la pièce douillette. Evie et Raffy échangèrent des coups d'œil hésitants, puis traversèrent la cour derrière lui, le couloir, passèrent devant la tente des Maudits, pénétrèrent dans une autre cour, puis dans une propriété gardée. Linus sourit lorsqu'il entraîna Raffy et Evie dans l'entrée, leur fit emprunter un autre couloir, puis pénétrer dans une salle immense remplie d'ordinateurs.

Raffy écarquilla les yeux quand il passa les lieux en revue. Il faisait bon dans cette salle, qui bourdonnait du ronronnement des machines en marche.

– Vous en avez tellement ! (Evie souffla.) Combien ? Comment les avez-vous tous transportés jusqu'ici ?

Linus se fendit d'un grand sourire.

– Ce sont mes bébés, déclara-t-il, les yeux brusquement remplis d'affection, de quelque chose qui ressemblait à de l'amour. Il se tourna vers Evie et Raffy, les yeux brillants. Mon idée, reprit-il, c'était un système. Qui pourrait améliorer le monde, en faire un lieu ordonné, où nul ne manquerait jamais de rien, car il aurait anticipé chaque besoin. Où personne n'aurait faim ni ne travaillerait mal en classe, où personne ne serait tyrannisé et où chacun trouverait sa moitié. Tout cela grâce à ce système.

Evie le regarda d'un air dubitatif.

– Comme... celui de la Cité ?

Linus expira et ses yeux s'assombrirent.

– Comme ce que celui de la Cité était censé être, répondit-il avec difficulté. Le système que j'ai conçu.

– Vous avez créé le Système ? s'enquit Raffy, incrédule.

– Je l'ai inventé, acquiesça lentement Linus. Et j'en suis désolé. (Il soupira.) Je ne me le pardonnerai jamais.

Raffy se dirigea vers les machines.

– Puis-je ? s'enquit-il en s'approchant de l'une d'elles.

– Bien sûr.

Raffy posa les mains sur le clavier, se mit à taper ; des fenêtres apparurent, des bases de données, des rangées de chiffres et de lettres qui étaient du chinois pour Evie.

– C'est votre système ? demanda Raffy.

Linus opina. Pour la première fois depuis leur rencontre, il semblait tendu, anxieux, comme si quelque chose l'inquiétait.

– Waouh ! (Raffy respira enfin.) C'est... c'est incroyable.

Et Linus se fendit d'un grand sourire, son visage brusquement semblable à celui d'un petit garçon, en dépit des rides qui le traversaient, et Evie s'aperçut qu'il n'était pas terrorisé, mais désirait simplement l'aval de Raffy, que c'était pour cela qu'il était tendu, et fronçait les sourcils.

— À quoi sert-il ? demanda Evie.

Raffy se retourna, lui tira une chaise.

— Tu vois ces codes ? Un pour chaque personne, interconnecté aux besoins, désirs, diplômes universitaires, licence, maîtrise… tous classés par ordre de priorité, tous inclus dans les ressources des communautés, le temps des gens… c'est incroyable.

Linus haussa les épaules avec pudeur.

— Ça présente ses avantages, répondit-il.

— Mais… (Raffy fronça les sourcils et fit tourner sa chaise.) Comment se fait-il qu'il n'y ait pas d'étiquettes ? Si vous avez construit le système de la Cité ?

— J'ai créé le système original, expliqua Linus, la bouche se contractant nerveusement. Pas celui d'aujourd'hui. Je n'ai pas inventé celui qui étiquète les gens, qui les punit, qui… (Il baissa les yeux.) Celui que j'ai conçu n'est pas celui qui existe dans votre Cité ; il fut institué plus tard, par d'autres. En se servant de mon prototype. C'est le problème des rêves, vous voyez — on les déforme. Personne n'a le même. Et les rêves, quand ils deviennent réalité, ne sont jamais comme vous l'aviez prévu, jamais comme vous l'aviez espéré…

Il se détourna. Evie se leva, alla le rejoindre.

— Et celui du Guide suprême ? s'enquit-elle. Celui-là n'a pas été déformé.

— Pardon ?

Linus la regarda et secoua tristement la tête.

— Vous n'êtes vraiment au courant de rien, n'est-ce pas ?

Evie fronça les sourcils, croisa les bras, sur la défensive. Elle commençait à en avoir assez de Linus, qu'il tourne autour du pot au lieu d'aller droit au but.

– Si, nous savons des tas de choses. Et ce que nous ignorons, c'est ce que vous refusez de nous dire.

Linus la regarda attentivement.

– OK, dit-il. Assieds-toi. Je vais vous parler du rêve du Guide suprême, d'accord ?

Evie opina et alla se rasseoir à côté de Raffy qu'elle dut arracher de force à l'écran de l'ordinateur. Linus les rejoignit.

Il reprit sa respiration.

– Retournons à mon histoire. Donc, nous voilà, le Dr Fisher et moi-même, en train de boire des tonnes de café en songeant que le monde serait vraiment meilleur si nous avions le droit de le diriger. Puis les Horreurs commencèrent. Vous savez pourquoi on les a appelées ainsi ?

– Parce que c'était une guerre et qu'une guerre, ce ne sont que des horreurs, répondit Evie.

Linus fit la grimace.

– Il y en a eu auparavant. Des tonnes de conflits, des morts, de la cruauté, de la destruction. Ça n'a jamais rien empêché. Non, les Horreurs furent appelées ainsi parce que tous les soldats étaient des enfants et que toutes les bombes visaient des civils. Il n'y avait pas de combat, pas de stratégie, juste une tuerie sans merci dont on ne voyait pas la fin. Les gens qui en furent à l'origine n'étaient pas pour qu'elle se termine, ils voulaient tout détruire, tout le monde, et ils y parvinrent presque. On ne peut pas combattre un ennemi comme celui-ci, on ne peut pas non plus se cacher de lui.

– Vous vous êtes cachés, dit Raffy en plissant les yeux. Sinon, comment seriez-vous ici aujourd'hui ?

Linus rit.

– Oui, je me suis caché. Le Dr Fisher aussi. Pendant des années. Cela n'était pas nouveau pour nous. Nous avons vu ce qui se passait et nous savions que c'était notre chance, que le seul moyen d'arriver à comprendre cette horreur, de lui donner un sens, c'était que nous construisions un nouveau monde de paix, d'espoir. Un endroit où les gens n'étaient plus mauvais, où l'on satisfaisait leurs besoins, où ils pouvaient se détendre et vivre au lieu de redouter chaque instant. C'était tout ce que nous désirions. C'était tout ce que nous essayions de faire…

D'une voix entrecoupée, il s'éclaircit la gorge.

– Nous avons donc fondé la Cité.

– Vous ? fit Raffy, sourcils froncés.

– Le Dr Fisher et moi, acquiesça Linus.

Raffy arqua les sourcils.

– Alors, pourquoi ne parle-t-on jamais de vous ? Comment se fait-il que vous ne figuriez dans aucun des *Sentiments* ?

– *Les Sentiments* ? (Linus rit.) Vous êtes en train de me dire que vous écoutez ces foutaises ?

Les yeux d'Evie s'ouvrirent grands et une peur l'envahit, qu'elle essaya de chasser.

– Ne vous inquiétez pas, fit Linus, tout sourire. Votre Système ne peut pas m'entendre. Et il ne peut rien écouter, plus maintenant.

– Comment ça ? demanda Raffy, d'un ton hésitant.

Linus soupira.

– Puis-je finir mon histoire ?

Raffy haussa les épaules.

– Finissez-la, allez-y.

– Merci, répondit Linus, en feignant un ton respectueux. Nous avions donc des adeptes. Les Horreurs étaient terminées et chacun se battait pour avoir à manger, à boire, pour les produits de base. Le monde était un désordre absolu, une guerre tribale. Le Dr Fisher et moi-même exposions notre vision et les gens y adhéraient. Ils voulaient un nouveau sens, une nouvelle chance. Nous avons colonisé ce qui avait été la City de Londres avant les événements, repris les rares immeubles qui tenaient encore debout et les ressources qu'ils abritaient. Il y avait un fleuve, nous avions la base sur laquelle construire. Et nous avions des hommes pour nous aider, qui érigeaient le mur, les maisons, inlassablement, stoïquement. Des hommes qui croyaient en nous, au rêve que nous leur avions promis. Je commençai à inventer le Système. Et Fisher…

Il déglutit. Mal à l'aise, il se mit à jeter des regards nerveux autour de lui.

– Fisher ? l'encouragea Raffy.

Linus baissa les yeux.

– Le Dr Fisher a lancé ses opérations, dit-il calmement.

– A enlevé l'amygdale. Le Nouveau Baptême. (Evie opina.) Tout le monde le fait dans la Cité.

– Alors, c'est vrai ? fit Linus, une note sarcastique dans la voix.

– Oui, répondit Raffy, sourcils froncés. Vous le savez.

Linus secoua la tête.

– Ce que je sais, c'est que les hommes qu'il a opérés étaient transformés en légumes. Mais il refusait de l'admettre. Il m'assura que cela fonctionnerait, qu'il l'avait déjà fait, et quand j'ai découvert la vérité il s'est excusé, a rejeté la responsabilité sur le matériel, sur ses aides, n'importe quoi. Il m'a promis que cela marcherait la prochaine fois, celle d'après. Et il continua, et je ne l'ai pas arrêté. Jusqu'à ce qu'il soit trop tard. Jusqu'à…

Il se tut, la voix entrecoupée.

– Ça a marché, observa Evie avec hésitation. Nous ne sommes pas des légumes.

– Non, concéda Linus. Mais vous n'avez pas non plus subi le Nouveau Baptême.

– Si, répliqua Evie avec véhémence. Ce n'est pas parce que nous nous sommes enfuis que nous sommes mauvais pour autant. Ni que nous n'avons pas subi le Nouveau Baptême. Nous portons les cicatrices. Celles que vous avez ouvertes quand vous nous avez capturés.

Linus ne dit rien. Il se contenta de la regarder d'un air triste.

– Mais… fit Raffy, en portant la main comme Evie à son front, sur sa cicatrice. Ses yeux étaient sombres, ardents de colère. Pourquoi a-t-il continué ? Pourquoi l'a-t-on laissé faire ?

– Parce que nous étions faibles. Parce que nous avons accepté ses excuses. Parce que nous souhaitions autant que lui que cela marche. Il a raconté à tout le monde que l'opération ne fonctionnait pas quand les gens étaient trop mauvais, expliqua Linus avec difficulté. Et ceux qui se sont transformés en légumes, il les a cachés. Nous les avons cachés. (Il enfouit son visage entre ses mains, puis releva les yeux.) Vous ne comprenez pas ? Les gens que votre Guide suprême a opérés… ce sont les Maudits dont vous avez tous si peur. C'est lui qui les a créés. C'étaient des personnes qui croyaient en lui, qui travaillaient pour lui. Et il… (Linus se leva, fit quelques pas. Puis il se redressa, revint, apparemment prêt à poursuivre.) Et il a fini par s'arrêter. Il le fallait. Mais les gens croyaient au Nouveau Baptême, ils devaient y croire, devaient penser que le mal avait été éradiqué. Et… (Il se trémoussait, mal à l'aise, incapable de les regarder dans les yeux.) Le Nouveau Baptême était factice. Les gens croyaient qu'ils avaient été opérés. Une petite incision sur le côté de la tête. En tout cas, je pensais que ce n'était qu'une petite incision… (Il souffla lentement.) Le fait est qu'ils en étaient convaincus. Et ça fonctionna, l'effet placebo.

– Placebo ? fit Evie, en fronçant le nez.

– Racontez à quelqu'un que vous lui administrez un médicament, et il ira mieux. Même si ce n'est que de la sciure de bois, expliqua Linus. Dites aux gens qu'ils sont incapables de faire du mal et ils le croiront de la même façon.

— Donc personne n'a réellement subi le Nouveau Baptême ?

Evie porta la main à son front machinalement. Des milliers de questions traversaient son esprit. Cela pouvait-il être vrai ? Tout ce temps, elle avait été terrifiée à l'idée que son amygdale repousse alors qu'on ne la lui avait jamais enlevée ? Celle de ses parents non plus ? De personne ? Pas même du Frère ? Ni même des A ?

— Surtout pas du Frère, rétorqua Linus d'un ton sinistre. Et quant aux A… (Il laissa échapper un long soupir.) Nous n'en avions pas, à l'époque, le Système n'a pas été construit pour niveler les gens, ni pour les diviser ni pour les juger. Mais pour s'assurer qu'ils avaient ce qu'il fallait, qu'ils étaient satisfaits.

— Alors, personne n'a jamais subi de Nouveau Baptême ? demanda Evie, qui avait toujours du mal à s'y faire.

— Personne. Bien sûr, Fisher n'a pas très bien accepté de ne pas avoir le droit d'opérer. Il était convaincu que s'il continuait simplement ses essais, il arriverait à ses fins. Il n'avait pas l'air de comprendre qu'il détruisait des vies. Nous fûmes donc obligés de l'en empêcher, de l'enfermer. Le Frère – à l'époque, c'était juste Mark – s'était montré d'un grand secours, je pensais que c'était un ami, je lui… ai dit la vérité. Et il a été très bien. Il avait toutes ces idées, il allait renforcer la notion de placebo avec des rassemblements spirituels, il serait le guide spirituel de la Cité, maintiendrait les gens dans le droit chemin. Lui et moi étions les seuls à savoir que les Nouveaux Baptêmes n'étaient pas des vrais. Mais ensuite…

— Ensuite ? fit Evie.

Linus se leva, se mit à faire les cent pas.

– J'avais une équipe formée au Système, je les avais tous formés moi-même. Le Système m'appartenait. Je me moquais de tout le reste. Mais il était bien incapable de ne pas y toucher. Ne pouvait pas résister au pouvoir qu'il lui procurait.

Sa voix était amère, son visage brusquement plein de colère.

– Le Frère ? fit Evie.

Le picotement de peur familier dans sa nuque, le malaise qui la hantait chaque fois qu'elle entendait son nom, ce sentiment d'impuissance, de ne jamais être à la hauteur.

– Le Frère. (Linus opina.) Il voulait tout contrôler. Il a apporté des changements sans me le dire, a introduit l'étiquetage – A, B, C, D. Il a affirmé qu'il était crucial de maintenir l'ordre, qu'autrement il devrait tout déballer à propos du Nouveau Baptême. Et pendant quelque temps, je m'y suis conformé, pensant qu'il faisait cela pour le mieux. Nous parlions de faire entrer plus de monde dans la Cité, elle ne prospérait pas assez vite, il nous fallait plus d'habitants. Nous répandîmes donc la nouvelle qu'il existait une communauté sans danger, que les gens devaient venir. Ils affluèrent par milliers ; chacun était désespéré après les Horreurs, survivre était difficile. Très difficile. Ils pensaient qu'ils y trouveraient leur salut. Et je n'y étais pas étranger. J'ai contribué à diffuser la parole.

Evie ferma les yeux. Elle pouvait encore ressentir la chaleur de son véritable père, l'espoir qui se dégageait quand ils se dirigeaient vers la Cité.

– Mais ils n'acceptèrent que les enfants, murmura-t-elle en ouvrant de nouveau les paupières pour regarder Raffy qui la dévisageait d'un air inquiet.

Elle ébaucha un sourire pour le rassurer, puis se retourna vers Linus.

– Alors, que leur est-il arrivé ? À mes vrais parents ? Ont-ils été tués ?

Elle parla d'une voix éteinte, comme si elle s'en moquait, mais uniquement parce qu'elle ne pouvait pas poser la question autrement, parce qu'elle devait garder ses sentiments en elle au cas où ils la consumeraient.

Linus la regarda d'un air piteux.

– Je ne savais pas, murmura-t-il. Que tu étais arrivée comme cela. Je ne savais pas.

– Et ? fit Evie.

Linus ne croisa pas son regard.

– C'était le marché que le Frère avait conclu avec Fisher en échange du pouvoir. Fisher, votre Guide suprême, avait le droit d'opérer les adultes qui arrivaient. Il se mit à charcuter les gens. Et le Frère… eh bien, il passa à autre chose. Une armée de Maudits pour terroriser les citoyens de la Cité, pour les asservir, pour leur faire si peur qu'ils accompliraient tout ce qu'il leur demanderait.

Evie déglutit, ravala les larmes qui lui picotaient les yeux.

– Mes parents sont des Maudits, dit-elle à sa place. (Ce n'était pas une question, c'était une affirmation. Parmi les gens qu'elle avait si longtemps redoutés se trouvaient ses propres parents, ceux qui s'étaient traînés pendant des jours jusqu'à la Cité pour lui offrir un plus bel avenir !) Et vous les gardiez enfermés ? Vous gardez mes parents prisonniers ici ?

Elle se retourna d'un coup, les yeux étincelant brusquement.

Linus secoua la tête.

– Non, Evie. Ils ne sont pas nombreux, dit-il d'un ton doux. Le peu que nous avons sauvé. La plupart… La plupart sont prisonniers dans la Cité. Il y a un camp à quelques kilomètres. C'est là que les Maudits sont enfermés. C'est là que le Frère les a mis.

Evie hocha fermement la tête.

– Et c'est pour cela que vous êtes parti ?

Linus poussa un profond soupir.

– Si seulement ! répondit-il. C'est à ce moment-là que j'aurais dû m'en aller. Mais je refusais de voir ce qui se passait. Je voulais construire mon système, le rendre parfait. J'ai estimé que la tactique du Frère, à court terme, était nécessaire. Je me suis dit…

Il laissa sa phrase en suspens ; son visage semblait torturé.

– Qu'est-ce qui vous a poussé à partir ? demanda Evie.

Linus croisa son regard, puis, mortifié, baissa de nouveau les yeux.

– Deux choses. Premièrement, Fisher a disparu.

– Le grand Guide ? fit Evie.

Les poils se hérissèrent dans sa nuque.

Linus opina.

– Le Frère m'a raconté qu'il s'était échappé, mais je ne l'ai pas cru. Je me suis dit qu'il y avait eu meurtre.

– Vous pensez qu'il l'a tué ? s'enquit Raffy d'un ton méfiant.

Linus hocha la tête.

– C'est ce que j'en ai déduit.

– Vous l'avez donc affronté ? lui demanda Raffy en se penchant.

Ses yeux étaient aimables pour la première fois.

Linus croisa son regard et son visage se contracta légèrement.

– Non, dit-il en baissant de nouveau les yeux. À ma grande honte. Je pensais qu'il savait ce qu'il faisait. À certains égards, j'étais soulagé.

– Soulagé qu'il ait tué le Guide suprême ? haleta Evie.

— Je ne suis pas fier de moi, mais j'étais soulagé que l'on soit débarrassés d'un homme aussi dangereux, déclara Linus d'un ton calme.

— Alors, qu'est-ce qui a changé ? demanda ensuite Raffy. Quelle était la chose suivante ?

L'expression de Linus se durcit.

— J'ai découvert que le Nouveau Baptême factice était encore plus sinistre que je ne le craignais. Le Frère se servait de l'opération pour implanter des puces dans la tête des gens. Celles dont je vous ai parlé. Des puces pour les surveiller. Pour les relier au Système. Mon Système. Je lui ai donc expliqué qu'il dépassait les bornes. Qu'il devait arrêter, que j'allais raconter à tout le monde que les Nouveaux Baptêmes étaient un mensonge, que les Maudits étaient un mensonge, dire que ce n'était pas grave, qu'ils pourraient toujours avoir Cité dont ils avaient rêvé.

Linus cessa de faire les nt pas.

— Et ? demanda Raffy d'un ton hésitant.

— Et ce fut mon dernier jour dans la Cité. Car le Frère introduisit alors une nouvelle étiquette. E. Il prétendit qu'elle était pour ceux dont l'amygdale avait repoussé, mais non, elle était pour ceux qui, à ses yeux, étaient des ennemis du régime. Ceux qui le menaçaient. Ceux dont il devait se débarrasser sur-le-champ. Les E étaient censément emmenés pour un deuxième Nouveau Baptême, mais ce n'était qu'un mensonge, comme tout le reste. E signifiait Exécutable. Le Frère ne voulait pas le faire tout seul, savait que quelqu'un finirait par le découvrir. Alors il a raconté à tout le monde que l'on me remettait en état, puis il m'a ligoté, m'a laissé dehors à la merci des Maudits pour qu'ils viennent me massacrer. Les Maudits dont on s'occupait, selon ses dires, mais qui, en réalité, étaient prisonniers dans des conditions abominables et traités comme des animaux.

– Mais ils ne vous ont pas tué, chuchota Evie. Vous êtes encore là.

– Non, ils ne m'ont pas tué, répondit Linus d'un ton calme. (Il se tourna vers Raffy.) Parce que ton père est venu me sauver. Ton père m'a sauvé la vie.

17

— Mon père ? (Evie eut du mal à reconnaître la voix de Raffy.) Mon père vous a sauvé la vie ?

— Oui, fiston, répondit Linus. Il faisait partie des pionniers. L'un des hommes qui nous ont donné un coup de main pour construire la Cité. C'était un fervent, il m'a aidé à instaurer le Système. Mais il voyait bien que les choses changeaient, lui aussi. C'était un calme, il ne se mettait pas en colère comme moi. Il a tout deviné à propos des Nouveaux Baptêmes, il n'aimait pas ce que le Frère faisait au Système. Qu'il s'en serve pour surveiller les gens, pour leur faire peur, au lieu de les soutenir. Il a découvert que le Frère envoyait ses hommes à mes trousses et il a risqué sa vie pour m'aider à m'échapper. À l'époque, c'était plus facile, je n'avais pas de puce dans la tête. Mais il savait combien le Frère souhaitait ma mort et il fit en sorte de l'éviter. Et un jour, je veillerai à ce qu'il sache combien je lui suis reconnaissant.

Raffy croisa son regard. Il semblait brusquement plus fort, comme s'il se tenait un peu moins voûté.

— Mon père est passé E quand j'avais quatre ans, déclara-t-il. Si E signifie vraiment Exécutable… alors…

— Ton père est passé E ? Non, c'est impossible ! dit rapidement Linus.

— Pas impossible, riposta Raffy à voix basse. Je pense que je serais au courant.

— Mais… (Le visage de Linus se plissa de confusion.) Mais je sais qu'il est vivant.

— Et moi, je sais que non, répliqua Raffy. Il s'est fait arrêter. Je m'en souviens comme si c'était hier. Le policier est venu le chercher, nous a expliqué qu'il était dangereux, qu'il devait être remis en état, qu'il ne reviendrait jamais car il était faible, parce que le mal en lui était trop fort. Ma mère était là. Elle tremblait. Elle m'a dit que je devrais être bon, sinon ils viendraient me chercher, moi aussi. Elle a dit…

Il ne termina pas sa phrase. Il ne pouvait pas. Tout son corps frémissait. Evie tendit sa main et il la serra fort. Elle se rappelait cette nuit, elle aussi. Se souvenait que, après coup, Raffy avait changé. Que tout avait changé.

Linus chancela. Son expression montrait chagrin, culpabilité, colère, le tout gravé dans les rides de son visage.

— Quand tu avais quatre ans ? s'enquit-il. Ça fait quoi, douze ans ?

— Treize, répliqua Raffy, légèrement sur la défensive.

— Treize, souffla Linus. Soit cinq ans après mon évasion. (Il croisa les bras, fit les cent pas.) Mais si ton père est mort, ajouta-t-il, le visage plissé d'inquiétude, le regard vif, alors qui m'a envoyé des messages tout ce temps ? Qui m'a demandé de prendre soin de toi ? Qui m'a informé lorsque des gens passaient E, afin que je puisse venir les sauver en premier, les mettre en sécurité ?

Evie le regarda fixement.

— Alors, c'est ce que vous êtes ? Vous êtes tous des E ? Tous ?

— La majorité, acquiesça Linus. (Son visage s'assombrit légèrement.) Nous n'arrivons pas toujours ici à temps. Parfois, les Maudits… (Il se tut, s'éclaircit la gorge.) Et parfois nous devons laisser les choses se passer, ajouta-t-il enfin. Sinon, ils nous trouveraient. Sinon… (Il semblait reprendre du poil de la bête.) Le fait est que ton père m'a parlé de toi. Il m'a demandé de te trouver. Comment aurait-il pu le faire s'il était mort ?

— Vous étiez au courant, pour nous ? s'enquit Evie incrédule. Vous saviez que nous étions en fuite ? Alors pourquoi nous avez-vous faits prisonniers ? Pourquoi avez-vous frappé Raffy ?

Linus arqua un sourcil.

— Ce n'était pas un passage à tabac, juste pour que vous n'essayiez pas de vous échapper. Tant que vous n'étiez pas arrivés ici, en sécurité. Que je n'étais pas sûr que les policiers de la Cité aient abandonné leurs recherches. (Il se tourna de nouveau vers Raffy.) Alors, qui communique avec moi ? Je dois savoir.

Il l'attrapa par l'épaule et le regarda fixement. Raffy, impuissant, lui rendit son regard.

— Je ne sais pas. J'ai découvert un dispositif de communication.

— Tu l'as trouvé ? Alors, il est compromis ?

Les yeux de Linus s'écarquillèrent de peur.

— C'est la raison pour laquelle il est passé E, expliqua Evie d'un ton calme.

— Quand l'as-tu trouvé ? Comment ? À qui en as-tu parlé ?

— J'ai détecté une faille. Mais ce n'en était pas une. Je faisais de la maintenance sur le Système. J'ai vu un code bizarre, une activité qui n'avait aucun sens, raconta-t-il, mal à l'aise. Êtes-vous en train de me dire que c'est mon père qui l'a introduit ? Que c'était sa façon de communiquer avec vous ? Et que j'ai tout gâché ?

On aurait dit que Linus ne pouvait plus entendre Raffy, qu'il avait à peine conscience de leur présence.

– Mais ça ne tient pas debout, répétait-il en secouant la tête, les yeux toujours assombris par l'inquiétude. Tu l'as trouvé la semaine dernière ? Qui communiquait donc avec moi ? Qui a remplacé ton père ?

Puis Evie regarda Raffy et Linus. Et elle avança d'un pas, parce qu'elle devina, comprit brusquement tout.

– Lucas, fit-elle d'un ton calme. Il savait. Il faisait cela depuis le début. Il m'a dit que Raffy devait s'enfuir.

– Lucas ? fit Raffy d'un ton railleur. Lucas, c'est lui qui a raconté à tout le monde que j'étais fou, que je n'avais rien trouvé de plus qu'une faille, que je me faisais des idées… (Et en parlant, il se rendit compte de ce qu'il disait, de ce que Lucas avait essayé de faire.) Lucas ? fit-il alors, à bout de souffle. Lucas ? Tout ce temps ?

– Qui est Lucas ? demanda Linus d'une voix agitée. Dites-moi.

– C'est mon frère, répondit Raffy.

– Mais ça ne peut pas être lui ! Il ne devait être qu'un petit garçon quand ton père…

– Il avait quinze ans, expliqua Evie d'un ton calme. Il a arrêté l'école pour aller travailler pour le gouvernement. Tout le monde racontait que c'était parce qu'il avait honte de son père.

– Je croyais qu'il avait honte, rétorqua Raffy d'un ton calme. Je l'ai détesté toutes ces années.

– Il voulait que tu le haïsses, répliqua Evie en mettant une main sur son épaule. Que tout le monde croie qu'il avait honte. Afin que personne ne se doute de rien.

– Ton père a dû le former avant de…

Linus secouait la tête, incrédule.

– Avant de se faire tuer ? fit Raffy, la voix étranglée par l'émotion.

Linus opina fermement.

— Je suis désolé, fiston. (Il mit une main sur l'épaule de Raffy.) C'était un homme bien. Tu ne peux pas imaginer comme je regrette tout ce qui s'est passé. Mais nous vengerons sa mort. Ne t'inquiète pas pour cela. Dis-moi, l'outil de communication est-il compromis ? Le Frère est-il au courant, désormais ?

Raffy secoua la tête.

— Je ne sais pas. Je ne pense pas. Personne ne m'a cru. Lucas a raconté à tout le monde que j'étais fou. Que j'avais introduit une faille et que je me berçais d'illusions sur ce qu'elle pourrait faire. Il m'a enfermé chez nous afin que je n'en parle à personne d'autre, afin que personne ne m'adresse la parole.

— Intelligent, ton frère, observa Linus d'un ton lugubre. Et ensuite ?

— Ensuite, le Système en a fait un E, répondit Evie, une sensation étrange dans le creux du ventre.

Lucas. Tout ce temps. Voilà pourquoi le Système n'avait rien su pour Raffy et elle. Lucas ne lui avait-il pas déclaré qu'il était au courant, qu'il les protégeait ? Il avait dû empêcher le Système de les voir. De découvrir. Tout ce qu'il avait fait, c'était pour une seule raison. Tout. Et elle, tout ce qu'elle avait fait, c'était de le mépriser.

— Puis il est venu m'annoncer que nous devions nous enfuir. Il le prévoyait depuis des jours. Il cherchait la clé de mon père.

— Ton père est vraiment un détenteur de clé ?

Evie hocha la tête.

— Donc, celle que tu possèdes est une vraie ?

— Bien sûr, répondit Evie en la touchant dans sa poche.

Elle ne pensait qu'à Lucas, seul dans la Cité, ses yeux froids cachant le petit garçon en lui. Celui qui avait regardé son père se faire assassiner, qui avait œuvré clandestinement, qui était devenu un homme qui protégeait tout le monde, sauf lui. Linus respira un bon coup, puis expira lentement.

– Bon, dit-il. Nous devons parler à ton frère. Nous devons parler à Lucas.

Lucas vit l'icône clignoter à la minute où il fut connecté ; il avait attendu, espéré, angoissé. Plusieurs longues journées et longues nuits s'étaient écoulées ; des journées passées avec son masque habituel, le sourire vide, l'expression formelle, l'autorité froide qui l'avait si bien servi toutes ces années. Mais la nuit, son masque tombait ; la nuit, les démons faisaient surface, lui disaient qu'il avait abandonné son père, qu'il avait laissé son frère se débrouiller tout seul, qu'il ne le reverrait plus jamais, ne reverrait plus jamais Evie. Evie… Il ferma les yeux une seconde, se ressaisit, au cas où les nouvelles soient mauvaises, où le pire se soit produit. Puis, en vérifiant consciencieusement qu'il n'y avait personne alentour, que personne ne pouvait le voir, que personne ne se douterait de rien, il entra le code pour activer le dispositif.

```
Opérateur. Votre message ?
N'y a-t-il aucun danger ?
Il n'y a aucun danger.
Un monstre vit au Nord, mais où ?
```

Lucas sourit. C'était son père qui avait eu l'idée d'utiliser des mots de passe qui reposaient sur les contes de fées et les mythes qu'il avait racontés en secret à Lucas quand il était petit, et qu'il n'avait partagés avec personne. Quand Raffy eut le même âge, leur père était mort, Lucas avait été incapable de lui raconter les histoires, avait eu peur que son masque tombe, qu'il ne s'effrite. Que Raffy ne soit pas à même de garder le secret, qu'en lui avouant il risque tout. Mais dans quelle mesure s'était-il renié lui-même et avait-il renié son frère ? Trop renié ? Il sentit une larme égarée apparaître dans son œil et la chassa. Elle lui était étrangère à présent, comme si elle appartenait à quelqu'un d'autre.

Loch Ness.

Une pause.

Vous n'êtes pas celui pour qui vous avez voulu vous faire passer. Pour être sûr que vous êtes un ami, pas un ennemi, dites-moi quelque chose que vous seul savez.

Lucas sentit son corps se raidir. Il savait. Linus savait qui il était. Ce qui signifiait... Il respira un bon coup, s'adjura de rester calme, de ne pas laisser le soulagement affluer dans ses veines, pas encore...

Si vous avez qui je pense, demandez-leur de fermer les yeux à présent.

Il attendit.

Parlez-leur de l'arbre. Où ils avaient l'habitude de se retrouver. Personne d'autre n'était au courant.

Une pause s'ensuivit.

D'accord. Et qui suis-je ?

Lucas regarda l'écran, tâcha de trouver quoi dire, comment expliquer qu'il savait, ce qu'on lui avait raconté.

Mon père m'a assuré que vous étiez quelqu'un de bien, un homme qui pouvait changer l'avenir. Il m'a demandé de vous tenir informé. De protéger mon frère. De porter un masque et de ne jamais l'enlever tant que ce n'était pas le bon moment. Il m'a dit que vous me diriez quand ce le serait.

Rien n'apparut à l'écran pendant quelques secondes. Puis :

Votre frère et la fille sont sains et saufs. C'est presque l'heure. Nous nous préparons. J'ai besoin d'informations de votre part.

– Tout ce que vous voulez.

Lucas avait l'impression qu'un feu d'artifice venait de se déclencher dans sa poitrine. Et il se dit que c'était parce que son frère était sain et sauf. Parce que c'était presque l'heure. Mais il savait qu'il y avait autre chose. Quelque chose qui avait toujours été là, qui lui avait permis d'avancer, même si cela avait toujours été impossible, même s'il savait qu'il s'était fait des illusions. Evie. Son Evie.

Il expira lentement.

L'Evie de Raffy.

Cette pensée lui coupa le souffle, tout comme la découverte de leurs petits rendez-vous dans l'arbre lui avait donné le sentiment qu'on l'avait vidé de ses entrailles. Ils se trouvaient avec Linus, ensemble. Ils resteraient toujours ensemble, et Lucas serait toujours seul.

Mais c'était là qu'intervenait le masque. Qu'il se révélait vraiment bénéfique.

Je vous communiquerai toutes les informations que vous souhaitez.

L'heure approche. Code 32. Il y a une pleine lune mercredi prochain. Nous détenons désormais une clé de la Cité. Je vous tiens au courant. Message terminé.

L'icône disparut et Lucas fixa l'écran qui lui avait offert tant d'espoir, sa seule connexion à l'homme pour lequel il avait si longtemps travaillé. Puis il se leva, son expression se durcit quand il sortit de son bureau pour se rendre en direction de l'unité de l'Opérateur Système. Mercredi prochain. Code 32. Il serait prêt. Il attendrait.

Evie sentit une douleur dans son ventre quand Linus coupa l'outil de communication.

— C'était vraiment Lucas ? demanda-t-elle d'un ton calme.

— C'était vraiment Lucas, répondit Raffy, les yeux captivés par l'écran. (Il se tourna vers Linus.) Alors, que se passera-t-il mercredi ? Qu'entendiez-vous par « l'heure approche » ?

— Que… commença Linus, son visage se chiffonnant en un sourire familier, qu'il est temps de rendre une petite visite à votre Cité. De réorganiser les choses de fond en comble.

— Nous rentrons ? demanda Evie, le cœur battant la chamade.

— Non, répondit Raffy. J'ai juré que nous n'y reviendrions jamais. J'ai promis à Evie…

— Je veux rentrer, rétorqua-t-elle à voix basse.

Raffy la regarda fixement.

— Tu veux rentrer ?

— Alors, c'est réglé, lança Linus. Nous attendions depuis longtemps, mais je pense que nous sommes prêts.

— Pour quoi faire ? s'enquit Raffy.

— Pour venger la mort de ton père. Pour montrer le vrai visage du Frère. Pour sauver Lucas et libérer les habitants de la Cité, pour en faire l'endroit qu'elle aurait toujours dû être.

— Mais les policiers… dit Raffy. Comment allons-nous… ?

— Ne te fais pas de souci, l'interrompit Linus. Nous amènerons des amis.

— Des amis ? demanda Evie d'un ton hésitant. Lesquels ?

— Les Maudits, répondit Linus en souriant. Maintenant, venez, nous avons du pain sur la planche.

18

Il fait frais et sombre. Elle sent des bras étrangers autour d'elle, elle a mal à la gorge à force d'avoir pleuré, elle est silencieuse à présent. Elle sent sa tête tomber en avant, ses paupières se fermer. Elle veut dormir. Mais elle se force à les rouvrir. Elle ne peut pas s'endormir maintenant, elle le sait.

Une porte s'ouvre et une lumière en jaillit. Quand elle se referme derrière eux, la voilà enveloppée d'une chaleur étouffante. On la repose, elle se retrouve sur une chaise. Il y a des gens qui la regardent ; ils sont nombreux, elle ignore combien. Ils la fixent, la poussent en avant. Elle ne les regarde pas. Elle fixe ses pieds. C'est quelque chose qu'elle a appris à faire. Ne regarder dans les yeux que si l'on sait ce qu'il se passe, si l'on sait qu'on est en sécurité. Elle a vu de la violence dans sa vie, des hommes tués devant elle, des sauvages prenant des corps humains pour viande. Ses parents ont essayé de lui dire que le monde pourrait être un endroit magnifique, mais elle n'est pas dupe. Elle sait que c'est faux.

– Delphine. Ralph. Vous voulez bien venir, s'il vous plaît ?

L'homme parle. Un couple quitte la foule et se dirige vers lui. Ils s'entretiennent à voix basse. Puis le couple s'approche d'Evie.

– Evangeline ? (L'homme est le premier à parler. Il s'accroupit à son niveau.) Evangeline. Je suis tellement heureux que tu sois là ! Je suis ton père. Voici ta mère. Nous t'attendions.

Evie sursaute. Elle était préparée à bien des choses, mais pas à cela. Elle viole sa règle, lève les yeux. Leurs regards se croisent.

– Mon père, dit-elle. Mon père est…

Elle se tait. Elle ne sait pas comment finir sa phrase, ne sait pas où est son père.

– Je suis ton père, Evangeline, annonce l'homme doucement, mais fermement. On s'occupera de celui avec qui tu es arrivée. Il a besoin de notre aide et tu souhaites que nous l'aidions, n'est-ce pas ? Tu veux que nous aidions tous les gens avec qui tu es arrivée ?

Evie hoche la tête. La chaleur imprègne ses os, elle est enivrante. Elle n'avait pas eu aussi chaud depuis longtemps.

– As-tu faim, Evie ? Et si nous allions chercher à manger ?

Cette fois, c'est la femme qui parle. Ses yeux la scrutent, mettent Evie très mal à l'aise. Elle opine de nouveau. Elle a l'air ravi. Elle tend sa main et Evie la prend.

– Bien, dit l'homme qui la porte dans cette pièce. Bien. Maintenant, veuillez attendre ici. Il y en a d'autres. Veuillez être patients.

Evie se réveilla et regarda autour d'elle. Elle se trouvait dans une toute petite tente aux murs et au plafond en toile crème. Sous elle, il y avait un matelas avec des draps en coton, et à côté d'elle Raffy dormait encore profondément. Sa respiration rythmée offrait un tempo lent. Ils étaient seuls. Depuis leur arrivée, il n'avait plus été question d'être prisonniers, de cordes, de menaces. Et pourtant, Evie avait plus peur que jamais. Pas tant pour elle-même – elle avait cessé de s'angoisser pour son avenir dès qu'elle avait appris la vérité sur son passé – mais pour eux tous. Raffy. Lucas…

– Salut.

Les yeux de Raffy s'ouvrirent et son sourire de guingois habituel apparut sur son visage, faisant rire Evie malgré elle. Le même sourire qui l'avait accueillie dans leur arbre pendant tant d'années, qui l'avait rassurée, réconfortée pour ce qui lui avait paru la vie entière. Raffy avait été son unique point fixe, le seul sur qui elle pouvait compter, à qui elle pouvait parler, se confier. Et pourtant, à présent, derrière les murs de la Cité où ils étaient libres d'être qui ils voulaient… les choses lui semblaient quelque peu différentes.

– Regarde, dit-il. Nous sommes seuls.

Il l'attira contre lui. En s'approchant, elle se détourna, pencha légèrement la tête, et le visage de Raffy rencontra sa nuque au lieu de…

Au lieu de ses lèvres ?

Elle fronça les sourcils, se renfrogna. Avant, ils s'embrassaient tout le temps. Des baisers pleins d'espoir, de désespoir, d'envie. Des baisers qui les unissaient même quand ils étaient séparés. Des baisers qui montraient leur solidarité, leur croyance ardente l'un envers l'autre, leur rébellion contre la vie que l'on avait tracée pour eux.

Mais depuis qu'ils étaient ici, depuis leur arrivée au camp de base, leurs lèvres ne s'étaient plus effleurées autant.

Et Evie savait que ce n'était pas la faute de Raffy, que ce n'était pas lui qui tournait la tête, changeait de sujet, la serrait plutôt dans ses bras, plaisantait. Ce qu'elle ignorait, c'était pourquoi.

Elle ferma les yeux, respira un bon coup. Elle avait rêvé de s'allonger ainsi avec lui, d'un monde dans lequel ce genre de chose serait possible. À présent, en revanche, elle éprouvait un sentiment de claustrophobie dans ses bras, son souffle lui chatouillait le cou, il l'étouffait, la déprimait, alors qu'elle avait besoin de…

Puis elle comprit : c'était ce qu'elle devait faire.

– Raffy, fit-elle d'un ton calme. J'ai quelque chose à te dire.

– Moi aussi.

– Vraiment ?

Evie le regarda d'un air hésitant. Il se fendit d'un grand sourire.

– Je dois te dire que je t'aime. Que tu es très belle.

Il l'attira de nouveau contre lui, l'embrassa ; Evie se surprit à lui rendre son baiser et, quand elle se cambra vers lui, il ôta le vieux tee-shirt dans lequel elle dormait, puis le sien, et la sensation de sa peau contre la sienne fut délicieuse, si dangereuse, si légitime. Quand elle s'allongea, ses yeux cherchèrent les siens et il les fixa avec une telle intensité, une telle profondeur qu'elle se dit qu'il pourrait voir, qu'il savait sans doute déjà, qu'il avait peut-être accepté, pardonné. Puis elle sut que ce devait être le cas, parce qu'il était en elle, qu'ils ne faisaient qu'un, que les battements de son cœur la consumaient, la faisaient sangloter, se raccrocher à Raffy comme à un canot de sauvetage, comme à son sauveur. Elle pleurait, et c'étaient des larmes de joie, mais aussi autre chose ; et quand Raffy les sécha d'un baiser, d'autres vinrent les remplacer jusqu'à ce que ses joues soient mouillées, son cou, l'oreiller sous sa tête.

– Ne pleure pas, Evie, ne pleure pas, murmura Raffy. Tout ira bien. Tout ira bien.

Et elle opina parce qu'elle voulait le croire, parce qu'elle avait besoin de le croire.

— Alors, que voulais-tu me dire ? (Il se fendit d'un grand sourire, roula par terre, l'embrassa de nouveau.) Ma belle Evie, qu'est-ce que c'était ?

Elle ferma les yeux. Puis les ouvrit.

— Il faut que je te raconte quelque chose qui s'est passé. La nuit où nous nous sommes enfuis, ajouta-t-elle, la voix entrecoupée.

Le visage de Raffy s'assombrit légèrement.

— Écoute, je sais ce qui s'est passé cette nuit-là, dit-il en se détournant. Je me suis mépris au sujet de Lucas. Je sais que tu as fait ce que tu devais faire. Je… (Il déglutit et se retourna vers elle.) Écoute, ce n'est pas grave, d'accord ? Nous sommes libres. Nous sommes ici. Nous sommes ensemble.

Evie hocha la tête. Peut-être avait-il raison. Peut-être n'était-ce pas grave. Mais elle savait que si. Il l'aimait. Mais il ne savait pas tout. L'amour n'était pas réel. Pas encore.

— J'ai embrassé Lucas, murmura-t-elle.

Raffy rit.

— Je sais. Je vous ai vus. Ce n'était pas la nuit où nous nous sommes enfuis. C'était au travail. Je vous ai vus, souviens-toi. Ça ne m'a pas plu, mais tu étais fiancée à lui. Tu n'avais pas le choix.

Evie secoua la tête.

— Non, ce n'est pas ce que je veux dire. Ce que je veux dire, c'est que je l'ai embrassé. Le soir où il est venu dans ma chambre. Qu'il m'a annoncé que nous devions nous enfuir.

Raffy ne réagit pas. Son expression ne changea pas. L'espace d'une seconde, d'une délicieuse et bienheureuse seconde, Evie se dit qu'elle s'était peut-être fait du souci pour rien, que Raffy comprenait, qu'il savait qu'un baiser était insignifiant, que… Puis elle vit ses yeux. Ils étaient devenus foncés. Ce n'était pas la compréhension qui paralysait son visage, mais la colère. Une fureur noire, brûlante.

— Tu l'as embrassé ? (Il la regarda fixement, les yeux plissés, brusquement froids.) Tu as embrassé Lucas ?

— Je… je ne sais pas ce qui s'est passé, s'entendit-elle dire, je n'en avais pas l'intention. C'est juste que…

Raffy se leva.

— Je te faisais confiance. Plus qu'à quiconque. Je me moquais bien qu'il n'y ait plus personne au monde tant que tu étais là. Et aujourd'hui… j'apprends que tu as embrassé mon frère ?

Evie se redressa à son tour, enveloppa un drap autour d'elle, tendit les mains à Raffy.

— Je suis vraiment désolée. Je voulais te le dire, t'expliquer. Je t'aime, Raffy. Je n'aime que toi. Mais il fallait que je te le dise, que…

— Tu m'aimes ? Tu ne sais pas ce qu'est l'amour ! cracha-t-il en enfilant les vêtements que Linus lui avait prêtés et qui lui allaient mal. Je ne sais même plus qui tu es.

Evie essaya de nouveau, tâcha de le toucher, de le forcer à la regarder, à lui pardonner, mais il la repoussa d'un coup d'épaule.

— Je… je vais faire un tour, lança-t-il, furieux, en quittant la tente d'un pas décidé.

— Un tour ? Où ?

— N'importe où, l'entendit-elle dire quand il disparut dehors, la laissant retomber comme une masse sur son lit de fortune, sur son oreiller maculé de larmes.

Il fallut une demi-heure à Evie pour se résoudre à sortir de la tente. Une demi-heure d'apathie à faire les cent pas, à repasser la conversation dans sa tête, à sombrer de nouveau dans le désespoir et l'inutilité. Puis enfin elle se sécha les yeux, s'habilla et se rendit aux lavabos communs – des récipients d'eau de pluie – pour s'asperger le visage. Ressasser ce qui s'était passé ne servait plus à rien.

Il n'y avait plus aucune trace de Raffy, de personne. Evie pensait que Linus et lui étaient installés devant les ordinateurs en train de programmer le code, savait que tous les autres prendraient le petit déjeuner sous la tente-réfectoire. Mais Evie n'avait pas faim, ne pouvait pas envisager de manger. Elle se fraya alors un chemin entre les divers chapiteaux, en tâchant de ne pas trop songer à ce qu'elle faisait, mais plutôt à des choses pratiques, normales. Comme les tentes. C'était leur seul logement convenable, leur avait confié Linus la veille. Elles leur offraient une protection et elles étaient portables, faciles à démonter à la hâte. Si la Cité leur procurait une pérennité, avec son mur tout autour et la prédominance de la rivière, le Camp de base était mobile, flexible et adaptable. Parfois, la force ne voulait rien dire quand il fallait s'enfuir, avait-il déclaré. Et ces mots étaient restés en Evie bien qu'elle ne sût pas trop pourquoi. Elle passa devant les tentes, se disant qu'elle ne faisait qu'explorer, trouver son chemin. Mais elle savait que ce n'était pas le cas. Elle savait parfaitement où elle se rendait. Elle avait perdu suffisamment de monde. Suffisamment d'amour.

Puis elle y arriva, devant la tente qu'elle avait vue pour la première fois la veille, celle qui avait empli ses pensées depuis.

« Ce sont les chanceux, lui avait expliqué Linus. Ce sont ceux que nous avons réussi à sauver. Les autres… »

Il n'avait pas terminé sa phrase, avait poursuivi son chemin. Mais plus tard, elle la lui avait fait finir. Plus tard, au dîner, elle l'avait interrogé sur tout. Elle avait vu de la méfiance dans ses yeux, mais elle avait aussi compris qu'il le lui dirait, parce que c'était dans sa nature. Et il lui avait donc raconté que l'on retenait les Maudits dans un autre camp construit par la Cité. Que les gardes qui s'occupaient d'eux – il avait arqué un sourcil en employant une telle expression – les battaient, les mutilaient, les violaient, parce qu'ils n'avaient aucun droit, parce qu'ils étaient le mal incarné, parce que les gardes n'avaient aucun divertissement. Il lui avait confié que de temps en temps on amenait les Maudits dans la Cité le soir, qu'on les laissait entrer pour semer la zizanie, saccager, afin que le peuple continue à les craindre, à redouter ce qui se trouvait de l'autre côté des murs ; qu'il croie que l'homme sans le Nouveau Baptême était destiné à devenir comme les Maudits, cannibale sans foi ni loi, animé d'une seule envie, détruire.

« Je suis désolé, avait-il dit d'un ton calme en tendant la main pour serrer la sienne. Mais tu m'as posé la question. »

Et elle avait hoché la tête, reconnaissante, parce qu'il lui avait dit la vérité, ne lui avait rien caché, contrairement à ce qu'avait fait tout le monde toute sa vie durant. Mais intérieurement, elle avait ressenti une rage comme jamais, une colère qui l'avait consumée, qui la rongeait encore. Leurs mensonges. Leurs horribles, horribles mensonges. Toute sa vie, elle avait eu peur d'être mauvaise, d'avoir le mal en elle, de laisser tomber ses parents, de laisser tomber le Frère. Toute sa vie, elle avait été envahie de culpabilité à chaque transgression, lors de chaque rendez-vous illicite avec Raffy, de chaque pensée moins que généreuse au sujet de Lucas. Et à présent… elle connaissait la vérité. Elle était la fille de Maudits ; ceux-ci n'incarnaient pas le mal mais étaient les victimes du régime cruel de la Cité. Le mal ne vivait pas à l'extérieur de la Cité, mais à l'intérieur, partout en elle, avec ses secrets et sa brutalité.

Elle colla le nez à la fenêtre en plastique : elle vit des gens se reposer sur des matelas comme celui que Raffy et elle avaient partagé. Ne partageraient plus. Elle sentit une nostalgie désespérée la consumer, deux larmes misérables lui picoter les yeux, et elle força sa conscience à retourner dans le présent. Pas maintenant. Pas maintenant.

Les yeux de la plupart des Maudits étaient ouverts, ils étaient réveillés. Mais ils ne seraient jamais plus vraiment réveillés, Evie le savait. Leur conscience leur avait été enlevée. Leur avenir. Leurs enfants.

Une femme s'assit lentement sur son matelas et croisa le regard d'Evie, la même que la première fois. Celle dont le visage chaleureux avait remué quelque chose tout au fond d'elle-même, qui était resté en elle. En la dévisageant, Evie se sentit se réchauffer. La femme sourit, agita la main, se dirigea vers la fenêtre. Hypnotisée, Evie tendit la main, la colla à la vitre ; la femme fit pareil. Elle avait une quarantaine d'années, un peu plus jeune que celle qui s'était fait passer pour sa mère dans la Cité. Elle était plus belle, également, même si ses yeux étaient des ombres, même si sa bouche tombait mollement et qu'elle se déplaçait maladroitement. Ses yeux affichaient une tristesse qu'Evie reconnut, une tristesse qu'elle avait vue se réfléchir dans son miroir chaque jour de sa vie.

– Evie ?

Elle sursauta en entendant la voix de Linus. Il était derrière elle et elle se demandait bien depuis quand. Mais elle ne savait pas non plus depuis combien de temps elle était là.

– C'est l'heure du petit déjeuner, si tu as faim.

– Pas vraiment, murmura-t-elle.

Elle sentait la main de la femme à travers le plastique.

– Viens. Tu veux bien ?

Il la prit par les épaules pour l'entraîner. Evie savait que résister ne servait à rien. Elle lança un dernier sourire à la femme, puis se retourna pour suivre Linus.

– Nous prenons soin d'eux, lui dit-il. Ils sont aussi heureux que possible.

– Je sais, répondit Evie, d'une voix légèrement entrecoupée.

– Et nous arrêterons ce qui est en train de se passer.

– Je sais, répéta-t-elle.

Mais, pour elle, l'arrêter ne suffisait pas, se rendit-elle brusquement compte. Il était trop tard. Parce que personne n'avait empêché que cela n'arrive à ses parents. Personne n'avait empêché que cela mette sa vie en mille morceaux.

– 'Jour ! Bien dormi ?

Martha, assise à côté de Raffy, arborait un sourire radieux – trop radieux, se surprit à penser Evie. Raffy lui avait-il raconté ? Savait-elle qu'Evie l'avait trahi ? La jugeait-elle de la même façon qu'Evie se jugeait ?

– Très bien, merci, dit-elle en souriant et en s'asseyant en face d'eux.

Raffy refusait de la regarder. Il tourna très légèrement les épaules de manière à ne pas la voir. Linus disparut jusqu'au bar et revint avec du porridge et des fruits séchés.

Quand il se rassit, Raffy se leva.

– À plus, marmonna-t-il.

Evie le fixa du regard.

– Cela devrait te remonter pour la journée, lança Linus en déposant le porridge devant elle.

Son sourire plissa son visage, un sourire devenu tellement familier à Evie qu'elle avait l'impression de le connaître depuis des années.

Elle le prit avec reconnaissance et se mit à manger, surprise de découvrir qu'elle avait faim, en fin de compte.

– Tout va bien ? demanda Martha, les yeux pleins d'inquiétude. Tu n'es pas comme d'habitude.

– Ça va, mentit Evie.

Elle se tourna vers Linus. Elle ne voulait pas de la sollicitude de Martha. Elle voulait de la distraction. Elle refusait de penser à Raffy, de sentir ce trou immense et douloureux dans son cœur dont elle était la seule responsable.

– Où cultivez-vous tous vos aliments ? demanda-t-elle. Où sont vos animaux ?

Linus échangea un sourire ironique avec Martha.

– Nous faisons pousser ce que nous pouvons derrière. Et nous possédons quelques chèvres. Mais en grande partie, nous sommes des fourrageurs.

– Des fourrageurs ? fit Evie en fronçant les sourcils.

– Il veut dire que nous cherchons la nourriture, expliqua Martha.

– Des baies, ce genre de chose ? fit Evie.

Linus se fendit d'un grand sourire.

– Des baies, des écureuils, du blé de la Cité…

– Du blé de la Cité ? fit Evie, hésitante. Mais comment pouvez-vous le transporter jusqu'ici ? Vous n'en aviez pas la dernière fois, et pourtant vous étiez tout près quand vous nous avez attrapés.

Elle scruta Linus, décela une espèce d'étincelle dans son œil et sentit qu'elle s'emportait.

– Si vous ne voulez pas me dire la vérité, très bien, fit-elle d'un ton mordant. C'est vrai, quoi, pourquoi y seriez-vous obligés ? Personne ne l'a jamais fait.

Martha la regarda fixement, les yeux écarquillés de surprise, mais Linus posa sa main sur la sienne et la serra doucement.

– Evie, nous ne te cachons rien. Martha et moi plaisantions entre nous, c'est tout, mais rien de secret. Il y a des choses que tu ignores sur ta Cité. Je sais qu'elle se targue d'être autarcique, mais ses petites étendues de terre ne suffisent pas à entretenir la population.

– Alors où trouvent-ils à manger ? s'enquit Evie, mais en posant la question elle se rendit compte qu'elle connaissait la réponse. Le camp, murmura-t-elle. Ils font travailler les Maudits.

– Nous préférons les appeler les « accidentés », dit Linus d'une voix calme. Mais oui, en un mot.

– Et vous volez la nourriture ?

– Nous… facilitons sa distribution, répondit Linus, les yeux brillant légèrement.

Evie contempla le porridge devant elle ; d'un seul coup, elle n'avait plus faim. Elle repoussa son bol.

– Tu n'en veux pas ? demanda Linus, la voix teintée d'inquiétude.

– Vous vous servez d'eux, vous aussi, rétorqua Evie calmement. Ils vous nourrissent, comme la Cité. Je pense que je ferais mieux de partir chercher des baies, si cela ne vous dérange pas.

Linus hocha la tête. Puis il traîna sa chaise en arrière.

– On peut voir les choses comme ça.

– On peut les voir autrement ? fit Evie avec raideur.

Linus haussa les épaules.

– Les accidentés travaillent pour la Cité. Ils n'ont pas le choix. Ceux que nous avons sauvés, ceux qui sont ici ne travaillent pas. On prend soin d'eux. Nous ne faisons pas partie du régime, mais nous le gênons. Nous volons la nourriture parce que ça énerve le Frère, parce que s'il y a des pénuries, cela remet en question ses qualités de chef. Parce qu'il nous faut à manger pour constituer nos armées, pour combattre le mal qui a corrompu la Cité. (Il parlait doucement, mais elle savait qu'il était loin d'être calme. Evie l'observa attentivement, regrettait de ne pas pouvoir s'exprimer aussi bien, aussi posément quand au fond d'elle elle avait l'impression qu'un ouragan la cernait.) Nous volons la nourriture, poursuivit Linus sans la quitter des yeux, parce que comme ça, les gardes qui gouvernent les mutilés d'une main de fer, qui les traitent avec mépris et cruauté sont punis pour le vol et c'est un moyen de leur rendre justice. Mais le véritable moyen de rendre justice, c'est de remporter la guerre que nous menons. C'est de reprendre la Cité, de dire la vérité à ses citoyens, d'arrêter le Guide suprême une fois pour toutes. Et pour cela, il nous faut des forces. Je ne suis pas au camp de base pour construire une nouvelle cité, pour établir des fermes. Je suis ici pour mener une guerre.

Il passa la main dans sa poche arrière, en sortit quelque chose. Un revolver, le même que celui avec lequel Evie l'avait vu la première fois, lorsqu'il les avait capturés, Raffy et elle, quand elle ne savait pas qui il était, ce qu'il voulait. Il l'observa regarder l'arme, puis la rangea.

– Et toi, Evie ? fit-il. Es-tu ici pour mener cette guerre ?

La question resta en suspens quelque temps, sans qu'aucun des deux ne bouge. Puis lentement, délibérément, Evie attira le bol vers elle et en prit une bouchée.

– Bravo ! (Linus se fendit d'un grand sourire.) Maintenant, dépêche-toi, parce que nous avons du boulot. Martha et toi, vous vous occupez de la logistique et des emplois du temps. Qui sera où, quand et comment. La Cité ne saura pas ce qui lui arrivera, mais nous devons être parés. OK ?

– OK. (Evie opina, sentant Linus lui adresser un sourire rassurant.) Nous serons prêts.

19

Le Frère regarda l'écran devant lui, tâchant de réprimer une colère noire et de garder la face froide et détendue, alors qu'à l'intérieur il était en ébullition. Quelle trahison ! Quelle trahison terrible et brutale ! Il aurait dû s'en douter. Il s'en voulait. Non, il ne s'en voulait pas. Pas du tout. C'était hors de propos, de toute façon. Ce qui comptait, c'était la punition, la justice, la défaite de ceux qui pensaient pouvoir le défier, défier tout ce qu'il avait construit au prix de tant d'efforts. Il était le Frère et ils n'étaient… rien. Des sauvages. Des fouines pathétiques. Et tous sous l'emprise de Linus, ce pleurnichard qui croyait pouvoir changer le monde en donnant aux gens ce qu'ils souhaitaient. Ils ne savaient pas ce qu'ils voulaient ! Ils ne savaient jamais. Il fallait qu'on le leur dise. Ils avaient besoin d'être guidés. Et le Frère les avait guidés. Il les avait bien guidés. Ils étaient en sécurité. Ils étaient ordonnés. Ils étaient heureux…

Il entendit le coup à la porte et sursauta, puis s'empressa de se reprendre. Il était pile à l'heure. Bien plus mou que le coup de Lucas, bien trop hésitant à son goût ; mais il pourrait y remédier.

– Ah, Sam, entre.

Le jeune homme paraissait inquiet, soucieux. Il croyait qu'il avait des problèmes, songea le Frère, et cette idée le fit sourire.

— Asseyez-vous, je vous en prie, dit-il en lui montrant les chaises de l'autre côté de son bureau. (Sam s'installa à contrecœur, les muscles de ses jambes toujours tendus, tout son corps penché en avant.) Depuis combien de temps déjà travaillez-vous pour l'unité Système ?

— Cinq ans, répondit-il.

Le Frère hocha lentement la tête.

— Et, à ce que je sais, vous êtes le meilleur technicien.

Sam rougit.

— Je fais de mon mieux, affirma-t-il, mal à l'aise. Lucas a été un excellent professeur. Je fais de mon mieux, répéta-t-il.

— Et c'est tout ce que je demande, répliqua le Frère en lui adressant un sourire aimable, celui dont il gratifiait ses fidèles lors du rassemblement. En tout cas, c'est tout ce que je demande d'habitude. Mais parfois, on a besoin de plus. Parfois, nous sommes amenés à faire beaucoup plus, à nous montrer à la hauteur de la situation, pour servir notre grande Cité. Pensez-vous, Sam, pouvoir relever ce défi ?

Les yeux de Sam étaient écarquillés, ses jambes tremblotaient, comme s'il n'arrivait pas à les maîtriser.

— Je… je… ferai ce que je peux, parvint-il à dire. Tout ce que je peux pour notre grande Cité, Frère.

— Bien, lança le Frère en souriant de nouveau. Parce que parfois, des choses arrivent. Des choses terribles. Parfois, nous découvrons que le mal est autour de nous, là où nous ne l'aurions jamais imaginé. Parfois, nous nous apercevons que le Système nous met à l'épreuve, que nous devons agir pour montrer notre attachement au bien.

— Oui, Frère, dit Sam, bien qu'on pût deviner à son expression qu'il ne voyait pas du tout de quoi il parlait.

— Alors, c'est décidé, acquiesça le Frère en hochant la tête. (Il se pencha.) J'ai un changement de système à vous demander, Sam. Que vous ne devez partager avec personne, compris ?

— Bien sûr.

Le Frère lui donna une enveloppe.

— Ouvrez-la, dit-il. (Sam la prit à contrecœur, ses mains tremblaient quand il réussit à la déchirer maladroitement.) Maintenant, lisez-la.

Il regarda attentivement les yeux de Sam se transformer en soucoupes, son tremblement s'amplifier, au point que le Frère se demanda s'il n'allait pas tomber de sa chaise.

— Vous comprenez ce que je veux dire quand je vous prie de n'en parler à personne ?

Sam opina.

— Lucas ? murmura-t-il, incrédule, désespéré. Mais comment… je…

— Nous n'avons pas à poser ce genre de questions, répliqua le Frère d'un ton ferme. Montrons plutôt notre engagement et notre détermination. À nous d'être forts. D'accepter. De nous rendre compte que nous devrons redoubler de vigilance. Comprenez-vous, Sam ?

Sam hocha piteusement la tête.

— Et un acte si fort et si courageux sera récompensé, ajouta alors le Frère en se levant, lui indiquant qu'il était temps de prendre congé. Je devrai bientôt me passer de mon second, de mon chef Système. J'aurai besoin de quelqu'un pour occuper ce poste, Sam. Quelqu'un sur qui je peux compter.

Sam croisa son regard, comprit ce qu'il disait.

— Vous pouvez compter sur moi, déclara-t-il en refermant le dossier et en se dirigeant vers la porte. Merci, Frère.

— Et merci, Sam. À mon avis, un changement d'étiquette sera bientôt généré par le Système en votre faveur. Je pense que vous serez ravi d'être un A.

Il sourit en lui-même lorsqu'il vit Sam se redresser légè-rement et l'assurance se répandre brusquement sur lui.

— Merci, Frère, dit Sam en hésitant à la porte, presque en murmurant.

— Remerciez le Système, répondit le Frère. Comme vous le savez, je ne peux que vous guider. C'est le Système qui récompense ceux qui font preuve de loyauté et de bonté.

Sam opina d'un air grave, puis s'en alla, laissant le Frère de nouveau seul. Celui-ci poussa un profond soupir, releva les mains pour soutenir sa tête, puis ferma les yeux pour son somme de milieu de matinée.

Evie ne vit quasiment pas Raffy de toute la matinée. Soit il se terrait avec Linus dans la salle Système, soit il l'évitait, probablement les deux, se dit-elle. Pendant ce temps, elle restait avec Martha, planifiait leur invasion de la Cité minute par minute. Le mot « invasion » lui semblait étrange — envahir l'endroit qu'elle avait tou-jours considéré comme chez elle. Mais elle savait que ce n'était pas chez elle, que ça ne l'avait jamais été. Linus avait l'intention de détruire le Système qui avait changé la propre nature des choses ; elle se surprit à vouloir démolir la Cité même. Puis elle se força à se souvenir que tout le monde dans la Cité n'était pas corrompu. Elle s'en voulait, et du coup elle en voulait à tout le monde, pour tout. Elle dut réprimer sa colère, la voracité de la haine et de la fureur qui menaçaient de la consumer lorsqu'elle leur laissait libre cours, qu'elle s'autorisait à ressentir ses émotions au lieu de les bloquer, de se concentrer sur le boulot du jour, de chasser de sa tête ce qui était arrivé à ses parents, ceux qui l'avaient aimée, ceux qui l'avaient amenée dans la Cité pour une vie meilleure.

La Cité du bien.

Comme cette description paraissait vide, désormais !

Comme tout semblait vide, désormais...

– Donc, une fois que nous nous serons rendus au camp des Maudits, nous entamerons la marche en direction de la Cité. Il faudra amener tout le monde, simplement pour que les accidentés respectent un semblant d'ordre, mais dès que nous serons dans la Cité, dès que les accidentés entreront, seulement dix d'entre nous passeront la porte, les autres se retireront et iront se réfugier dans le désert.

– Que leur arrivera-t-il ? demanda Evie à Martha.

– Ils resteront cachés jusqu'à ce que nous leur disions de...

– Pas eux, l'interrompit Evie. Les accidentés. Les Maudits. Qu'adviendra-t-il d'eux ?

– Ils détourneront l'attention de la police afin que nous puissions...

– Donc nous nous servons d'eux, exactement comme la Cité le fait, déclara Evie froidement.

Elle se haïssait brusquement de ne pas être accidentée, d'être assise là au Camp de base à planifier quelque chose, alors qu'eux ne pouvaient rien faire, ni penser ni ressentir. Elle se détestait, mais elle maudissait encore plus le Frère, le Guide suprême, ceux qui étaient à l'origine de tout cela.

Martha la regarda d'un air inquiet.

– Nous travaillons ensemble, dit-elle d'un ton patient. Si nous entrons, si Linus et Raffy désactivent le Système et le réforment, si nous informons tout le monde de ce qu'il se passe, alors il n'y aura plus de Maudits. Plus d'accidentés. Nous avons besoin de leur aide pour entrer. Je pense que s'ils savaient ce que la Cité leur a fait, ils seraient de notre côté, tu ne crois pas ?

Evie fit la moue.

– Mais être de notre côté ne signifie pas être ravi de servir d'appât, dit-elle.

Elle voulait voir Raffy. Implorer son pardon. Qu'il la regarde de nouveau comme ce matin. Elle désirait se sentir entière comme quand ils avaient fait l'amour, sentir ce regain d'espoir, de foi. Elle souhaitait que le soleil revienne, vienne réchauffer ses os. Mais tout ce qu'elle voyait, c'étaient des ombres.

– Non, acquiesça Martha. Mais parfois la guerre signifie que nous affrontons des décisions difficiles. Les accidentés dans les camps sont traités affreusement. Inhumainement. Si nous avons de la chance, on s'occupera correctement de ceux qui survivront à l'attaque. Et il n'y en aura plus. Il n'y aura plus de boucherie. Ça doit valoir la peine, non ?

Evie hocha silencieusement la tête. C'était une réponse logique.

Remarquez, la Cité était pleine de logique. De logique, de systèmes et d'ordre.

La tente se rouvrit en froufroutant et Raffy entra, faisant tressaillir Evie, lui serrant le cœur quand elle le regarda, les yeux remplis d'espoir. Mais il l'ignora. Linus entra derrière lui.

– Comment ça se passe ? demanda-t-il.

– Super, répondit Martha en souriant. Comment Raffy se débrouille-t-il avec le Système ?

– C'est inné chez lui, déclara fièrement Linus.

Martha arqua un sourcil.

– Inné, hein ?

Raffy la gratifia d'un grand sourire.

– Le système de Linus est génial ! expliqua-t-il en s'asseyant le plus loin possible d'Evie. Il a inventé un virus qui désactivera complètement le Système de la

Cité pour que nous puissions le reconstruire comme il doit l'être. Il est fantastique. Il peut deviner lorsque quelqu'un a besoin de compagnie ou que quelqu'un va mal ; il peut même créer des jeux quand on s'ennuie. Si chaque maison possédait un ordinateur, il pourrait combler les besoins de chacun. Vous imaginez ?

Les yeux de Raffy brillaient et Evie se surprit à lui sourire, mais il ne la vit pas. Ou peut-être décida-t-il de ne pas la voir.

– Alors, vous deux, que faisiez-vous ? demanda Linus.

Evie tâcha de dissimuler la douleur qui vibrait dans son cœur, sa tête, son corps. Raffy ne lui pardonnerait jamais. Elle l'avait perdu, c'était bien fait pour elle.

– Nous travaillions sur les chiffres, dit-elle.

Martha lui adressa un petit sourire.

– Nous avons préparé les sacs à dos, rédigé les emplois du temps, à supposer que nous serons au camp des Maudits à 17 heures et que nous en ressortirons à 18 heures.

– Ça m'a l'air à peu près ça, répondit Linus, en hochant lentement la tête. Donc, entrer dans la Cité quand il fait nuit ?

– Et une fois que tout le monde sera rentré chez soi, observa Martha.

Linus sourit.

– Palpitant, non ?

Il regarda Evie, qui feignit l'enthousiasme.

– Ouais, parvint-elle à dire.

– Bien, s'exclama Linus en se frottant les mains. D'après l'emploi du temps de Martha, nous devons partir d'ici vers 15 heures ? 16 heures ?

– 15 h 30, répondit Martha.

– Donc je pense que déjeuner est notre priorité, lança Linus. On ne peut pas avoir le ventre qui gargouille, n'est-ce pas ?

– Sûrement pas. (Martha lui rendit son sourire et se leva.) Evie, tu veux venir avec moi pour voir si nous arrivons à convaincre quelqu'un de cuisiner pour nous ?

– Bien sûr.

Evie se leva d'un bond. Raffy recula légèrement quand elle passa devant et elle eut l'impression de recevoir un coup de poing dans l'estomac.

– Donc, les cuisines, dit Martha une fois qu'elles furent sorties de la tente.

Evie hésita.

– Je vais… aux toilettes, lança-t-elle.

– D'accord, cria Martha. À tout à l'heure !

Evie ne bougea pas pendant une seconde ou deux, respira un bon coup, s'assura que personne ne la voyait, puis s'éloigna peu à peu des cuisines, de Raffy et de Linus, des toilettes. Elle terminerait ce qu'elle avait commencé. Elle n'avait plus rien d'autre, à présent.

Elle descendit le sentier couvert, passa devant les tentes-dortoirs, puis la tente-système jusqu'à ce qu'elle se retrouve devant celle des Maudits et regarde, pleine d'espoir, par la fenêtre. Immédiatement, la femme apparut, comme si elle avait deviné qu'elle viendrait, comme si elle l'avait attendue. Elle alla vers la fenêtre, Evie tendit la main, la sentit appuyer sur le plastique, et elle perçut quelque chose de plus puissant que la haine, que la colère. Elle savait. Elle savait tout au fond d'elle qui était cette femme.

Elle s'approcha de la porte. Sourit à Angel qui faisait office de garde et « protégeait les accidentés », comme dirait Linus.

– Je crois que Martha a besoin de ton aide, déclara-t-elle.

Angel fronça les sourcils.

– Tout de suite ?

Evie fit une grimace hésitante, se dirigea vers lui, baissa la voix.

– Elle manque de conseils d'expert sur le transport des accidentés. Je peux rester ici si tu veux. Pendant que tu vas la voir.

Angel n'eut pas l'air convaincu. Evie s'arma de courage.

– Ou je pourrais lui dire que tu ne peux pas venir ? suggéra-t-elle. Mais elle est vraiment débordée. Linus aussi…

Les yeux d'Angel avaient presque disparu derrière son front plissé. Il regarda autour de lui, inquiet.

– Je ne sais pas trop si je peux les laisser, souffla-t-il.

– Juste cinq minutes ? Je serai là, répondit Evie, quelque peu irritée.

Elle remarqua le roulement des clés dans la main d'Angel. Puis son regard se posa sur les chaînes et cadenas qui verrouillaient la porte de la tente. *Protégés* ? Ils n'étaient pas protégés. On les gardait prisonniers, oui.

– D'accord.

Evie mit quelques secondes à comprendre qu'il avait cédé.

– D'accord. Toi, tu restes ici.

– Bien sûr, acquiesça-t-elle.

– Je ne serai pas long.

Il se mit en route. Evie enfonça ses ongles dans ses paumes pour se donner du courage.

– Et si tu me laissais les clés ? suggéra-t-elle.

– Les clés ?

– Au cas où quelque chose se passerait mal ? Je ne vais pas m'en servir, évidemment, mais elles doivent demeurer près des portes à tout moment, non ? Ce n'est pas ce que Linus a dit ? Écoute, je ne te demande pas ton revolver. Juste les clés. Au cas où. Nous sommes du même bord, Angel. Tu ne me fais pas confiance ?

Angel marqua une pause, pensif, inquiet. Enfin, il hocha la tête, retourna auprès d'Evie, pour lui tendre son trousseau. Puis, lourdement, à contrecœur, il redescendit le sentier, ne se retournant qu'une seule fois. Evie lui adressa un sourire et se mit exactement à la même place que celle qu'il occupait ces dernières heures.

Ce ne fut que lorsqu'il tourna au coin, une fois qu'elle fut sûre qu'il ne faisait pas demi-tour, qu'elle avança vers la porte, sortit les clés, en essaya une, puis une autre, et encore une, jusqu'à ce qu'elle trouve la bonne, que les cadenas s'ouvrent, qu'elle entre dans la tente.

La femme l'attendait, les bras tendus. Evie put discerner cette expression dans ses yeux, la même que la sienne.

– Mère, murmura-t-elle quand elle lui prit les mains, toucha ses bras, la serra contre ses seins.

Ses mouvements saccadés semblaient difficiles à contrôler, mais Evie s'en moquait. Elle se fichait de tout le reste, du Système, du Frère, de Linus et de ses projets. Elle avait retrouvé sa mère. La femme qui l'avait portée, élevée, qui avait parcouru des kilomètres pour dénicher un endroit où vivre sans danger, dont la vie avait été changée à tout jamais par le Guide suprême et ses expériences cruelles et abominables.

– Je m'appelle Evie, parvint-elle à dire en dépit de ses larmes.

Elle voyait une foule se rassembler, les autres accidentés se diriger vers elles, curieux, leurs yeux écarquillés ne la craignant plus parce qu'elle était des leurs, parce qu'ils n'étaient pas des Maudits, juste une conséquence.

– Je m'appelle Evie et je crois que je suis ta fille.

La femme posa les mains sur ses épaules, la repoussa de quelques centimètres, puis sourit. Ce n'était pas un sourire affectueux, il était maniaque, un sourire dément, pourtant Evie y décela de la beauté. Elle distingua derrière le regard fou et fixe l'âme qui s'y cachait. L'âme solitaire et désespérée d'une mère méprisée.

– Ils nous ont menti. Ils nous ont menti à tous, dit alors Evie, ses propres yeux implorant sa mère, l'adjurant de comprendre. Mais je t'ai trouvée. Je suis là maintenant. Tu es en sécurité.

– En sécurité, répéta-t-elle, le mot à peine déchiffrable.

– En sécurité, recommença Evie, tout excitée, leur première véritable communication, le premier signe qu'elle la comprenait. Je ne retournerai pas à la Cité. Je resterai ici avec toi. Je m'occuperai de toi. Je vais…

Le mouvement fut trop rapide pour qu'elle réagisse. Trop inattendu pour qu'elle y soit préparée. Evie ne sut même pas comment il était arrivé, mais elle se retrouva brusquement serrée comme dans un étau, le coude de sa mère s'enfonçant dans sa clavicule. Evie se força à rester calme ; sa mère avait peur. Elle avait besoin d'être rassurée. D'autres accidentés se dirigeaient vers la porte. Evie s'aperçut trop tard qu'elle ne l'avait pas refermée à clé, qu'ils l'ouvraient, hurlaient de bonheur en tirant sur la fermeture Éclair. Une débandade ne tarda pas à s'ensuivre quand ils se bousculèrent.

– Tu es en sécurité, répéta Evie en essayant de ne pas se faire piétiner. Tu n'es pas obligée de me faire du mal. Je suis de ton côté. Je suis là pour t'aider. Je suis là pour…

– Cité ! hurla sa mère. Cité !

– Non, dit Evie en tâchant de desserrer son étreinte qui l'empêchait de respirer. (Elle devait arriver à la porte avant que les autres ne sortent. Devait calmer sa mère. Peut-être que parler de la Cité avait fait ressurgir des souvenirs terrifiants.) Non, nous ne sommes pas dans la Cité. Tu es en sécurité ici, tu…

– Cité ! hurla de nouveau sa mère alors que l'on ouvrait et que les accidentés se déversaient au-dehors, leurs hurlements résonnant dans le couloir couvert et lui rappelant ceux des Maudits qu'elle entendait depuis sa chambre quand elle était petite.

Elle parvint à réprimer sa peur, se souvint que c'était différent, qu'ils étaient différents, qu'*elle* l'était.

Mais l'étreinte de sa mère se resserrait de plus en plus, au point de devenir insupportable ; ses réserves en oxygène diminuaient et les autres accidentés quittaient tous la tente. Evie haleta, entendit des voix, des hurlements furieux venant des accidentés. Puis la porte se rouvrit et Angel entra, flanqué de Linus et Martha. Derrière eux, d'autres hommes ramenaient les accidentés à l'intérieur, leur maintenaient les mains dans le dos, tandis qu'ils se démenaient et donnaient des coups de pied.

La mère d'Evie leva les yeux, l'entraîna avec elle et la fit pleurer de douleur alors que la pression s'intensifiait sur sa gorge.

— Cité ou meurt. Cité ou elle meurt.

— Annabel, lâche la fille.

C'était Linus qui parlait. Evie l'entendait à peine. Son esprit s'assombrissait, des étoiles apparaissaient devant ses yeux. Angel et lui approchaient. La mère d'Evie resserra son étreinte.

— Amenez-moi dans la Cité ou elle meurt.

— Tu n'iras pas dans la Cité, Annabel, dit Linus.

Puis Evie sentit qu'on l'étranglait, et elle fut sûre et certaine d'être morte, que l'obscurité était ultime, que tout était terminé. Mais brusquement la pression se relâcha, elle eut des haut-le-cœur, des bras se retrouvèrent autour d'elle ; malade, elle haletait comme une folle, et elle était vivante, et la douleur sur son cou la faisait pleurer, mais elle repoussa tout de même les bras, car elle savait que ce n'étaient pas ceux de sa mère, qu'elle devrait la trouver, lui expliquer encore…

Elle virevolta sur elle-même, chercha les accidentés des yeux à travers la confusion des hommes. Raffy courut vers elle.

– Evie ! cria-t-il. Evie, tu vas bien ? Que s'est-il passé ? Que...

Elle secoua la tête.

– Ma mère... essaya-t-elle de dire. (Mais sa voix lui faisait défaut.) Ma mère...

– Ta mère ? Tu penses que c'est ta mère ?

C'était Linus qui parlait. Derrière lui, Evie vit Angel qui tenait sa mère. Toute la lumière avait disparu de ses yeux, son corps se relâcha.

– Que lui avez-vous fait ? demanda Evie, furieuse. Que lui avez-vous fait ?

– Donné un sédatif, expliqua Linus, en cherchant son regard et en évitant de la laisser regarder ailleurs. Tu croyais que c'était ta mère ?

– Je le sais, répondit amèrement Evie. Je vais m'occuper d'elle. Je vais prendre soin d'elle. Vous empêcher de lui administrer des médicaments dès qu'elle se met en colère. Nous allons prendre soin l'une de l'autre.

– Tu l'estimes capable de prendre soin de toi ? souffla bruyamment Linus. Angel, mets-la au lit. Evie, viens avec moi, je te prie.

Il n'attendit pas sa réponse, il la prit par le bras, la fit sortir de la tente, puis s'asseoir, et lui donna de l'eau.

– Tu veux sauver cette femme ? Tu veux t'occuper d'elle ?

– Ce n'est pas « cette femme ». C'est ma mère, répondit Evie en s'affaissant. (Des larmes ruisselaient sur son visage, des larmes de frustration, de colère, de solitude.) Je sais qui c'est. Pourquoi refusez-vous de l'admettre ? Qu'est-ce que ça peut vous faire, de toute façon ? Tout le monde s'en fiche.

– Pas moi, parce que ce n'est pas vrai, dit Linus en se rasseyant et en la prenant dans ses bras.

Comme elle se raidissait, il ôta son bras.

– Comment le savez-vous ? (Evie virevolta sur elle-même, les yeux étincelant de colère.) Comment le savez-vous ?

– Parce qu'elle est arrivée chez nous il y a un an seulement, expliqua alors Linus, le visage brusquement attristé, les yeux plus sombres. Parce que… (Il s'arrêta, mit brièvement sa tête entre ses mains, puis se retourna vers Evie.) Evie, ce n'est pas ta mère, je le sais. Mais même si c'était le cas… même si nous la retrouvions… Il faut que tu comprennes. Les accidentés ne sont pas humains. Pas comme nous. Quand on leur a enlevé l'amygdale, c'était censé ôter le mal de leur cerveau, les rendre bons. Mais en réalité, ça supprime tout. Toute moralité, toute idée du bien et du mal, de cause et d'effet. Les accidentés sont… accidentés, Evie, irrémédiablement accidentés. Annabel est l'une des plus évoluées, ou des moins brutalisées, tout dépend de quel côté tu te places. Elle a des désirs, ce qui n'est pas le cas des autres.

– Des désirs ? Ça fait donc d'elle une humaine, chuchota Evie. Quelqu'un comme nous.

– Non, murmura Linus. Non, ça la rend juste dangereuse. Parce qu'elle n'a qu'un seul désir, celui de retourner dans la Cité. Elle pense que nous l'avons enlevée, que nous l'empêchons de revenir dans la ville où elle a si longtemps désiré aller. Elle ignore ce qui lui est arrivé là-bas. Et qu'ils l'ont jetée dehors.

– Je peux lui expliquer, dit Evie d'un ton hésitant. Je peux lui faire comprendre…

– Elle allait te tuer, répliqua alors Linus d'un ton sérieux, la fixant brusquement avec intensité. Elle allait te tuer. Ça montre combien elle veut retourner dans la Cité. Tu comprends ? Elle s'est servie de toi comme appât.

– Non. (Evie secoua la tête, les larmes ruisselant sur son visage.) Non.

– Si, dit Linus en posant sa main sur la sienne. Voilà pourquoi nous devons rentrer dans la Cité. Voilà pourquoi nous devons changer les choses. Nous battre. Pour tes parents. Pour tous les autres accidentés. Pour tous les D, les E et pour toute la misère que le Système du Frère a provoquée.

– Et mes parents ? demanda Evie d'un ton de défi.

Linus expira lentement.

– Tes parents, s'ils sont encore en vie, ne sont pas en mesure de jouer leur rôle.

– Non, dit Evie, à voix basse. Non, ce n'est pas vrai. Vous voulez juste me faire penser ça pour que je vous aide à réaliser votre plan. Pour que je vous donne la clé de la Cité. Eh bien je ne le ferai pas ! Pas tant que vous n'aurez pas libéré ma mère.

Linus la regarda, plissant les yeux.

– Evie, nous détenons la clé. Tu crois qu'elle est restée dans le sac à dos de Raffy tout ce temps ?

Les yeux d'Evie s'écarquillèrent.

– Vous l'avez ?

– Nous planifions cela depuis longtemps, expliqua alors Linus. Ta clé, Lucas, voilà les ingrédients qui nous ont fait avancer. Mais pas tant que ça. Nous étions prêts. Nous attendions. Es-tu avec nous ? Vas-tu venir ? Te battre ? Changer les choses ?

Evie scruta son visage tanné et ridé, ses yeux bleus brillants, la gentillesse, la force, la douleur gravées sur ses traits. Puis elle observa la tente des accidentés, devant laquelle se tenait Angel – et Raffy à son côté qui la regardait, impatient. Il lui fit un petit sourire quand il croisa son regard.

Alors elle hocha la tête, un petit mouvement que l'on aurait très bien pu ne pas voir. Mais Linus le distingua.

– Bravo ! dit-il dans sa barbe, avec des mots plus familiers, cette fois, en la serrant délicatement dans ses bras.

Evie, tu n'es pas seule. Il n'y a aucune raison pour que tu le croies. Nous sommes avec toi. Ton ami Raffy est avec toi, même si ça n'en a pas l'air pour l'instant. Et… (Il se leva.) Et j'imagine que Lucas sera ravi de te voir lui aussi.

Il lui fit un clin d'œil et Evie ressentit une sensation étrange dans le ventre, comme si, quelque part, Linus savait quelque chose. Mais non. Ce n'était pas possible. Avant qu'elle puisse y réfléchir davantage, il était parti, et quand elle leva les yeux, elle vit Raffy qui traînait dans le coin, à quelques mètres, impénétrable.

— Tout va bien ? demanda-t-il, les mains dans les poches.

— Tout va bien, parvint-elle à répondre.

Raffy opina alors, puis vint doucement vers elle, s'installa à son côté. Il ne la toucha pas, ne lui parla pas, mais il resta assis. Et Evie était tellement heureuse qu'elle fut bien incapable de mettre des mots là-dessus.

20

La poussière, la crasse et la saleté dans ses yeux, dans son nez, qui l'étouffent. Une main dans la sienne qui la tire, qui la rassure. Une grosse pierre qui la surprend et elle tombe, la tête la première. Elle se redresse et s'essuie le front – il y a du sang sur le dos de sa main. Sa lèvre se met à trembler ; mais avant que les larmes n'aient le temps de venir, on la soulève. Ses bras s'accrochent autour d'un cou familier et le voyage continue.

Le rythme des pas la calme. Elle se sent en sécurité. Le corps de l'homme est chaud ; elle se blottit contre lui. Elle le sent, transpiration, faim, détermination, amour.

– Nous y sommes presque, murmure-t-il à son oreille. Nous y sommes presque, ma chérie. Attends, ajoute-t-il alors qu'elle s'assoupit. Nous nous rendons au pays de l'abondance. De la paix. Nous serons si heureux, Evangeline. Attends, tu vas voir…

Une vision. De la lumière. Des hommes qui s'approchent d'eux. Ils sont en sécurité. Elle est en sécurité. Elle voit le sourire sur le visage de son père, de sa mère, leurs figures illuminées. Ils lui serrent affectueusement la main.

– Nous y voilà, Evie ! Enfin, nous y voilà ! On te l'avait dit, n'est-ce pas ? On t'avait dit qu'on la trouverait…

Puis l'un des autres hommes s'approche d'eux et essaie de la prendre. Et son père s'efforce de ne pas la lâcher.

— Que faites-vous ? C'est notre fille. Elle est avec nous. Nous sommes ensemble. Nous sommes…

Mais le type n'écoute pas, il ne les voit pas, n'entend pas les cris de sa mère. Il s'empare d'Evie et s'enfuit d'un pas déterminé. Elle entend encore les questions affolées de ses parents, qui demandent où elle va, quand ils la reverront. Elle les entend hurler son nom, lui assurer qu'ils la retrouveront bientôt. L'homme lui sourit.

— Oublie-les, dit-il. Ça ne vaut plus la peine de penser à eux. Viens avec moi…

La voilà dans une pièce. Il fait frais et sombre. Elle sent des bras étrangers autour d'elle, elle a mal aux yeux à force d'avoir pleuré, elle est silencieuse à présent. Elle sent sa tête tomber en avant, ses paupières se refermer. Elle veut dormir. Mais elle se force à les rouvrir. Elle ne peut pas s'endormir maintenant, elle le sait, l'homme le lui a dit, l'homme qui sourit, mais aux yeux emplis de danger. Il lui a expliqué que ses parents n'existaient pas. Que ceux avec qui elle a voyagé si longtemps, ceux dont l'espoir et les histoires de salut lui ont permis de rester forte quand elle se sentait faible, qui lui ont donné la motivation de marcher quand tout ce qu'elle souhaitait, c'était se recroqueviller, capituler, ne sont plus là. Qu'ils sont partis. Qu'ils l'ont abandonnée, comme ils en avaient toujours eu l'intention.

Une porte s'ouvre et une lumière en jaillit, deux personnes entrent. Elle ne les regarde pas. Elle fixe ses pieds. C'est quelque chose qu'elle a appris à faire. Ne regarder dans les yeux que si l'on sait ce qu'il se passe, si l'on sait que l'on est en sécurité. Elle a vu de la violence dans sa vie, des hommes se faire tuer devant elle, des sauvages prendre des corps humains pour viande. Ses parents ont essayé de lui dire que le monde pourrait être un endroit magnifique, mais elle n'est pas dupe. Elle sait que c'est faux.

– Delphine, Ralph. Vous voulez bien venir, s'il vous plaît ?

Le couple s'approche d'Evie.

– Evangeline ? (L'homme est le premier à parler. Il s'accroupit à son niveau.) Evangeline. Je suis tellement heureux que tu sois là. Je suis ton père. Voici ta mère. Nous t'attendions.

Evie sursaute, elle était préparée à bien des choses, mais pas à cela. Elle viole sa règle, lève les yeux. Leurs regards se croisent.

– Mon père, dit-elle. Mon père est…

Elle se tait. Elle ne sait pas comment finir la phrase, ne sait pas où est son père.

– Je suis ton père, Evangeline, annonce l'homme doucement mais fermement. On s'occupera de celui avec qui tu es arrivée. Il a besoin de notre aide et tu souhaites que nous l'aidions, n'est-ce pas ? Tu veux que nous aidions tous les gens avec qui tu es arrivée ?

Evie hoche la tête. L'air frais emplit ses poumons, comme si elle respirait pour la première fois. L'homme lui donne à boire et à manger. Elle accepte voracement.

– Est-elle malade ? Quelque chose ne va pas chez elle ?

Cette fois, c'est la femme qui parle. Ses yeux la scrutent, mettent Evie mal à l'aise.

– Elle n'est pas malade, Delphine. Elle a trois ans. C'est la fille dont tu as toujours rêvé, n'est-ce pas ? (Le premier homme regarde fixement Evie.) Tu es la fille dont cette dame a toujours rêvé, n'est-ce pas ? Tu seras une enfant bonne et loyale, envers la Cité et envers elle. N'est-ce pas ?

Evie hoche la tête. Elle sait que ses parents sont partis. Elle le sait.

– Je serai une bonne fille, leur assure-t-elle, la voix calme et rauque.

– Tu le seras quand tu auras reçu le Nouveau Baptême, rétorque la femme.

– Elle le recevra demain matin, déclare calmement le premier homme. Avec les autres.

– Elle est parfaite, lance celui qui prétend être son père. Delphine, viens. Des gens attendent. Amenons-la à la maison. Amenons-la.

La femme la dévisage une dernière fois de la tête aux pieds, puis hoche la tête.

– Oui. Elle fera l'affaire.

Elle tend la main et Evie la prend.

– Tu t'appelles Evangeline ? fait son nouveau père. (Elle opine.) Je crois que je vais t'appeler Evie.

– Mes parents m'appellent Evie, murmure-t-elle.

La femme s'arrête, la prend par les épaules.

– Nous sommes tes parents, siffle-t-elle. Tu n'en as pas d'autres, tu comprends ? Seuls les méchants enfants parlent d'autres parents. Seuls les affreux et les mauvais qui sont punis pour leur méchanceté. Nous sommes tes parents. Oublie les personnes avec qui tu es arrivée, comme elles t'ont oubliée. Comprends-tu ?

Evie hoche la tête. Elle comprend, oui. D'un seul coup, quand elle se réveille, elle comprend tout.

Ils marchèrent en silence. Linus en tête, avec Martha, puis Raffy et Evie et trois autres hommes. Les accidentés étaient amenés séparément, dans un camion de transport fonctionnant à moteur, que Linus leur avait montré. Ils avaient été partout avant les Horreurs, avait-il expliqué. Angel et cinq autres les retrouveraient à un kilomètre et demi de la Cité.

Le plan était plutôt simple : faire entrer les accidentés dans la Cité par la porte est, attendre le tumulte, puis se faufiler en douce par la porte ouest, où Lucas patienterait. Puis ils se rendraient en direction de l'immeuble du gouvernement, où Linus et Raffy se mettraient au travail, changeraient le Système, réinstalleraient sa toute première version, tandis qu'Evie et Martha enverraient des modifications, feraient repasser tout le monde en A, leur apprendraient que l'étiquetage était une farce, que c'était terminé, qu'une nouvelle aube avait commencé. Lucas et Angel s'empareraient du Frère, s'assureraient qu'il donne l'ordre de supprimer les étiquettes, et que son règne s'achève dès que chacun connaîtrait la vérité.

Puis…

Puis Linus avait doucement annoncé à Evie que Raffy et elle décideraient de ce qu'ils comptaient faire. Elle, Raffy et Lucas, s'était-il repris, faisant rougir Evie. Ils pourraient rester dans la Cité, avait-il dit. Ils pourraient retourner au camp de base. Ils pourraient rejoindre l'une des communautés, les autres cités dont il leur avait parlé. Evie avait voulu savoir si lui reviendrait au camp de base, mais il n'avait pas répondu, s'était contenté de sourire, encore plus ridé qu'en temps normal, ses yeux bleus étincelant comme s'ils partageaient une blague qu'eux seuls pouvaient comprendre, même si Evie ignorait de laquelle il s'agissait au juste, ni pourquoi elle était censée être drôle.

— Vous pensiez que vous pourriez vraiment vous débarrasser du mal un jour ? lui avait-elle demandé. Si les Nouveaux Baptêmes avaient réellement fonctionné ?

Et Linus la regarda ; son sourire était toujours sur son visage, mais ses yeux étaient tristes quand il lui serra affectueusement son épaule.

— Je ne suis même pas sûr que le mal existe véritablement, dit-il, d'une voix basse et calme. Les gens peuvent commettre des choses affreuses, si on les y pousse, si on les ignore, s'ils sont en colère, s'ils se sentent suffisamment impuissants et désespérés. (Puis il la fixa droit dans les yeux.) Mais toi, Evie, tu n'es pas mauvaise. Comprends-tu ? Quoi que l'on t'ait raconté, quoi que l'on t'ait incité à penser. Tu n'es pas mauvaise. Et Raffy non plus. Ne l'oublie jamais. Tu dois t'y accrocher. Tu me le promets ?

Et Evie avait approuvé ; elle avait souhaité le croire, mais elle ne pouvait en être sûre, car la colère continuait à faire rage en elle et il y avait de terribles idées dans sa tête qu'elle ne parvenait pas à chasser – ne voulait pas chasser. Mais elle n'en parla pas à Linus. Elle réussit à ébaucher un petit sourire, puis rejoignit Raffy, parce que c'était l'heure de partir, l'heure de…

Lucas fixa l'écran d'ordinateur, le message de Linus, et respira un bon coup, tâchant de réprimer sa peur, son excitation. Cela se passait. Après tout ce temps, cela se passait enfin. Il jeta un œil autour de lui ; il savait que personne ne regardait, ne se doutait de rien, mais ses réflexes étaient en alerte maximale ; comme toujours, comme ils l'avaient été presque toute sa vie. Bientôt, il pourrait être libre. Vraiment libre. Ses promesses à son père seraient honorées, il pourrait vivre de nouveau.

Prudemment, il ferma le message, effaça l'outil de communication, ôta toute trace de sa présence dans le Système. Puis il se leva, hésita un instant, alors que ses jambes faillirent se dérober sous lui, l'énormité de ce qui se passait le frappait comme une tornade. Mais il retrouva immédiatement son équilibre, son aplomb. Ce n'était pas le moment de laisser remonter les émotions à la surface, il aurait le temps plus tard. Pour l'heure, il devait se concentrer, s'appliquer. Il y avait des choses à faire. La clé de la porte ouest avait été placée sous bonne garde : il s'était rendu chez Greer, son détenteur, au prétexte de discuter de sécurité, et avait subtilisé la clé sans problème. Mais il devrait l'apporter à la porte au bon moment, dans un timing parfait. Puis il devrait garantir l'accès aux bâtiments gouvernementaux à Linus et Raffy, Evie et Martha.

Evie.

Il se reprit. Il était prêt. Tout était prêt.

Il se dirigea vers la porte, regarda derrière lui, la poussa. Puis sa bouche s'ouvrit en grand.

– Lucas, dit le Frère, qui se trouvait juste de l'autre côté avec Sam, son secrétaire. (Un petit sourire de triomphe jouait sur ses lèvres. Il y avait des policiers derrière lui, qui fixaient Lucas, l'air menaçant. Le respect et la déférence habituels avaient disparu de leurs yeux.) Allez-vous quelque part ? Parce que j'espérais que nous pourrions discuter.

Les yeux de Lucas croisèrent ceux de Sam, qui détourna rapidement le regard. Et Lucas comprit.

– Puis-je d'abord éteindre mon ordinateur ? demanda-t-il.

Le Frère secoua la tête.

– Je ne crois pas que ce soit nécessaire, répliqua-t-il, les yeux brusquement très durs. Je pense qu'il vaudrait mieux que vous veniez immédiatement.

Les gardes firent un pas. Lucas ferma les paupières une seconde, s'autorisa le plus bref des instants, puis se ressaisit et opina.

– Bien sûr, acquiesça-t-il d'un ton formel, les yeux vitreux, son masque, son compagnon habituel, recouvrant de nouveau son visage. Comme vous voulez, Frère.

La chaleur les brûlait tandis qu'ils avançaient, s'abattait sur eux sans pitié, leurs chapeaux ne faisant pas le poids sous son implacabilité.

– Buvez, disait Linus toutes les demi-heures. Ne cessez pas de boire. Une longue route nous attend.

Quatre heures plus tard, ils s'arrêtèrent pour manger, des sandwichs et des gâteaux compacts qui pesèrent sur l'estomac d'Evie.

– Maintenant, nous allons nous reposer vingt minutes, annonça Linus. Puis nous nous remettrons en route si nous voulons arriver dans la Cité avant le coucher du soleil.

Raffy et Evie se dirigèrent vers l'ombre d'un arbre solitaire et s'assirent lourdement contre lui. Ils s'étaient à peine adressé la parole de la journée, avaient coexisté mais séparément, un purgatoire qu'Evie s'était mise à accepter, même à apprécier : n'importe quoi plutôt que d'être seule. Elle le comprenait, parce qu'elle savait qu'elle le méritait.

– Tu es effrayée ? demanda Raffy.

Evie, curieuse, se tourna vers lui. Elle ressentait plein de choses, mais « effrayée » ne lui avait pas traversé l'esprit.

– Pas effrayée, répondit-elle. Seulement…

Elle chercha le mot juste et patauagea péniblement. Rien ne pouvait résumer ce qu'elle ressentait – impatience, enthousiasme, motivation, colère ou détermination. Puis elle s'aperçut qu'elle avait peur. Elle avait peur d'échouer.

– Peut-être un peu, concéda-t-elle.

– Moi aussi, avoua Raffy calmement.

– OK, dit Linus en les rejoignant. C'est l'heure. Tout va bien ? Besoin de rien ?

– Ça va, répondit Raffy en se levant, et quelques secondes plus tard, comme s'il avait réfléchi, il tendit la main à Evy, mal à l'aise.

– Bien, acquiesça-t-elle, en faisant de son mieux pour se relever, tout en acceptant son offre.

Elle ne voulait pas le troubler ni refuser tout geste chaleureux de sa part.

– Bien, dit Linus. On ne s'arrête pas tant que l'on n'a pas retrouvé Angel et les accidentés à un kilomètre et demi de la Cité.

Lucas fut conduit en dehors du bâtiment Système et emprunta un passage couvert utilisé seulement par les dissidents et les prisonniers, et qui menait à l'hôpital.

– Quelqu'un va-t-il me dire ce qui se passe ? demanda-t-il enfin quand on le fit entrer dans une pièce.

On le força à s'asseoir sur une chaise à laquelle on l'enchaîna, les mains dans le dos.

– Que se passe-t-il ? Oh, Lucas, je pense que vous le savez. Vos projets tombent à l'eau. Voilà ce qu'il se passe. Vous avez été démasqué, espèce de traître ! Pendant toutes ces années, j'ai compté sur vous, je vous ai fait confiance, et vous n'avez cessé de me trahir. Eh bien, moi aussi, je suis capable de duplicité, Lucas. Moi aussi je sais espionner, observer et surveiller. En fait, j'y excelle même, comme vous auriez dû vous en rendre compte avant de me tromper. Voici donc ce qui va se passer : à partir de demain, vous serez fait E. Vos amis, quand ils arriveront, seront accueillis par une armée de policiers qui les tueront tous avant qu'ils ne puissent, ne serait-ce que mettre un pied dans la Cité. Je regrette que vous ayez laissé le mal entrer en vous, Lucas. Je suis désolé que les choses en soient arrivées là. Raison pour laquelle vous subirez le Nouveau Baptême. Nous méritons tous une deuxième chance, Lucas, même vous.

– Le Nouveau Baptême ? (Lucas le fixa, alarmé.) Mais si je suis un E, vous devriez…

– Vous laisser vous faire déchiqueter par les Maudits ? Oh, Lucas, vous écoutez trop les rumeurs, dit le Frère en souriant. Tout le monde sait que les E sont remis en état. Nous sommes une société indulgente, après tout. Nous protégeons nos ouailles. Et de toute façon, le mal vous a trop consumé. Je ne peux pas prendre le risque de garder un Maudit de votre envergure, même derrière nos murs.

Lucas essaya de se défaire de ses chaînes.

– Vous ne pouvez pas ! cria-t-il. Sam, fais quelque chose ! Tu me connais ! Tu sais que je ne suis pas un Maudit ! Aide-moi à sortir d'ici !

Mais Sam refusa de croiser son regard. Il se dirigea vers la porte. Il croyait le Frère, s'aperçut brusquement Lucas. Pensait que Lucas était mauvais, que les E étaient remis en état, que tout le monde subissait le Nouveau Baptême, croyait tout ce qu'on lui avait dit. Exactement comme lui, juste avant que son père ne lui apprenne la vérité.

– Dois-je informer la police ? demanda Sam au Frère.

– Vous le leur direz au coucher du soleil, répondit le Frère. C'était l'heure dont vous étiez convenus dans votre dernier message, n'est-ce pas ? demanda-t-il à Lucas en souriant.

Lucas ferma les yeux.

– Le coucher du soleil, en effet, répéta Sam en quittant la pièce.

– Bien, autant j'adorerais rester bavarder avec vous, autant j'ai d'autres choses à régler, reprit le Frère. Gardes, maintenez-le ici. Ne le quittez pas des yeux une seule seconde. C'est compris ? Cet homme est extrêmement dangereux et mauvais. N'écoutez pas ce qu'il vous dira, parce qu'il fera de son mieux pour vous corrompre.

Les gardes opinèrent.

— Au revoir, Lucas, dit le Frère en se dirigeant vers la porte d'un pas majestueux. Au revoir.

— Bien, attendons ici.

La nuit commençait à tomber. Personne ne parlait. Il n'y avait rien à dire. Tout le monde était concentré, appliqué. Linus faisait les cent pas, énervant légèrement les autres, comme si la tension n'était pas déjà à son comble. Puis ils les entendirent. Les roues dans la poussière. Un bruit qu'Evie et Raffy percevaient rarement et avaient du mal à identifier. Il s'amplifia lorsque les roues approchèrent à toute allure, un vrombissement bas qui s'accentuait au fur et à mesure. Puis le camion gigantesque surgit à l'horizon devant eux. Mais quand il se rapprocha, on entendit un autre bruit qui les fit tous s'arrêter. Puis ils se jetèrent un coup d'œil, avant de détourner rapidement les yeux. Des gémissements, des pleurs, des grommellements furieux immédiatement reconnaissables, qui emplirent Evie de terreur et de répulsion, puis de honte, parce qu'elle ressentait ce genre de chose pour les siens, pour ceux dont les vies avaient été irrémédiablement endommagées par la cruauté de la Cité. Le camion s'immobilisa à quelques mètres. Il était immense, bien plus gros que tout ce qu'Evie avait jamais vu sur roues, avait jamais vu bouger. Aussi gros qu'une maison, se surprit-elle à penser. Ou au moins qu'une tente du camp de base. Lorsque les portes s'ouvrirent, les plaintes et hurlements devinrent insupportables, et le visage des accidentés clairement visible à travers les vitres. Evie sentit ses yeux s'emplir de larmes, son corps combattre un réflexe. Linus s'approcha.

— Ils ne sont pas ceux qu'ils étaient auparavant, lui expliqua-t-il d'un ton si doux que personne ne l'entendit.

Ne l'oublie pas. Et si c'était le cas, ils seraient ici, avec nous. À chaque pas que nous faisons.

Evie hocha la tête et sentit la main de Raffy se serrer dans la sienne. Elle l'étreignit en retour, le plus fort possible, espérant tout lui dire par ce geste simple, mais il la relâcha et tout redevint froid. Elle ne voulait pas regarder les accidentés, mais ne put s'en empêcher ; elle devait les voir, chacun d'entre eux, leurs yeux fixes, leurs corps qui se convulsaient, leurs hurlements et leurs gémissements terrifiants. Les Maudits. Les redoutés. Ils paraissaient plus effrayés que quiconque qu'elle eût jamais rencontré dans sa vie, même le père de Raffy le jour de son arrestation. Elle les observa, puis se détourna lentement, quand Linus donna le signal pour se mettre en route. Mais en marchant, elle les revoyait encore dans sa tête. Ceux qui l'avaient portée jusqu'à la Cité, persuadés qu'on leur offrait une seconde chance. Elle voyait encore ceux qui avaient cru au Guide suprême, qui s'étaient offerts comme des agneaux du sacrifice, pour se faire torturer, mutiler… endommager. C'étaient eux, les véritables Exécutables. Comme s'ils étaient jetables ! Utilisés une fois, puis encore et encore par le Frère et le Guide suprême, pour servir à leurs fins méprisables.

Et voilà qu'on les utilisait de nouveau. Pour des fins personnelles. Pour celles de Linus.

– Tu vas bien ? lui demanda Raffy en la regardant d'un air inquiet.

Elle secoua la tête.

– Je ne peux pas faire cela, dit-elle, des larmes lui piquant les yeux. Je ne peux pas laisser les accidentés courir à leur perte.

– Leur perte ? s'enquit Linus, légèrement déconcerté.

– Ce sont des appâts. La police les tuera, vous le savez.

– Je ne sais rien de tel, rétorqua Linus, brusquement sérieux. Tu crois que je la laisserai leur mettre la main dessus ? Non, Evie, ils ont assez souffert comme ça. Ils vont juste bouleverser un peu les choses, prendre leur revanche pour ce qu'ils ont vécu, comme nous tous.

– Vraiment ? fit Evie d'un ton dubitatif.

– Fais-moi confiance, dit Linus en lui adressant un clin d'œil.

Il attendit qu'elle hoche la tête, puis se mit en route.

– OK tout le monde, on y va !

21

– Bien, Angel, tu te diriges vers la porte est avec les accidentés. Tous les autres, vous venez avec moi. Maintenant, souvenez-vous que nous sommes dans la Cité pour une heure maximum. Nous changeons les étiquettes, nous désactivons le Système et nous partons. Compris ?

Tout le monde opina, puis regarda en silence Angel et ses hommes remonter dans le camion et s'en aller, les hurlements et gémissements des accidentés retentissant dans la nuit jusqu'à ce qu'ils ne puissent quasiment plus les entendre.

– Lucas se trouvera à la porte ouest ? demanda Raffy dès qu'ils se remirent en route.

Il y avait une tension dans sa voix que seule Evie remarqua et son cœur se serra. Il était de nouveau en colère, une fureur qui ne ferait que s'accentuer quand il verrait son frère.

– C'est le plan, répondit Linus en balançant les bras sur les côtés, comme s'il faisait une balade dominicale.

– Et s'ils avaient changé les verrous de la porte est ? C'est vrai, ils savent qu'Evie et moi avons la clé.

– Ils ne l'ont pas fait. Ils n'en ont pas eu le temps.

Linus avait l'air impatient, mais Evie voyait ses yeux étinceler au clair de lune.

– Raffy, je te l'ai dit. Tout ce que tu as à faire, c'est de te concentrer sur le Système quand nous serons arrivés. Le reprogrammer. Tu peux y arriver ?

– Bien sûr, répondit Raffy d'un ton bourru. Je vous ai montré. Mille fois.

– Je sais que tu sais le faire. Je te fais confiance. Alors, tâche de me faire confiance aussi, lança Linus en lui adressant un clin d'œil avant de retourner en tête reprendre sa marche.

Raffy ouvrit la bouche comme pour dire quelque chose, puis sembla se raviser. Evie comprenait ce qu'il éprouvait, elle le ressentait elle aussi, elle était angoissée et en demande de réponses, de réconfort, de promesses. Et Linus paraissait trop confiant, trop détendu, comme s'il ne comprenait pas ce qu'il faisait, comme s'il ne le prenait pas au sérieux.

Elle frissonna, l'air frais fit apparaître une légère chair de poule sur ses bras. Puis le frisson s'intensifia quand elle distingua un mur à l'horizon. Le mur de la Cité. Ils y étaient presque. Plus que quelques minutes seulement. Elle jeta un coup d'œil à Raffy, qui soutint son regard pendant une ou deux secondes, avant de fourrer ses mains dans ses poches.

– Impatiente de voir Lucas ? demanda-t-il, et sa voix était tellement froide qu'Evie eut l'impression de recevoir un coup de poignard dans la poitrine.

Elle détourna les yeux, les posa sur Linus et put distinguer l'éclat d'un révolver qui brillait dans l'étui à sa taille.

Linus fut le premier à arriver au portail. Il resta quelques minutes sans bouger, comme s'il n'avait pas l'intention de s'approcher davantage.

– Qu'attendez-vous ? demanda Raffy, impatient.

– J'aimerais être sûr que les accidentés sont entrés, répondit Linus, sourcils arqués. Et parfois, il est important d'attendre, de réfléchir, de méditer. Le calme avant la tempête. Tu n'a jamais entendu cette expression ?

Raffy secoua la tête.

– OK, dit Linus, un petit sourire sur ses lèvres. J'attends aussi parce que nous n'avons pas la clé, souvenez-vous. J'attends que Lucas nous fasse entrer.

Raffy fit la grimace et enfonça ses mains dans ses poches. Evie s'approcha de Linus.

– Comment saura-t-il que nous sommes là ? demanda-t-elle. Nous ne devons pas frapper, ou quelque chose comme ça ?

– Frapper ? (Linus rit.) Ces portes doivent faire vingt-cinq centimètres d'épaisseur ! Tu crois qu'il m'entendra ? Sois patiente, c'est tout.

Ce fut alors au tour d'Evie de rougir.

– Je posais juste la question, dit-elle avec une moue. Vous savez, Raffy et moi avons autant envie que vous de changer les choses. Nous essayons simplement de donner un coup de main. Ce n'est pas la peine de vous moquer de nous.

Elle essuya une larme, puis son nez. Linus fit un pas vers elle.

– Je suis désolé, dit-il doucement en la prenant dans ses bras, exactement comme elle l'avait espéré. C'était injuste de ma part. Lucas saura que nous sommes ici parce qu'il entendra les accidentés.

Evie passa les bras autour de Linus et posa la tête sur sa poitrine.

– Pardon, fit-elle en glissant la main dans sa poche. Je…

– Inutile de t'expliquer, chuchota Linus. Nous sommes tous un peu… Mais nous allons y arriver. Tu dois y croire.

– J'y crois, murmura Evie.

Elle regarda Raffy qui la dévisageait d'un air dédaigneux. Puis ils entendirent les gémissements, les geignements épouvantables des accidentés quand ils avancèrent dans les rues en saccageant tout sur leur passage, les fenêtres qui se brisaient, les hurlements des gens terrorisés.

– Et maintenant, dit Linus alors qu'Evie reculait d'un pas et se ressaisissait, maintenant la porte devrait s'ouvrir.

Lucas regarda fixement les chaînes autour de ses chevilles, de ses poignets. Des chaînes tellement serrées qu'il n'y avait aucun moyen de les défaire ; des chaînes qui s'enfonçaient dans sa chair, qui l'irritaient et la faisaient saigner.

Il entendait les accidentés au-dehors, le tumulte qu'ils provoquaient, la peur des habitants de la Cité qui fuyaient pour sauver leur peau. Linus devait être à la porte ouest en ce moment, en train de l'attendre, d'attendre qu'elle s'ouvre. Raffy et Evie aussi, qui comptaient sur lui.

Il laissa tomber sa tête en arrière et ferma les yeux.

Linus faisait les cent pas, tout le monde échangeait des regards inquiets, n'osait rien dire ni demander pourquoi la porte ne s'ouvrait pas. Cinq minutes s'étaient déjà écoulées depuis qu'ils avaient entendu les accidentés entrer dans la Cité. On appellerait la police, la perturbation ne durerait pas longtemps. Ils auraient déjà dû être là, se diriger vers l'immeuble gouvernemental. Lucas devait ouvrir la porte.

Des petits nœuds de peur se frayèrent un chemin dans le dos d'Evie, alors qu'elle frissonnait, raide et transie de froid, attendait, observait, osait à peine respirer, et encore moins penser l'impensable, que quelque chose s'était passé, que tout ce que Linus leur avait fait espérer était compromis.

Elle ferma les paupières, enfouit sa main dans sa poche, sentit l'acier froid contre sa jambe, volé, caché, son petit secret.

Ils devaient ouvrir la porte. Ils devaient. D'un seul coup, sans prévenir, elle se rua dessus, la martela de coups de poing.

– Fais-nous entrer, Lucas, fais-nous entrer ! cria-t-elle. Tu dois nous laisser entrer maintenant, sinon il sera trop tard ! Tu dois nous laisser entrer…

Elle sanglotait, les larmes tombaient en cascade sur ses joues et Raffy courut vers elle, essaya de l'arracher à la porte, mais elle refusa. Elle lui prit les mains et les balança contre la porte jusqu'à ce que lui aussi tape dessus, frappe, crie, hurle, appelle Lucas, même s'ils savaient qu'il n'était pas là, ne pouvait pas être là, même si elle savait que Linus les regardait, de la douleur plein les yeux, parce qu'il savait lui aussi, il savait forcément…

Puis d'un seul coup, sans prévenir, ils entendirent un crissement et Evie et Raffy furent projetés en avant quand la porte s'ouvrit lentement. Lorsqu'ils dégringolè-rent, un visage apparut, qu'Evie reconnut mais qu'elle ne s'attendait pas à voir.

– Monsieur Bridges, fit-elle, la voix brisée. Que faites-vous…

– Lucas m'a envoyé, répondit-il, d'un ton bas et angoissé. Je suis désolé, je suis en retard. Il y a de l'agita-tion. La police… (Il regarda autour de lui, de la crainte dans le regard.) J'ai un message pour un dénommé Linus.

– C'est moi, déclara celui-ci en avançant d'un pas et en serrant la main de M. Bridges. Vous devez être Ralph.

– Ralph, oui, monsieur. Ralph Bridges à votre service.

– Confiez-moi votre message, puis rentrez chez vous, proposa Linus d'un ton doux. Et sachez que je vous suis extrêmement reconnaissant.

M. Bridges hocha la tête avec inquiétude.

– Les étiquettes… Lucas a dit que vous alliez mettre un terme aux étiquettes. Il a dit…

– Nous sommes là pour faire disparaître plus que les étiquettes, rétorqua Linus, lugubre. Vivre dans la peur ne sert plus à rien. Plus à rien, vous comprenez ?

M. Bridges opina, puis il eut l'air sceptique.

– C'est ma famille. Je me moque bien qu'ils me poursuivent, mais mon épouse, mes enfants… Ce sont des gens bien. Je ne tiens pas à les déshonorer encore plus. Je ne veux pas…

– Vous faites quelque chose de bien, Ralph, dit Linus d'un ton sérieux. Vous protégez l'avenir de votre famille. Ne l'oubliez pas.

Ralph baissa les yeux. Puis il murmura son message à l'oreille de Linus, lui adressa un dernier regard d'espoir, puis de désespoir, et disparut, une ombre qui se fondit dans les ténèbres de la nuit quand il traversa les rues en courant. Evie le regarda partir, bouche bée.

– Où est Lucas ? demanda-t-elle à Linus. Saviez-vous qu'il ne serait pas là ?

– Ouais, où est Lucas ? s'enquit Raffy d'un ton amer. Evie meurt vraiment d'envie de le voir.

La jeune fille sentit ses joues la brûler, mais elle se força à garder le silence.

– Il est un peu coincé, expliqua Linus. M. Bridges m'a expliqué que Lucas lui avait demandé de nous faire entrer. Il m'a aussi dit ce que j'ai besoin de savoir pour la suite. Mais ce n'est pas le moment de bavarder. Nous avons du pain sur la planche.

22

Ils traversèrent l'obscurité au pas de course. Evie n'avait jamais vu la Cité ainsi, avec des policiers à tous les coins de rue ; la cloche du rassemblement sonnait et des familles aux yeux écarquillés se regroupaient, craintives, en se dirigeant vers la salle de Rassemblement. C'était la panique générale, des gens cavalaient, des gardes les pourchassaient. Puis, à un coin de rue, ils les virent. Les accidentés. Ils se dirigeaient vers eux, galopaient comme des bêtes, montraient leurs dents, grognaient alors que les habitants de la Cité, terrorisés, s'éparpillaient. Des gardes arrivèrent, se précipitèrent vers eux, des bâtons à la main pour les frapper. Evie les rejoignit au pas de course en hurlant « Non ! » mais Linus la retint.

– Angel s'occupera d'eux, dit-il à voix basse. Aie confiance.

Evie tâcha d'avoir confiance, mais les gardes les avaient presque rattrapés, leurs bâtons tendus, et les gens leur hurlaient de tuer les Maudits, de débarrasser la Cité de leur influence néfaste et corrompue.

Puis, d'un seul coup, une lumière jaillit, si vive que les yeux d'Evie se fermèrent et que tout le monde cessa de courir pendant un moment. Quand elle s'éteignit, Evie put constater que les accidentés avaient disparu, que l'on n'entendait plus que leurs gémissements lorsqu'ils traversaient une rue et que les policiers les pourchassaient.

Evie, bouche bée, observa ce qui se passait. Elle comprenait tout. Parce qu'ils ne gémissaient pas. Ils ne hurlaient pas. Ils riaient. C'était le jeu. Le jeu de lumières. Ils allaient bien.

Linus vit l'expression sur son visage et lui fit un clin d'œil.

– Plus que quelques minutes et ils seront sortis de la Cité, lança-t-il à Evie. Je t'avais dit qu'on ne leur ferait pas de mal. Viens. Par ici.

Il avança d'un pas résolu, et Evie et Raffy galopèrent derrière lui, Martha sur leurs talons. Si quelqu'un les avait remarqués dans l'obscurité, il ne se manifesta pas. Les gens se précipitaient vers la salle de Rassemblement tête baissée, entièrement concentrés pour échapper aux Maudits. Evie trébucha derrière Linus. Il ne leur fallut que quelques minutes pour entrer dans l'immeuble gouvernemental où elle avait passé tant de temps.

– Rien n'a changé, constata Linus d'un air sinistre, puis il passa devant sans s'arrêter.

– Où allons-nous ? lui cria Evie, mais elle venait de comprendre où ils se rendaient.

À l'hôpital. Linus s'immobilisa devant le bâtiment et leur fit signe de le suivre.

– Lucas est ici, annonça-t-il d'un ton lugubre. Nous le faisons d'abord sortir.

Il se remit en route, et Evie et Raffy coururent derrière lui. Martha ferma la marche. L'immeuble était déserté, les lumières éteintes, et un silence sinistre régnait.

– Par ici, marmonna Linus. Si je connais bien le Frère, il retiendra Lucas là où il gardait tous les autres. Où Fisher s'est livré à son massacre. Où…

Il s'arrêta devant une porte et respira un bon coup. C'était la première fois qu'Evie le voyait marquer une pause, qu'il paraissait… humain. Il tourna la poignée. La porte était verrouillée.

– Qu'est-ce que j'ai dit ? fit-il, un demi-sourire sur le visage. Je le savais.

Il recula de quelques pas et donna un coup de pied dedans. Rien ne se passa.

– Et si on se servait de ça ? proposa Raffy en tendant un trousseau de clés.

Linus les regarda fixement.

– Elles se trouvaient derrière la réception. J'ai pensé que quelqu'un les avait laissées dans la précipitation, avant de se rendre dans la salle de Rassemblement.

À présent, le sourire de Linus était sincère, emplissait son visage, dessinant encore plus de rides, si cela était possible. Il prit les clés, asséna une tape dans le dos de Raffy et ouvrit la porte. Tout le monde le suivit à l'intérieur, en respirant profondément. Ils se trouvaient dans une grande salle meublée de quatre lits. La pièce empestait le désinfectant, mais il y avait des taches rouges par terre qui ressemblaient à… Evie frissonna et détourna les yeux. Elle mourait d'envie de demander où était Lucas, mais quelque chose l'en empêcha – le souvenir de ce baiser, le désarroi enfoui tout au fond d'elle. Elle resta donc silencieuse, observa Martha faire les cent pas, toucher les lits, coller les mains dessus, l'un après l'autre.

– C'est ici qu'ils l'ont gardé, murmura-t-elle. Ce lit. Je m'en souviens.

« Gardé qui ? » voulut demander Evie, mais, quelque part, elle ne pouvait pas. Elle regarda Linus s'approcher de Martha, mettre une main sur son épaule.

– Des tas des choses épouvantables ont été commises ici. Tu vas bien ? demanda-t-il gentiment.

Martha hocha la tête. Elle s'essuya les yeux, puis se tourna vers lui, l'air déterminé.

– Je vais bien, déclara-t-elle. Faisons ce que nous sommes venus faire. Changeons les choses une bonne fois pour toutes.

– Bravo ! dit Linus avec un clin d'œil.

Puis il se dirigea vers une autre porte.

– Voyons si l'une de ces clés l'ouvre, d'accord ? fit-il en regardant le trousseau que Raffy lui avait donné. Voilà exactement ce qu'il nous faut !

Il essaya une clé, puis une autre. La seconde fonctionna. La porte s'ouvrit à la volée, révélant une petite pièce sans fenêtre.

– Ce devait être un placard de rangement, observa Linus d'un ton enjoué. Alors c'est vous, Lucas ?

Evie le suivit et trouva Lucas par terre, bâillonné et ligoté. Sa figure était noire de crasse, mais lorsqu'il la reconnut, ses yeux s'illuminèrent, si différents de ceux qu'elle avait si longtemps connus. Et quand elle soutint son regard, elle se surprit à contempler son visage, celui qu'elle avait vu pour la première fois dans sa chambre le soir de son évasion, un visage qui connaissait la douleur, le désespoir et l'espoir, et tout ce qu'il y avait entre les deux ; alors elle ressentit quelque chose changer en elle, qui l'inquiétait, qui l'effrayait. Mais avant qu'elle ne puisse mettre le doigt dessus, Raffy apparut à son côté. Instinctivement, elle détourna les yeux, les joues rougissantes.

– Et si l'on vous détachait ? proposa Linus en se penchant.

Martha le rejoignit, seuls Raffy et Evie restèrent en retrait. Quelques minutes plus tard, Lucas était libre. Il s'étira, frotta ses chevilles et ses poignets irrités, puis étreignit Linus.

– Vous êtes venus ! lança-t-il, la voix rauque. Je le savais.

– Bien sûr que nous sommes venus, rétorqua Linus, tout sourire. Mais nous avons du pain sur la planche. Comme vous. Vous êtes prêt pour ce qui doit se passer ?

Lucas opina.

– Tout est réglé.

– Alors, lavez-vous la figure, buvez un coup et allons-y, déclara Linus en sortant de la pièce qui sentait le refermé, et en regagnant le dortoir.

Lucas le suivit en boitillant un peu ; de temps en temps il se retournait, essayait de rencontrer le regard de son frère, mais celui-ci se contentait de fixer ses pieds. Evie croisa son regard une fois ou deux, mais elle se forçait à éviter ces yeux qui l'observaient, s'arrêtaient sur son dos, sur sa façon de se mouvoir.

– Salle de bains par ici, déclara Linus en désignant le bas du couloir à Lucas.

Celui-ci opina, reconnaissant, et s'y dirigea en boitant. Une minute plus tard, il en ressortit propre. Ses cheveux avaient repris leur teinte lumineuse.

– OK, dit-il, après avoir recouvré son ton professionnel, les yeux emplis de détermination. Je vais vous laisser ici. Je vous retrouve dans... (Il remonta sa manche, regarda sa montre en or. Evie vit Raffy plisser les yeux.) Quarante-cinq minutes, d'accord ?

– Parfait.

Lucas s'empressa de sortir du bâtiment. Quelques instants plus tard, Linus, Martha, Raffy et Evie suivirent, tournèrent deux fois à droite, puis pénétrèrent dans l'immeuble gouvernemental, juste à côté. Linus poussa la porte, elle était ouverte.

– Entrez. Vite, dit-il en bousculant Evie pour que tout le monde puisse y pénétrer.

Puis il verrouilla la porte derrière lui.

– Bien, Raffy et moi serons au deuxième étage. Evie, tu sais où tu vas ?

Celle-ci opina en silence.

– Viens nous retrouver quand tu auras terminé.

Evie entraîna Martha dans l'escalier, jusqu'au quatrième étage, où elle travaillait auparavant, où elle avait consacré tant de temps à modifier les rapports, à changer des vies, à mettre en œuvre les étiquettes draconiennes du Système, et elle frissonna. Puis elle se ressaisit, alluma son ordinateur et celui de Christine, montra à Martha comment entrer une modification. Il n'y avait aucun dossier, cette fois, aucun « code raison », mais elle les connaissait par cœur, de toute façon.

– Donc nous les passons tous A ?

Evie hocha la tête. Si ce que Linus et Raffy faisaient fonctionnait, il n'y aurait plus jamais d'étiquettes. Mais au cas où, elles attribuaient la même à tout le monde. Parce qu'elles ne pourraient plus jamais les rechanger dans l'autre sens sans devoir expliquer que le Système s'était trompé, qu'il avait été corrompu. Et s'il l'avait été, alors personne ne le croirait plus jamais, alors personne ne croirait plus jamais en rien.

– Excepté le Frère, observa Martha d'un ton ironique. Nous le ferons passer D, d'accord ?

Evie sourit, le premier sourire qui traversa son visage depuis qu'ils avaient quitté le camp de base ce jour-là.

– D, ça m'a l'air pas mal, observa-t-elle. À condition que je puisse identifier son rapport, bien sûr.

Martha lui rendit son sourire et elles se mirent au travail.

Le Frère regarda par la fenêtre, paniqué, le souffle court, le cœur martelant sa poitrine. Il avait entendu la nouvelle et voilà qu'il la constatait par lui-même. Les Maudits se déchaînaient dans les rues en contrebas, leurs hurlements et gémissements effrayants envoyaient des frissons le long de sa colonne vertébrale. Mais cela ne se tenait pas. Ils devaient arriver demain. *Demain.* Il avait vu les messages de Lucas. Les réponses. Tout avait été prévu pour le lendemain.

Il décrocha son téléphone, puis le reposa et fit les cent pas dans la pièce. Il devait réfléchir, trouver une solution. Lucas n'avait pas pu envoyer de message – le dispositif avait été désactivé et il était enfermé. Personne d'autre n'aurait pu le faire. Si Linus était arrivé un jour plus tôt, ça ne pouvait être que parce que… mais non, c'était impossible. C'était…

On frappa à la porte. Un coup aisément reconnaissable, froid, efficace. Mais cette fois personne n'attendit qu'on lui intime d'entrer. La porte s'ouvrit et Lucas apparut, un petit sourire aux lèvres.

– Vous ? Comment ?

Le visage du Frère se vida de toute couleur.

– Je ne comprends pas…

Il se rua vers la porte, chercha ses gardes dehors, Sam…

– Ils sont partis, annonça Lucas avec un léger haussement d'épaules. Vous les avez congédiés, leur avez donné des courses à faire.

– Des courses ? Quelles courses ?

– Nous sommes en état d'urgence, observa Lucas d'un ton froid.

– Mais comment… comment… (Le Frère le fixa, médusé.) Comment aurais-je pu, si je n'ai pas…

– Allez, dit Lucas en secouant la tête et en fronçant les sourcils. Vous pensez que je n'ai pas d'enregistrement de votre voix ? Que je ne peux pas donner d'ordre depuis votre ligne ? Frère, vous méconnaissez ce Système que vous croyez contrôler. Vous avez toujours sous-estimé ses capacités. Et à présent… (Il fit une petite grimace.) À présent, il est un peu trop tard.

– Non. (Le Frère secoua vigoureusement la tête.) Non ! Gardes ! Gardes ! cria-t-il.

– Ça ne sert à rien, il n'y a personne par ici, déclara Lucas d'un ton glacial.

Son regard était impénétrable, mais pour une fois il semblait s'amuser, comme s'il avait attendu ce moment toute son existence. Peut-être était-ce le cas, réalisa le Frère avec un frisson.

– Vous pensez avoir été intelligent, tellement intelligent, mais non. On s'est joué de vous.

– Comment ça ? dit le Frère, les yeux plissés, sa peur se transformant en colère. Comment ça ?

– Vous avez toujours cru que les gens étaient moins compétents que vous, moins capables de diriger leur vie, de comprendre la nature humaine, déclara Lucas en avançant vers lui d'un air menaçant. Vous me surveilliez, Frère, mais vous avez oublié que j'ai grandi dans une Cité où tout le monde est tout le temps épié, où être espionné est monnaie courante.

Le Frère le regarda fixement.

– Vous m'avez piégé, haleta-t-il.

– Je vous ai communiqué les informations que je souhaitais vous donner, rectifia Lucas d'un ton égal. Et à présent, Frère, vous allez sonner la cloche du rassemblement. Convoquer votre peuple dans la salle, loin des Maudits.

– Dans la salle du Rassemblement ? Vous êtes fou ou quoi ? fit le Frère, furieux. Je ne crois pas. (Il avança vers lui.) Mes gardes ne vous lâcheront pas, Lucas. Vous avez peut-être gagné une petite bataille, mais vous ne remporterez pas la guerre. Vous ne gagnerez jamais.

– Le fait est, répliqua Lucas en sortant un revolver de son pantalon, que cela ne m'intéresse pas. Et voilà pourquoi vous n'avez pas la moindre chance de me battre. Avancez, je vous prie. Nous n'avons pas beaucoup de temps.

– Alors, Raffy et toi ? demanda Martha à Evie. Tout va bien entre vous ?

Evie rougit.

– Bien, répondit-elle d'un ton sans appel en fixant l'écran devant elle.

Elle avait trouvé le moyen de sélectionner des centaines de noms et de changer leur étiquette en même temps, elle ne voulait pas s'arrêter. Elle savourait cette concentration, le fait de penser à autre chose, de ne pas se sentir torturée, malheureuse, hésitante et effrayée.

– Sauf que j'ai eu l'impression que ça n'allait pas si bien entre vous, observa Martha, songeuse.

Evie ferma les yeux et expira.

– Peut-être pas complètement, concéda-t-elle.

– Tu veux en parler ?

Evie fit non de la tête. Puis oui. Puis de nouveau non.

– J'ai été amoureuse autrefois, lui confia alors Martha, le regard brusquement embué, un petit sourire aux lèvres. Ce n'est pas toujours facile. Souvent, c'est même très difficile. Mais ça vaut le coup. Raffy et toi… vous ne devez pas renoncer l'un à l'autre. Nous avons tous besoin de quelqu'un.

– Autrefois ? Que s'est-il passé ? demanda Evie, qui espérait détourner la conversation de Raffy et elle tout en changeant trois cent cinquante étiquettes en A.

– La Cité, répondit Martha d'un ton calme en reposant les yeux sur l'écran devant elle. La Cité me l'a pris.

– La Cité ? fit Evie, curieuse.

Elle avait compris que tous les habitants du camp de base étaient arrivés de la Cité à un moment donné, mais quelque part elle ne les avait jamais vraiment imaginés là-bas, n'avait jamais cru qu'ils avaient vécu comme elle, selon les mêmes règles, les mêmes structures.

– Tu n'étais pas fiancée avec lui ?

Martha se fendit d'un sourire triste.

– Ce n'était pas tout à fait comme ça. J'étais… une retardataire dans la Cité. J'ai été élevée dans une petite communauté à quelques kilomètres. Nous avons survécu, mais pas longtemps. Se nourrir était une bataille. Boire, encore plus. Puis l'eau s'est complètement tarie. Nous avons essayé de trouver un nouvel approvisionnement, mais…

– Mais la Cité l'a pris, la coupa Evie, les yeux baissés, la culpabilité affluant dans ses veines, parce que c'était sa Cité, parce qu'elle l'avait célébrée comme tous les autres, quand on érigeait de nouveaux barrages.

– Mais la Cité l'a pris, acquiesça Martha. Nous fîmes donc ce que nous avions à faire. Nous sommes venus ici. Nous avons offert notre main-d'œuvre en échange d'un droit d'entrée dans la Cité. Nous nous sommes soumis au Nouveau Baptême.

Elle marqua une pause, qui s'éternisa. Evie la regarda, puis s'aperçut que des larmes ruisselaient sur son visage.

– Et que s'est-il passé ? fit-elle en avançant vers elle et en posant la main sur son épaule, faisant de son mieux pour réconforter la femme qui l'avait si souvent consolée, et dont elle n'avait jamais pensé au passé, à la douleur.

– Ils nous ont raconté qu'ils s'occuperaient de nous. J'attendais notre premier enfant. Ils ont décrété qu'ils prendraient soin de moi. Mais ils m'ont pris Daniel. Pour le Nouveau Baptême. Ils ont dit que je le verrais après. Mais… je ne pouvais pas attendre. J'étais dans le même hôpital. Je suis entrée en douce dans la zone « Nouveau Baptême ». C'est là que je l'ai vu. Les ai tous vus. Mutilés. Mort cérébrale. Il ne m'a pas reconnue. Il était parti. Ils l'avaient pris…

Elle laissa tomber sa tête en avant, enveloppa ses bras autour de ses épaules. Evie sentit les larmes picoter ses yeux.

– Le lit, murmura-t-elle. Le lit dans le dortoir…

Martha opina.

– Qu'as-tu fait ? demanda Evie d'une voix à peine audible.

– Je me suis enfuie. Je savais que je serais la suivante, alors je me suis ruée jusqu'à la porte. Je me suis cachée. J'ai attendu qu'elle s'ouvre pour faire entrer des nouveaux. J'aurais dû les mettre en garde, leur dire de partir, mais je ne l'ai pas fait. Je n'ai pensé qu'à moi. J'ai couru. J'ai couru le plus vite possible. Je me suis réfugiée dans la forêt. J'ai pleuré, j'étais furieuse, j'ai failli mourir. (Elle respira un bon coup, ouvrit les yeux, se força à sourire.) J'ai perdu mon enfant. Puis Linus m'a trouvée. Et ma vie a recommencé.

Evie la dévisagea, bouche bée. Elle avait fait une fixation sur le fait que la Cité lui avait enlevé ses parents, et il ne lui était jamais venu à l'esprit qu'elle n'était pas la seule, qu'elle n'était pas seule dans la rage qui ne la quittait pas, la trahison, l'amertume.

– Je suis désolée, lança-t-elle. Pour ce que j'ai dit. À propos des accidentés. Que tu t'en moquais.

Martha lui adressa un sourire triste.

– C'est bon, rétorqua-t-elle en prenant la main d'Evie. Je comprends. Nous sommes tous dans le même cas. La plupart d'entre nous ont perdu des membres de leur famille. Mais ils sont abîmés, Evie. Ils ne sont plus les mêmes. Nous pouvons prendre soin d'eux, mais nous ne pourrons jamais les retrouver. Nous ne pourrons jamais… (Elle renifla, s'essuya les yeux.) Mais tout cela s'est passé il y a longtemps. Raffy et toi… vous sembliez tellement bien ensemble. C'est une honte de vous voir si malheureux.

– Est-ce si flagrant ?

Martha hocha la tête.

– Je sais, dit Evie. C'est ma faute. Je lui avais caché quelque chose. Que j'ai fait. Il me faisait confiance et… et j'ai trahi cette confiance. Puis je le lui ai avoué. Et à présent il me déteste.

Martha sembla digérer l'information.

– Il te déteste ? Non. Il est en colère contre toi, je pense. Il veut te punir. Mais il ne te déteste pas. Je peux déceler l'amour dans ses yeux. Il t'adore. Il a besoin de toi.

Evie ressentit une sensation étrange au creux de son ventre.

– Tu crois ? Vraiment ? Parce que je l'aime. Si fort. Je l'ai toujours aimé.

– Je n'en doute pas, répondit Martha en souriant. Écoute, nous avons presque terminé, non ? Modifions ces étiquettes et allons les voir, Linus et lui. Dis-lui combien tu l'aimes et je pense qu'il te pardonnera. Je suis sûre que oui.

Evie sentit un sourire se frayer un chemin sur son visage, et elle reconnut cette sensation dans son ventre. C'était l'espoir.

– OK, dit-elle en sélectionnant les derniers noms, en les passant A, puis en se levant, les yeux brillants. Très bien, allons-y.

23

Elles montèrent l'escalier en silence jusqu'au sixième, où Evie ne s'était encore jamais rendue, où elle n'avait eu aucune raison d'aller. Mais elle connaissait le chemin. Les étages étaient tous agencés de la même façon et les instructions de Raffy les conduisirent directement dans la salle où Martha et elle le trouvèrent penché sur un ordinateur.

– Presque fini ! cria-t-il quand la porte s'ouvrit. Tu as trouvé ce que tu cherchais ?

Elles entrèrent dans la pièce et Raffy leva les yeux. S'il était content de les voir, il n'en laissa rien paraître.

– Oh, pardon, je pensais que c'était Linus.

Evie sentit son cœur se serrer. C'était une mauvaise idée. Elle ne pouvait pas lui parler. Il n'y avait rien à dire.

– Où est Linus ? s'enquit Martha.

– Il est sorti, répondit Raffy, qui avait déjà reporté son attention sur l'ordinateur, le front plissé. Chercher quelque chose.

– Chercher quoi ? demanda Martha, le ton plutôt sec.

Raffy leva les yeux, impatient.

– Je ne sais pas. Quelque chose. Il a dit qu'il reviendrait dans peu de temps.

– Et quand était-ce ?

Il soupira.

– Je ne sais pas. Il y a un moment. Vingt minutes. Qu'est-ce que ça peut faire ? J'ai bientôt terminé. J'ai juste besoin de me concentrer encore un peu…

Martha regarda l'horloge au mur.

– Vingt minutes ? Où pourrait-il être parti tout ce temps ?

Raffy tapa des poings sur la table devant lui.

– Je ne sais pas, d'accord ? Il reviendra. Mais si je ne finis pas ça…

Il arqua les sourcils d'un air entendu et Martha s'assit. Evie l'imita et passa en revue la salle où Lucas avait travaillé, comme s'il avait pu laisser quelque chose, comme si une partie de lui était encore là. De temps à autre, elle jetait des coups d'œil à Raffy, en se demandant ce qu'il pensait vraiment, comment il réagirait quand elle lui avouerait qu'elle l'aimait, qu'elle regrettait, se demandait si elle en aurait même l'opportunité, mais c'était comme s'il était totalement inconscient de leur présence. Puis, enfin, il leva les yeux.

– OK, fit-il en soupirant. Terminé.

– Terminé ? (Martha se leva d'un bond et se dirigea vers l'ordinateur.) Tu as réécrit le programme ?

– J'ai fait exactement ce que Linus m'a dit. Le Système ne peut plus traquer personne. Il est désactivé. Il ne peut plus faire grand-chose, en fait.

Martha digéra l'information.

– Je vais chercher Linus, annonça-t-elle après une courte pause. Attendez-moi ici.

Elle sortit de la pièce, laissant un silence gêné derrière elle. Evie respira un bon coup, puis se leva.

– Raffy, dit-elle d'un ton calme.

Il se tourna pour la regarder, pas entièrement hostile mais presque.

– Oui ?

— Je suis désolée. Il faut que tu le saches. Je suis vraiment désolée. À propos de ce qui s'est passé avec Lucas… je n'ai jamais rien éprouvé pour lui. Rien du tout. C'était juste que ce soir-là, il semblait si… brisé. Si fragile. Et j'avais peur. Mais je ne sais pas comment ça a pu être possible, car c'est toi que j'aime, toi et personne d'autre, c'est avec toi que je me suis enfuie, avec toi que je veux être. Toujours. Et je suis désolée si je t'ai fait du mal. Et je me déteste pour cela.

— Ouais ? fit Raffy.

Sa voix dénotait un manque d'intérêt total, mais ses yeux lui disaient le contraire et cela lui donna de l'espoir. Ils étaient remplis de douleur, de défiance. Les mêmes yeux qui l'avaient émue quand il s'était fait traquer, rejeter après l'arrestation de son père. Des yeux qui lui donnaient envie de pleurer, parce que, cette fois, c'était sa faute.

— Oui, déclara-t-elle d'un ton calme, en se dirigeant lentement vers lui. Raffy, je suis tellement malheureuse. Je te l'ai dit uniquement parce qu'il fallait que tu saches la vérité, parce que je ne tenais pas à ce que tu sois amoureux d'un mensonge. Je veux que tu m'aimes, Raffy. Moi en entier. Même celle qui fait des choses idiotes.

Ses yeux s'emplissaient de larmes, mais elle les repoussa d'un battement de cils, car elle ne voulait pas de sa pitié, ni qu'il la réconforte.

Raffy se tut pendant quelques secondes.

— Tu penses vraiment ce que tu dis ? Je l'ai vu te regarder tout à l'heure. Le regardais-tu ?

Evie sentit son cœur s'arrêter une seconde.

— Bien sûr que non. Raffy, ça a toujours été toi et moi. Toujours.

— Alors pourquoi a-t-il fallu que tu embrasses Lucas ? fit-il, la voix enfin entrecoupée. Pourquoi lui… Pourquoi Lucas ?

— Parce qu'il voulait te sauver la vie, murmura Evie. Parce que je me suis rendu compte qu'il avait été de ton côté depuis le début. C'était toi, Raffy, pas lui. Je ne ressens rien pour Lucas. Rien. Tu dois me croire. Tu dois…

Elle leva ses yeux embués de larmes sur lui, et d'un seul coup Raffy fut tout près d'elle, la prit dans ses bras, l'embrassa – sa bouche, son nez, ses yeux mouillés. Il la serra et elle se cramponna à lui, lui embrassa le cou, la bouche ; l'espace d'un instant ils auraient pu se trouver n'importe où, loin, très loin de la Cité, du Système, de tout ce qui les avait retenus si longtemps.

— Je t'aime, lui murmura Raffy à l'oreille. Je t'ai toujours aimée.

— Je t'ai toujours aimé, moi aussi, chuchota Evie. Toujours.

Et pendant ce qui leur parut des heures, mais qui n'était peut-être que des secondes, ils se cramponnèrent l'un à l'autre, comme s'ils essayaient de faire fusionner leurs corps, comme s'ils avaient peur de se lâcher. Puis la porte s'ouvrit et ils se séparèrent, la mort dans l'âme, lentement mais pas complètement. Evie se demandait même si, un jour, elle pourrait l'abandonner entièrement.

Lorsqu'ils se retournèrent pour accueillir Martha et Linus, ils s'arrêtèrent, les yeux écarquillés, le cœur battant la chamade, mais pour des raisons différentes.

— Lucas.

Ce fut Raffy qui parla. Raffy qui le vit en premier. Puis elle sentit qu'il la quittait dans le brouillard quand il se précipita vers Lucas sans prévenir et que, d'un seul coup, il l'entraîna par terre et le frappa.

— Salaud ! Tu ne pouvais rien me laisser à moi, hein ? fit-il, furieux. Tu m'as pris mon père et tous mes amis.

Et il a aussi fallu que tu me prennes Evie ! Il fallait bien que tu essaies.

– Raffy, arrête ! dit Lucas entre ses dents, alors que Raffy le rouait de coups.

Puis Evie le regarda, les yeux écarquillés, quand il attrapa les mains de Raffy et les mit de force dans son dos.

C'était un mouvement en douceur, presque sans effort, qui dévoilait une force qu'Evie ne lui avait vue qu'une seule fois, contre les agresseurs de M. Bridges. Raffy se retrouva cloué au sol, se débattant comme un scarabée à l'envers, impuissant, frustré. Lucas lui donna un coup de genou dans les jambes pour le forcer à s'arrêter.

– Tu as fini, maintenant ? dit-il à voix basse.

Raffy secoua la tête, bouillant de rage.

– Jamais !

Lucas baissa les yeux, le regard embué. Il eut brusquement l'air fatigué. Raffy le constata lui aussi et tâcha d'en profiter pour se défaire de son emprise. Mais Lucas fut trop rapide pour lui et le plaqua au sol.

– Tu dois m'écouter, dit-il toujours à voix basse. Je ne nous ai pas enlevé Père. Il savait qu'il était sur le point de devenir un E. Il savait que le Frère voulait se débarrasser de lui. Il m'a formé. Il m'a dit que je devais donner des informations sur lui pour être lavé de tout soupçon. Il m'a expliqué comment gravir les échelons, comment entrer dans le Système pour pouvoir poursuivre son travail. Il m'a fait promettre, Raffy.

– Et c'est pour cela que tu as embrassé Evie ? Tu fais semblant de m'aider, mais tu ne m'aides pas, Lucas. J'ignore quel jeu tu joues, mais je devine tes intentions, même si je suis le seul. Je ne me laisserai pas duper, cracha Raffy.

– J'ai embrassé Evie parce que… (Lucas leva les yeux, croisa ceux de la jeune fille, et elle ressentit un choc

– douleur, peur, désir – qui la fit se dérober et baisser de nouveau les yeux.) Je ne sais pas pourquoi, c'était stupide.

L'espace d'un instant, Evie ressentit une déception lancinante, qu'elle réprima immédiatement. Elle regarda prudemment Lucas libérer Raffy, mais celui-ci ne bougea pas, il fixait son frère d'un air insolent.

Lucas soupira.

– Je suis désolé. D'accord ? Pour tout. Sincèrement, Raffy. Est-ce ce que tu as besoin d'entendre ?

Raffy roula sur le côté, se leva et se dirigea vers Evie en titubant.

– Ouais, et moi aussi, je suis désolé, dit-il. Désolé pour toi.

Lucas opina en silence. Ses yeux évitaient Evie, elle le savait parce qu'elle esquivait les siens, elle aussi. Elle ne se faisait pas confiance, ni aux émotions que générerait le fait de le regarder. Alors elle serra affectueusement la main de Raffy, bien fort. Stupide ? Elle ferma les yeux. Bien sûr. C'était le mot qui décrivait parfaitement la situation.

Lucas se leva, lentement.

– Alors, où sont Linus et Martha ? demanda-t-il.

– Bonne question, lança Martha en entrant brusquement dans la pièce. Je l'ai cherché partout et je ne l'ai pas trouvé.

Lucas, paniqué, virevolta sur lui-même.

– Je ne comprends pas. Tout marche comme sur des roulettes. Où aurait-il pu partir ?

Martha fit la grimace.

– N'importe où. C'est bien le problème avec Linus. On ne sait jamais vraiment ce qu'il pense derrière son sourire.

Lucas se renfrogna.

– Voulez-vous que je vous accompagne jusqu'à la porte à sa place ? demanda-t-il, mais Martha secoua la tête.

– Nous ne partons pas sans lui, décréta-t-elle. Tout le monde se trouve dans la salle de Rassemblement, c'est ça ?

Lucas hocha la tête.

– Et le Frère ?

– Lui aussi. Enfermé dans la salle du fond. J'ai chargé M. Bridges de garder un œil sur lui, mais…

– Mais tu dois y retourner. Je comprends. Je crois que nous devrions tous y aller avec toi.

– Dans la salle de Rassemblement ? demanda Raffy d'un ton hésitant. Mais nous sommes censés partir. S'ils nous voient… si la police sait que nous sommes là…

– Je comprends, dit Martha. Mais si je connais bien Linus, et je crois que oui, il s'est rendu à la salle de Rassemblement. Et s'il est là-bas, nous devons y aller. (Elle se tourna vers Lucas.) Peux-tu nous y amener sans que personne ne nous voie ?

– Bien sûr, acquiesça Lucas.

– Alors, allons-y, déclara Martha, l'air déterminé. Allons le chercher.

Les rues étaient désertes, mais ils avancèrent tout de même à pas de loup, regardèrent furtivement autour d'eux, sursautèrent chaque fois qu'ils entendaient un bruit. Les accidentés étaient partis, probablement en douce avec l'aide d'Angel. À présent, un silence sinistre s'était abattu sur la Cité. Tout le monde était réuni dans la salle de Rassemblement, sauf la police qui continuait à patrouiller dans les rues. Nul ne parlait quand ils s'enfoncèrent de plus en plus dans la Cité, vers ceux auxquels ils avaient tous échappé à leur manière.

Le ventre d'Evie se contracta de peur à mesure qu'elle avançait. Raffy se tenait à sa droite, de temps à autre il lui prenait la main, lui jetait un coup d'œil, lui serrait l'épaule. Et elle lui rendait son regard, lui adressait un sourire, hochait la tête pour lui faire comprendre que tout allait bien, qu'elle allait bien. Et, de temps en temps, Lucas se retournait pour parler à voix basse avec Martha, ses yeux croisaient alors ceux d'Evie et elle le fixait une seconde ou deux avant de se détourner de force, de regarder anxieusement Raffy pour vérifier s'il avait vu, s'il savait. Mais celui-ci regardait droit devant lui, toujours droit devant.

— OK, nous y sommes, annonça enfin Lucas quand ils approchèrent de l'arrière de la salle de Rassemblement, sur un chemin qu'Evie n'avait encore jamais emprunté. Vous, attendez tous ici ! Restez dans l'ombre. Je vais voir si je trouve Linus.

— Je t'accompagne, proposa alors Raffy.

Lucas le regarda avec circonspection, puis secoua la tête.

— C'est dangereux. Tu dois rester caché.

— Parce que je suis un E ? Il paraît que toi aussi. Pourquoi peux-tu y aller sans danger et pas moi ?

— Parce que… (Lucas s'éclaircit la gorge, sans savoir apparemment quoi dire l'espace d'un instant, puis il mit une main sur les épaules de Raffy.) Parce que je ne manquerai à personne si je meurs. J'ai fait ce que Père m'a demandé. Toi… Evie dépend de toi. Tu dois prendre soin d'elle.

Raffy ouvrit la bouche pour parler, puis regarda Evie qui lui rendit son regard, désespérée, ne souhaitant pas qu'il s'en aille, mais ne désirant pas non plus l'en empêcher.

— Je ferai vite, dit Lucas d'un ton doux, brisant le silence, et il s'esquiva seul, comme il l'avait toujours fait, songea Evie.

La salle de Rassemblement était bondée, exactement comme Lucas l'avait prévu, toute la population de la Cité concentrée entre ses murs élevés. Tout le monde discutait d'un ton inquiet, et c'était un bourdonnement presque assourdissant de questions et d'incertitudes. Lucas dut faire appel à toutes ses forces pour ne rien entendre quand il se glissa dans la salle et la traversa jusqu'où il avait laissé le Frère. Où Linus pouvait-il bien être ? Avec le Frère ? En train de s'assurer que Lucas avait correctement fait son boulot ? Ailleurs ? Si Linus était perdu parmi la foule, il ne réussirait jamais à lui mettre la main dessus. Lucas soupira. Il s'aperçut en approchant de la salle où il avait laissé le Frère qu'il connaissait à peine Linus, que pendant des années il s'était confié à un homme qu'il connaissait à peine.

Mais, se dit-il, son père faisait confiance à Linus, et cela suffisait. Cela devrait suffire.

Il se rendit à la porte où M. Bridges attendait.

— Merci, dit Lucas d'un ton grave. Merci beaucoup. Vous pouvez y aller à présent. Vous en avez assez fait.

M. Bridges regarda craintivement autour de lui. Lucas mit une main sur son épaule.

— Le Frère ne vous a pas vu. Il ignorait qui le surveillait. Personne ne sait que vous m'avez aidé. Allez vous asseoir avec l'assemblée, sachez que demain votre étiquette sera modifiée, en A, comme celles de tout le monde. Et qu'elles ne changeront plus. Le Système a été désactivé. Il n'y aura plus d'étiquettes. Vous êtes libre. Vous comprenez ?

M. Bridges hocha la tête, les yeux toujours pleins d'angoisse.

— Et vous ? demanda-t-il. Que vous arrivera-t-il ?

– Ça ira, dit Lucas en souriant. J'ai juste quelques affaires à régler, c'est tout. Mais merci encore. Si vous saviez comme je vous suis…

– Ce n'est rien, l'interrompit M. Bridges. C'était la moindre des choses. Quand je vous ai assuré l'autre jour que je vous revaudrais ça, j'étais sincère. (Il tendit une main tremblante et Lucas la serra.) Vous êtes un homme courageux, murmura M. Bridges. Un homme bon. J'espère qu'un jour vous serez libre, pour devenir un homme heureux, également.

Et sur ce, il s'en alla, se faufila dans l'obscurité en direction de la salle de Rassemblement, retrouva sa communauté, sa place. Lucas l'observa quelques secondes, en se demandant si un jour il aurait lui-même une place quelque part, puis il se ressaisit. La sienne était ici, désormais. Il devait mettre la main sur Linus. Il devait finir ce qu'il avait commencé. Il respira profondément, sortit une clé et ouvrit la porte.

Mais au lieu de trouver la scène à laquelle il s'attendait – le Frère, ligoté à une chaise, bâillonné, tel qu'il l'avait abandonné –, il découvrit une pièce vide. Pas de trace du Frère. Personne.

Il se retourna pour rappeler M. Bridges, mais trop tard, celui-ci était parti depuis trop longtemps. Il n'aurait pas laissé s'enfuir le Frère. Personne d'autre ne savait où il était. Il courut vers la seule fenêtre, la tira. On l'avait ouverte. Le Frère avait donc filé sans que M. Bridges ne s'en rende compte ? Mais comment ? Comment s'était-il détaché alors que Lucas en personne avait fait les nœuds ? D'innombrables questions traversèrent son esprit, son pouls s'accéléra et un léger voile de sueur recouvrit son corps à mesure qu'il comprenait progressivement la situation désespérée. Puis il sursauta, car il entendit hurler. Et il reconnut l'une des voix. Il fit un bond vers la fenêtre, mais elle était trop haute, on ne pouvait pas bien voir ce qui se passait en dessous. Il décida donc de sortir, de reprendre le couloir à toute allure en direction de la porte par laquelle il était entré. La voix qu'il avait entendue était celle du Frère. L'autre, il ne la reconnut pas, mais il avait ses doutes. Il devait les arrêter avant que les gens n'entendent et que tout ce qu'ils avaient planifié si méticuleusement ne tombe à l'eau. En se moquant bien de ceux qui le voyaient, Lucas courut vers la porte, l'ouvrit à la volée et fit le tour du bâtiment au pas de course, jusqu'à l'endroit où il avait perçu les voix.

– Lucas.

C'était le Frère, dos à l'immeuble. Devant lui se tenait Linus. Lucas le scruta quelques secondes, fixa l'homme qu'il connaissait vaguement depuis si longtemps ; à l'hôpital, il avait été trop ahuri pour le regarder correctement. C'était un homme grand et musclé, plus sportif que Lucas ne l'avait imaginé, aux cheveux gris et courts. Et son visage, lorsqu'il se retourna vers lui, lui fit penser à une pêche trop mûre avec ses plis, ses rides, comme un paysage asséché par le soleil, plein de chaleur, mais dur, fort, capable de survivre quand d'autres auraient renoncé.

– Lucas, dit-il. (Il se fendit d'un sourire qui se fraya un chemin sur chaque parcelle de peau disponible.) C'est bon de vous voir. Les autres sont-ils partis ?

Sam regarda fixement le mur devant lui. Devenait-il fou ? Avait-il vraiment vu qui il avait cru voir ? Rapidement, il s'approcha de la salle de Rassemblement. Toujours aucune trace du Frère, en dépit de ses instructions précises de le retrouver ici une demi-heure plus tôt. Et à présent, Lucas. C'était lui. Il le savait. Il aurait reconnu cette posture bien droite n'importe où. Et si Lucas était là, et pas le Frère…

Il se retourna et se dirigea vers l'arrière de l'immeuble où deux policiers montaient la garde, assuraient aux citoyens de la Cité qu'ils seraient en sécurité à l'intérieur, que les Maudits ne viendraient pas les déranger dans un endroit aussi sacré.

— Je crois que vous pourriez avoir besoin de renfort, lança-t-il.

— De renfort ? (Un policier fronça les sourcils.) Il n'y a personne. Tout le monde est parti traquer les Maudits. Pourquoi ? Que se passe-t-il ?

— Le Frère a disparu et j'ai croisé un E dans le bâtiment, expliqua Sam, les yeux plissés. Demandez de l'aide, sinon je devrais dire un mot à votre supérieur.

Il se tourna très légèrement, afin de s'assurer que le garde voyait correctement son étiquette, le reflet or qui montrait qu'il était l'un des rares élus du Frère.

Le garde blêmit, puis hocha la tête.

— Bien, monsieur. Je m'en occupe immédiatement. Vous pouvez compter sur moi, monsieur.

— Parfait, répondit Sam, et il partit à toute vitesse.

24

– Linus, ce n'est pas ce que nous avions convenus.

Celui-ci se retourna et vit Martha derrière lui, qui les rejoignait, les bras croisés. Raffy et Evie sur ses basques. Lucas se força à ne pas regarder la jeune fille et se tourna vers Linus.

– Ah, fit Linus. Ils sont donc encore là.

– Ils ne partiraient pas sans vous, déclara Lucas. Pourriez-vous me dire ce que le Frère fait ici ? Le plan, c'était de le laisser dans la salle de Rassemblement. Le plan…

– Les plans changent, répliqua Linus, rayonnant. Le Frère et moi avions une petite conversation. Une petite mise à jour.

Linus sourit de nouveau, un millier de sourires perdus sur un seul visage, se surprit à penser Lucas.

– Nous ne sommes pas en sécurité, annonça Lucas. Nous devons partir.

– Lucas, mon ami, riposta Linus, les yeux étincelants. Vous avez raison, comme toujours. Mais il est toujours bon de s'adapter, n'est-ce pas ? Et le Frère et moi avons presque terminé, de toute façon.

– Nous avions terminé il y a longtemps, Linus.

– Vraiment ? (Linus eut l'air perplexe.) Hum, alors je me trompe peut-être. Peut-être était-ce un voyage raté.

Il fit mine de s'en aller. Tout le monde le regarda, puis il s'arrêta, se retourna et sourit de nouveau.

– Ah, tu me taquines, n'est-ce pas ? Nous savons tous les deux qu'il y a des choses dont nous devons parler. Et comme nous n'avons rien de mieux à faire, pourquoi ne pas bavarder ? (Il rejoignit le Frère jusqu'à ce qu'il ne soit plus qu'à quelques centimètres.) Alors, discutons, ajouta-t-il, la voix basse et menaçante.

Lucas regarda Martha en se demandant à quel moment intervenir, mais elle secoua la tête et recula. Lucas en fit de même, ses yeux se déplaçant par inadvertance jusqu'à Evie, sa peau blanche transparente au clair de lune, ses yeux intelligents rivés sans aucune peur sur Linus. À côté d'elle se tenait Raffy, le visage toujours semblable, ses émotions en surface que l'on avait le sentiment de pouvoir toucher, le corps tendu, prêt à agir, ses cheveux bouclés autour de sa tête aussi indisciplinés que lui.

– Alors, Frère ? On colporte toujours ses mensonges, hein ? On bousille toujours des vies ?

Le Frère le regarda froidement.

– Tu sais et je sais, Linus, que quand les temps sont durs, il faut prendre des décisions difficiles. Le courage des convictions. Un plan. Tu n'as jamais compris cela. Tu étais trop idéaliste. Mais l'idéalisme n'a pas sa place dans le monde réel.

– Le monde réel, dit Linus d'un ton songeur, en reculant de quelques pas sur la gauche, puis en retournant là où il se tenait plus tôt. Et c'est ça, le monde réel ?

– Oui, dit le Frère, nous avons une communauté. Des bouches à nourrir, des enfants à élever, des produits à approvisionner, une Cité à protéger. Mon peuple se trouve à l'intérieur. Laisse-moi le rejoindre.

– Ton peuple ? (Linus le regarda d'un air incrédule.) Tu crois vraiment que mentir à tous, leur affirmer que le Système peut voir dans leurs âmes et leur attribuer la bonne étiquette, c'est le meilleur moyen d'accomplir toutes ces choses ?

Il se rapprocha de nouveau, menaçant, mais le Frère ne broncha pas.

– Le Système fonctionne, dit-il. Mon Système. Pas le tien.

– Fonctionne dans le sens où la plupart des gens sont malheureux et se détestent ? Fonctionne dans le sens où la cicatrice sur le côté de leur tête est due à une puce qui espionne où ils se trouvent et ce qu'ils font ? Intéressant. (Linus sourit de nouveau, mais cette fois, son visage se plissa à peine et ses yeux étaient de glace.) Tu es un menteur et un escroc. Tu as pris mes rêves et tu les as transformés en cauchemar. Mais maintenant c'est terminé, Frère. Ton Système a été désactivé. Et toi aussi, je vais te mettre hors service.

Il passa la main dans la poche de son manteau, puis se figea sur place, essaya l'autre, celles de son pantalon, tapotant partout comme un fou.

– Perdu quelque chose ? dit le Frère, un petit sourire se frayant un chemin sur son visage. Le sens pratique n'a jamais été ton fort, Linus. Et à présent, si tu regardes derrière toi, tu constateras que la police est là.

Tout le monde se retourna d'un coup et vit un homme approcher, accompagné de dix policiers, tous armés de bâtons. Le sang de Lucas ne fit qu'un tour. De peur, de colère.

– Linus ! cria-t-il. Linus, qu'as-tu fait ? Nous aurions dû partir ! Nous aurions dû…

– Mon arme ! dit Linus, qui n'écoutait apparemment pas Lucas. Où est mon revolver ? Où est…

Un policier se jeta en avant, l'attrapa. Un autre s'empara de Raffy et de Martha.

– Lâchez-les !

Les yeux de Lucas s'écarquillèrent quand il vit Evie avancer d'un pas, les bras tendus ; puis il remarqua quelque chose qui brillait dans ses mains, et l'espace d'un instant il fut incapable de respirer, de penser, de comprendre. Il décela la haine dans ses yeux et il tressaillit.

— Lâchez-les ! aboya-t-elle de nouveau.

Le policier recula immédiatement.

Il y eut un hurlement. Les gens s'étaient mis à quitter la salle de Rassemblement un par un, derrière le policier. De toute évidence, la nouvelle s'était répandue que le Frère était dehors, qu'il se passait quelque chose. Ils sortirent d'un pas hésitant, prudent, entourèrent Linus, le Frère, le policier, Lucas, Martha, Raffy et Evie. Ils hurlèrent de peur quand ils les reconnurent et crièrent chaque fois qu'Evie se tournait vers eux. Mais Lucas les remarquait à peine, se rendait à peine compte qu'il n'avait nulle part où s'enfuir à présent, aucune échappatoire. Il ne voyait qu'Evie, un pistolet à la main, le visage serein, froid, en colère. Comme le sien, songea-t-il en frissonnant.

Convaincue que ses amis étaient libres, elle braqua l'arme sur le Frère.

— Evie, pose ce revolver, lui intima-t-il. C'est un instrument du mal, de torture. Il n'a rien à faire entre tes mains. Pose-le.

— Pas question, répondit-elle. (Sa voix ne tremblotait pas, ne trahissait aucune frayeur.) J'ai aidé un Exécutable à s'enfuir. Cela fait aussi de moi une E, non ?

Elle virevolta sur elle-même, l'arme brièvement braquée sur les policiers, sur la foule. Il y eut d'autres cris et tout le monde recula, s'écarta de peur. Elle dirigea de nouveau le revolver sur le Frère qui se força à sourire.

— Evie, dit-il prudemment. Evie, tu es jeune. Tu ne comprends pas. Tu n'es pas une E. Tu as besoin d'aide, Evie, voilà tout.

— Comme pour mes rêves ? demanda-t-elle.

Il blêmit.

— Evie, nous les avons résolus. Nous avons compris que…

— Que c'était de la Cité dont je rêvais ? fit-elle d'un ton cinglant. Pas de mes vrais parents, alors ? Ceux que vous avez laissé le Guide suprême mutiler avant de les jeter de nouveau à la porte de la Cité ? Ceux que vous avez massacrés, que vous avez transformés en Maudits ?

Un halètement parcourut la foule. Le visage du Frère se vida de toutes ses couleurs.

— Je ne sais pas où tu as entendu ce genre de chose, Evie, mais ce sont des mensonges. Des mensonges. C'est…

— Je m'en souviens, le coupa Evie en se dirigeant vers lui. Je me souviens être venue ici. Je revois l'espoir qu'ils avaient. Et vous…

— J'ai toujours su qu'elle était mauvaise ! (Un cri retentit brusquement dans la foule. Une femme en sortit. Lucas reconnut la mère d'Evie.) Nous t'avons acceptée, donné une maison, traitée comme notre propre fille et regarde-toi ! Tu es comme tes vrais parents. Mauvaise. Bonne à rien.

— Non ! hurla Evie en braquant son arme sur elle. Non, ce ne sont pas des bons à rien. Vous, si. Vous m'avez volée. Vous m'avez menti.

Sa mère la fixa un instant, puis rejoignit la foule en courant, laissant Evie se retourner vers le Frère.

— Mes vrais parents n'ont jamais été des bons à rien. Ils m'ont aimée pour ce que j'étais. Ils m'ont aimée. Et vous… vous m'avez menti !

— Nous t'avons protégée, rétorqua le Frère avec vigueur. Tes parents n'étaient pas capables d'intégrer la Cité. Ils étaient au-delà du Nouveau Baptême. Ils étaient…

– Le Nouveau Baptême ne sert à rien ! hurla Evie. Personne ici ne l'a reçu ! Avouez-le. Dites-le à tout le monde ! (Elle se retourna, les yeux brillants au clair de lune, passa la foule devant elle en revue.) Le Nouveau Baptême ne sert à rien. Il n'a jamais servi à rien. Il nuit simplement aux gens. C'est ce que sont les Maudits. Ce sont les seuls qui aient subi le Nouveau Baptême. Voilà pourquoi ils sont comme ils sont. Ce n'est pas leur faute. Ils ne sont pas mauvais. Ils sont juste abîmés. Comme l'étaient mes parents. Accidentés, puis jetés hors de la Cité. On s'est servi d'eux pour nous faire peur. Mais je n'ai pas peur, Frère. Vous, vous devriez avoir peur. Parce que je vais vous tuer, exactement comme vous avez assassiné mes parents.

– Et ainsi, tout le monde saura que tu es mauvaise. Que tout ce que tu as dit est faux, répliqua-t-il d'un ton égal.

Elle se dirigea vers lui, ses mains commençaient à trembloter.

– Non, rétorqua-t-elle. C'est vous, le mauvais. C'est vous qui avez détruit, retiré tant de vies. C'est vous que l'on doit arrêter. Et je m'en chargerai.

Le Frère la regarda fixement, et quand elle approcha, son visage rond perdit de son acier, de son arrogance, et se mit à trembler.

– Non, pleurnicha-t-il. Non, Evie, ne me tue pas, je suis désolé !

– Vous êtes désolé ? fit Evie d'un ton glacial. Ça ne suffit pas. Absolument pas.

– Je t'en prie, l'implora le Frère. Ne fais pas ça. Parlons. Je peux changer ton étiquette. Celle de Raffy. Je peux arranger les choses. Je peux…

– Il n'y a pas d'étiquettes, dit Evie. Il n'y en a plus. La Cité n'a pas besoin de vous. Ne veut pas de vous.

– Noooooooon ! hurla le Frère, un son guttural qui semblait venir du fin fond de son ventre rond. Quelqu'un, faites quelque chose ! (Il regarda fixement les policiers, qui se tenaient légèrement en retrait.) Sortez vos armes ! Tuez-les ! Tuez-les tous !

Un murmure s'éleva de la foule.

– Il n'y a pas d'armes dans la Cité. Elles incarnent le mal. Elles symbolisent la violence, la corruption et…

– Elles ne représentent le mal qu'entre les mains du mal, dit le Frère, à bout de souffle, avant de se retourner vers la police. Cessez d'être aussi pathétiques et sortez-les ! hurla-t-il. Je me moque bien que quelqu'un les voie. Vous devez abattre ces individus, sinon ils vont me tuer !

Mais personne ne bougea. Personne, excepté Linus qui avança d'un pas.

– Tout ce que vous avez raconté à ces gens est un mensonge, n'est-ce pas, Frère ? Vous avez une règle pour vous et une pour eux. Personne n'a droit aux richesses, mais vous vivez dans le luxe. Les armes incarnent le mal, et pourtant, en secret, vous en approvisionnez vos gardes. La Cité est un endroit sans danger et pourtant ses citoyens vivent en permanence sous votre menace et celle de votre Système corrompu. Les Maudits sont de violents criminels, et pourtant, en réalité, ce sont des innocents que vous avez violés, ainsi que cet endroit. La Cité vaut mieux que cela. Vous méritez de mourir. Mais pas de la main d'Evie. (Il posa délicatement sa paume sur son épaule.) Evie, dit-il d'un ton calme, tu as toute la vie devant toi, et si tu tues quelqu'un, cela te hantera toute ton existence, même si ce quelqu'un est un bon à rien comme le Frère.

– Je dois le tuer, déclara Evie sans le quitter des yeux. Je le dois à mes parents. (Elle passa la foule en revue.) Mes vrais parents.

– Laisse-moi le faire, insista Linus. Donne-moi l'arme. Laisse-moi faire.

Evie secoua la tête.

Lucas l'observa, observa Linus, puis le Frère, prêt à intervenir.

Evie se posta devant le Frère, les mains tremblant quand elle posa le doigt sur la détente. Puis, soudain, un coup partit, tout le monde hurla, la police se précipita et Evie resta immobile, la bouche ouverte, le revolver entre les mains.

— Mais… dit-elle. Mais je n'ai pas… je n'ai pas…

Raffy se rua vers elle, l'entraîna vers lui et elle lâcha l'arme. Linus la rattrapa.

— Je n'ai pas… répéta-t-elle.

— Je sais, dit Linus, et ils regardèrent, derrière lui, Lucas qui tenait le revolver qu'il venait de dérober à un policier.

Il le brandit, le braqua sur la police, sur la foule. Le Frère, à terre, gémissait. Lucas le dévisagea, dégoûté.

— Ce n'est que votre jambe, vous survivrez, observa-t-il.

— Tu aurais dû me laisser le tuer, déclara Evie d'un ton amer. Tu aurais dû…

— Non, rétorqua Lucas.

Linus prit l'arme des mains de la jeune fille, et à eux deux ils continrent les gardes, la foule.

— Je ne pouvais pas te laisser gâcher ta vie, ajouta Lucas. Ne sois pas triste. Ne cache pas tes sentiments et ne t'abrite pas derrière un masque. Exprime-les, Evie. L'alternative est trop douloureuse. Elle fait même encore plus mal. Elle t'ôte la vie.

Il regarda Linus.

— Allez-y, fit-il. Je retiens les gardes jusqu'à ce que vous ayez le temps de fuir.

Il secoua la tête.

— Je m'amuse bien ici, dit Linus, les yeux légèrement plissés. Allez-y, vous. Prenez les autres. Angel vous retrouvera dehors, vous emmènera au camp de base, en sécurité. Je vous rattraperai. Partez et ne vous arrêtez pas de courir.

— Linus ! (Martha se rua vers lui.) Qu'est-ce que tu racontes ? Tu dois venir avec nous ! Nous avons besoin de toi !

Elle l'attrapa, mais il la repoussa doucement.

— Quelqu'un doit rester, déclara-t-il calmement. Je peux les retenir ici, vous faire gagner suffisamment de temps pour que vous vous échappiez.

— Et toi ? demanda Martha, les larmes aux yeux. Comment vas-tu sortir ?

— Je trouverai bien quelque chose, dit Linus, les yeux étincelants. Partez maintenant et recommencez vos vies. Sachez que le Système qui vous a gâché l'existence n'est plus, que le voile a été levé. Que ce que nous avons fait en valait la peine. Et ne vous inquiétez pas pour moi.

— Je reste avec toi, déclara-t-elle, la lèvre tremblante, mais Linus secoua la tête.

— Lucas, emmenez-la. Prenez bien soin d'elle. De tout le monde. Je compte sur vous.

Lucas opina.

— Ravi de vous avoir… presque connu, lança-t-il.

Linus se fendit d'un grand sourire.

— Idem, dit-il et il se retourna pour braquer l'arme sur le Frère. Approchez et le Frère mourra ! cria-t-il, puis il adressa un clin d'œil à ses amis qui s'en allaient. L'un de vous suit mes amis et le Frère mourra. L'un de vous bouge, et le Frère mourra, d'accord ?

— Allez, on y va, dit ensuite Lucas en regardant Martha qui hocha la tête à contrecœur. (Il se tourna vers les autres.) Raffy ? Evie ?

Raffy opina et prit la main d'Evie. Puis ils se mirent à courir, reprirent la route qu'ils avaient empruntée la première fois, disparurent derrière des maisons, le long de chemins cachés, en direction de l'est. Personne ne dit un mot, personne n'était prêt à parler de ce qui s'était produit, de ce qui se produirait à l'avenir, de ce qu'ils avaient accompli ou n'avaient pas accompli. Ils avancèrent tout simplement, passèrent devant la petite chaumière, traversèrent les marécages.

Puis ils se retrouvèrent devant la porte. Mais quand Lucas voulut l'ouvrir, elle resta fermée.

– Angel ? cria Martha. Angel ?

– Il ne peut pas t'entendre, lui rappela Raffy d'un ton amer. Vingt-cinq centimètres, souviens-toi.

Il courut vers elle, essayèrent de pousser les verrous. Mais la porte refusait de s'ouvrir. Ils perçurent des coups de feu au loin et se regardèrent, paniqués.

– Il va falloir passer par-dessus, annonça Lucas.

– Par-dessus ? Comment ? fit Raffy en le dévisageant, incrédule.

– Comme ça.

Lucas escalada la porte, s'accrocha en haut, balança ses pieds et les coinça entre les larges pointes de métal.

– Tu me montes dessus et tu redescends tranquillement.

Raffy hésita.

– Ou on peut rester ici et attendre la police, ajouta Lucas, à voix basse.

– Très bien, concéda Raffy.

Il se leva d'un bond, suivit l'exemple de son frère et, après avoir plusieurs fois lâché prise, il réussit à aller tout en haut. Evie se mit à trembler – ça avait l'air glissant, quatre mètres et demi de haut, hérissé de pointes. Ils ne s'en sortiraient jamais vivants. Si Raffy tombait, s'il perdait l'équilibre…

– Attention aux barbelés en redescendant ! l'avertit Lucas en lui tendant des tenailles.

Raffy les prit, sourcils arqués.

– Tu penses à tout, pas vrai ? dit-il entre ses dents.

– J'ai appris à le faire, répondit Lucas d'un ton léger. C'est quelque chose que Père m'a enseigné. Que j'aurais bien voulu te transmettre à mon tour.

Il croisa brièvement le regard de Raffy, et Evie distingua quelque chose sur le visage de celui-ci, mais elle ne savait pas ce que c'était parce qu'il s'était déjà remis à escalader le mur. Elle l'observa, son cœur s'arrêtant presque de battre quand il disparut de l'autre côté.

– Tu vas bien ? cria-t-elle.

Elle obtint une réponse étouffée qu'elle ne comprit pas mais qui, au moins, la rassura : il était en vie.

– À toi ? demanda Lucas.

Evie secoua la tête.

– D'abord Martha, proposa-t-elle.

Celle-ci hocha la tête avec véhémence et se mit à escalader. Elle était plus sportive qu'Evie ne l'avait cru, ses jambes gravissaient efficacement les verrous et les pênes jusqu'à l'endroit où Lucas était perché. Il la hissa jusqu'à l'endroit où Raffy avait coupé les barbelés, et lui tint les pieds quand elle s'efforça d'arriver tout en haut. Evie fut bien incapable de regarder et d'envisager l'escalade. Elle perdrait l'équilibre. Elle tomberait. Elle gâcherait tout.

Une fois Martha passée, Lucas la regarda depuis le haut.

– Prête ? dit-il, les yeux brusquement emplis d'une telle gentillesse qu'Evie se sentit forte, eut l'impression de pouvoir tout faire.

Elle s'essuya les mains sur ses vêtements et se mit à monter sans baisser les yeux, sans penser à ce qui se produirait si jamais elle perdait l'équilibre. Puis la main de Lucas s'approcha et prit la sienne, il la souleva et elle s'appuya sur lui, contre lui, si proche qu'elle percevait son souffle sur sa joue.

– Donne ça à Raffy, ordonna-t-il en enlevant la montre en or à son poignet, celle dont il avait été si fier.

– Pourquoi ? (Elle la regarda en hésitant.) Pourquoi Raffy voudrait-il une montre que le Frère t'a donnée ?

Lucas sourit tristement.

– Elle appartenait à notre père. J'ai raconté à Raffy que le Frère me l'avait donnée parce que… (Il soupira.) J'ai dit des tas de choses à Raffy. Notre père tenait à ce qu'il l'ait, mais c'était trop dangereux. Alors, j'en ai pris soin pour lui. Mais, à présent, il est temps de la lui transmettre. Je veux qu'il se souvienne de lui. Qu'il sache qu'il mérite que l'on ne l'oublie pas. Qu'il sache combien son père l'aimait. Combien je…

Il se tut de nouveau, les yeux brillants.

– Tu pourras la lui donner toi-même, dit ensuite Evie. Quand nous passerons de l'autre côté.

Lucas secoua la tête.

– Je ne viens pas avec vous, murmura-t-il.

Evie le regarda fixement, sentit un frisson le long de sa colonne vertébrale.

– Comment ça ? demanda-t-elle.

– Il faut que je reste ici. Que je fasse sortir Linus. Les gens seront perdus. Déroutés. Ils auront besoin d'être guidés. Ils auront besoin d'espoir.

Evie secoua violemment la tête.

– Tu dois venir avec nous. Tu dois…

Elle sentit les larmes picoter ses yeux, la colère, le désespoir et l'indignation déferler dans ses veines. Elle ne voulait pas perdre de nouveau Lucas.

– Il faut que tu viennes, dit-elle en s'essuyant les yeux et le nez à l'aide de sa manche.

– Je ne peux pas, répondit-il d'un ton doux. Tu le sais. Tu pars avec Raffy. Rentrez au camp de base. Trouvez l'une des autres civilisations. Faites votre vie ensemble.

– Et si la police te tue ? demanda Evie.

Lucas rit.

– Je ne vais pas retourner à la salle de Rassemblement, si c'est ce que tu crois. Il faut que je sache si ce que vous êtes venus faire ici… a marché. Je dois m'en assurer. Pour mon père. Pour Linus.

Evie ferma les yeux. Elle savait qu'il ne changerait pas d'avis, qu'elle le perdrait, qu'il avait raison, mais tout cela était tellement injuste…

– Tu… tu vas me manquer, murmura-t-elle, sans se donner trop le loisir de réfléchir à ce qu'elle disait.

– Evie ?

C'était la voix de Raffy.

– Elle arrive ! cria Lucas.

Puis il prit son visage dans sa main et, le rapprochant du sien, l'embrassa tendrement sur les lèvres.

– Si je voulais me marier avec toi, c'est parce que tu es belle, chuchota-t-il. Parce que tu es perspicace, intelligente et indépendante. Parce que je suis tombé amoureux de toi dès que je t'ai vue. Mais j'ai toujours su que tu ne serais jamais à moi. Prends soin de toi, Evie. Prends soin de Raffy pour moi.

– Merci, dit Evie. Pour avoir tiré sur le Frère. Pour… pour tout.

– Tu vas me manquer aussi, lança Lucas, la voix basse et si pleine d'émotion qu'Evie put voir ses lèvres trembler.

Puis il la hissa pour que ses mains puissent atteindre le sommet de la porte, et elle passa par-dessus. En l'enjambant, elle lâcha brièvement prise et tomba. Elle était sûre que c'en était terminé, et l'espace d'une seconde elle s'en moqua, mais elle sentit deux bras l'étreindre, la serrer. Et elle reconnut l'odeur de Raffy, la respira, respira le garçon qu'elle avait aimé toute sa vie, le garçon qui l'avait aimée, et elle l'étreignit à son tour, les larmes ruisselant sur ses joues, et ensemble ils descendirent.

– Lucas ? fit Angel quand elle atterrit. Où est-il ?

— Il fait demi-tour, expliqua Evie. Il va rester un moment là-bas.

Et si Raffy voulut protester, demander pourquoi, savoir ce que Lucas lui avait confié, il n'en fit rien.

— Il sait ce qu'il fait ? s'enquit Angel en fronçant les sourcils.

— Je crois, répondit Evie.

Elle se tourna vers Raffy, lui tendit la montre de Lucas, puis s'arrêta. Ce n'était pas le moment. Et elle n'était pas encore prête. Alors ils se mirent à courir, elle la garda dans sa main, la serra bien fort entre ses doigts, comme si c'était Lucas qu'elle tenait, comme si elle le protégeait, comme s'il avait laissé une partie de lui dans l'or de cette montre qui avait symbolisé tant de choses, qui s'était révélée, comme Lucas lui-même, comme la Cité, totalement différente de ce qu'elle avait cru.

De ce qu'ils avaient tous cru.

Épilogue

La poussière, la crasse et la saleté dans ses yeux, dans son nez, qui l'étouffent. Une main dans la sienne qui la tire, qui la rassure. Une grosse pierre, qui la surprend et elle tombe, la tête la première. Elle se redresse et s'essuie le front – il y a du sang sur le dos de sa main. Sa lèvre se met à trembler ; mais avant que les larmes n'aient le temps de venir, on la soulève. Ses bras s'accrochent autour d'un cou familier.

– Regarde où tu vas, idiote, dit-il, tout sourire. Tiens, prends ma main.

Elle l'attrape bien volontiers et le voyage continue. Le rythme de son pas la calme, elle se sent en sécurité.

– Nous y sommes presque, dit-il en lui serrant affectueusement la main. Presque, ma chérie.

Elle marche à côté de lui, vers leur nouvelle vie. Bientôt, elle sera ailleurs, dans un lieu nouveau, meilleur. Raffy la chahute, taquin, et elle sourit, le serre dans ses bras.

– Je t'aime, murmure-t-il. Je t'aime…